D1510038

Toi dont j'ignorais le nom

———

Une maman pour Lila

CHRISTY JEFFRIES

# Toi dont j'ignorais le nom

*Traduction française de*
MARION BOCLET

HARLEQUIN

*Collection :* PASSIONS

*Titre original :*
FROM DARE TO DUE DATE

**HARPERCOLLINS FRANCE**
83-85, boulevard Vincent-Auriol, 75646 PARIS CEDEX 13
Service Lectrices — Tél. : 01 45 82 47 47

www.harlequin.fr

ISBN 978-2-2803-6948-0 — ISSN 1950-2761

La façon dont les glaçons fondaient dans son verre de vodka-tonic évoquait à Mia Palinski la façon dont son avenir se dissolvait sous ses yeux.

Elle venait d'avoir trente ans, mais elle avait beau se répéter inlassablement qu'il était temps qu'elle accepte sa nouvelle vie, elle ne pouvait s'empêcher de regretter de ne pas être sur la scène de l'Egyptian Theatre ce soir, en train de virevolter sur la piste de danse.

Elle regarda le pianiste, à l'autre bout de la salle, et se demanda s'il avait autrefois aspiré à mieux que jouer de vieux standards dans le bar d'un hôtel huppé du centre-ville de Boise. La plupart des artistes avaient ce genre de regrets. Elle trouvait un certain réconfort dans l'idée qu'elle n'était pas la seule à regretter de n'avoir pu réaliser son rêve.

Elle n'en voulait évidemment pas à ses élèves d'avoir l'occasion de briller dans leur rôle d'invitées au mariage princier dans *La Belle au bois dormant* de Tchaïkovski par le Idaho Youth Performing Arts, mais elle aurait été plus à l'aise si elle n'avait pas été obligée d'être dans les coulisses avec Mme Rosellino, qui était persuadée que sa fille serait la prochaine Martha Graham.

Comme les autres professeurs de danse dont les élèves participaient au ballet de ce soir, Mia qualifiait d'*utopistes* les mères qui se berçaient d'illusions. À moins que la douce et calme Madison Rosellino ne développe miraculeusement le sens du rythme, elle n'irait vraisemblablement jamais à Juilliard.

Mia tressaillit nerveusement en pensant à sa propre mère, si semblable à toutes les Mmes Rosellino du monde. Elle but une gorgée de son cocktail, s'efforçant de chasser de son esprit le souvenir de la femme bien intentionnée mais dirigiste qui avait poussé sa fille unique à devenir pom-pom girl plutôt qu'à faire de la danse classique. Rhonda Palinski avait voulu que tous les regards soient tournés vers elle, et elle s'était arrangée pour que Mia danse sur les terrains de football, où les scènes étaient plus grandes, la lumière des projecteurs plus vive, et la foule plus bruyante.

Soudain son portable vibra sur le bar en noyer poli, à côté de son verre. Elle avait reçu un message de ses meilleures amies, Maxine Cooper et Kylie Gregson. Elles voulaient savoir comment s'était passée la représentation, mais elle n'avait pas le cœur à faire bonne figure et à prétendre qu'elle ne s'apitoyait pas sur son sort dans le bar désert d'un hôtel.

Elle prit quelques amandes grillées dans le bol en argent posé devant elle. Au moins, elle ne se laissait aller que dans des établissements luxueux.

Elle adorait et détestait à la fois les soirées comme celle-là. Elle adorait la musique, la danse, elle adorait regarder ses élèves et les autres danseuses du même âge montrer ce sur quoi elles avaient travaillé si dur tout l'été. Les parents envahissants, qui s'attendaient à ce que leur enfant se révèle être un prodige et qui lui en voulaient de ne pas être plus exigeante, ne la dérangeaient même pas.

En revanche, elle détestait ne plus être capable d'être elle-même sur scène. Elle en était très malheureuse, et cela lui donnait l'impression d'être une vieille jalouse, ce qui l'emplissait de honte.

Elle frotta son genou douloureux à travers le satin noir de son pantalon, et but une autre gorgée de vodka-tonic, dans l'espoir de calmer les élancements. L'un des cachets que le médecin lui avait prescrits aurait peut-être atténué un peu la douleur physique, mais rien ne pourrait l'aider à surmonter le traumatisme qu'elle subissait depuis qu'un désaxé avait mis un terme à sa carrière de danseuse en lui brisant le genou avec une batte de base-ball.

*Non !* Elle refusait de penser à cela. C'était une chose de regretter que tout ne se soit pas passé différemment, c'en était une autre de se laisser aller à revivre le moment le plus effrayant de sa vie.

Elle repoussa son verre et décida de regagner sa chambre, d'appeler le room-service, de commander plusieurs desserts, et de les manger devant un film qui l'aiderait à se changer les idées.

Elle ne voyageait plus autant que lorsqu'elle était pom-pom girl pour la National Football League, et elle aimait donc profiter de ces brefs séjours à Boise et de ces chambres d'hôtel somptueuses.

Elle était issue de la classe moyenne, et quand elle était enfant, une grande partie des allocations que sa mère touchait en tant que parent isolé était consacrée aux cours et stages qu'elle lui faisait suivre pour qu'elle devienne pom-pom girl. Mia était maintenant propriétaire de la Snowflake Dance Academy, dans la petite ville de Sugar Falls, dans l'Idaho, et si elle faisait attention à ne pas dépenser ses revenus à tort et à travers, elle n'était pas contre l'idée de faire des folies deux ou trois fois dans l'année, surtout si cela lui permettait d'échapper un court moment à la morne réalité de son existence paisible.

Dans cet état d'esprit, elle essaya donc d'ignorer le message qui venait de s'afficher sur l'écran de son portable.

Tu es une super prof de danse ! Nous sommes sûres que tout s'est bien passé. Interdiction de t'enfermer dans ta chambre et de broyer du noir ! Sors, amuse-toi... On te met au défi !

Ses meilleures amies la connaissaient bien, c'était indéniable. Cela étant, elles savaient pertinemment qu'elle ne relèverait pas ce défi ridicule.

Elle s'apprêtait à faire signe au barman de lui apporter l'addition quand un homme entra dans le bar d'une démarche décidée. Instinctivement, elle se détourna, espérant qu'il avait rendez-vous avec quelqu'un bien que l'endroit fût presque désert. Depuis l'incident avec Nick Galveston, elle veillait à ne pas attirer l'attention, et elle n'avait pas pour habitude de traîner dans les bars des hôtels, où des hommes d'affaires en déplacement et d'autres hommes solitaires risquaient de s'intéresser à une jeune femme seule.

Alors pourquoi était-elle passée prendre un verre avant de monter dans sa chambre ? Elle ne buvait pourtant pas beaucoup, et elle ne cherchait certainement pas la compagnie.

Quand elle avait vu la jeune fille qui jouait la princesse Aurore recevoir un énorme bouquet de fleurs juste avant que le rideau tombe, consciente qu'*elle* ne vivrait plus jamais cela, elle avait eu envie de noyer son chagrin dans l'alcool.

Malheureusement, l'homme qui venait d'entrer passa devant plusieurs tables libres pour se diriger droit vers le bar. Il était beau, dans le genre Américain à l'allure soignée, bien sous tous rapports. Cependant, elle avait appris à ses dépens que les hommes de ce style n'étaient pas nécessairement aussi purs et innocents qu'ils en avaient l'air.

Elle évita de croiser son regard, mais le grand miroir sur l'un des murs lui permettait de l'observer tout à loisir. Il devait mesurer environ un mètre quatre-vingts, son costume était bien coupé, mais sa cravate en soie était dénouée et pendait autour de son cou. Il s'assit sur un tabouret à un mètre du sien sans regarder dans sa direction. Ses cheveux bruns étaient coupés court et il fronçait les sourcils, l'air renfrogné. S'il n'avait pas été si bien habillé, elle aurait supposé qu'il était dans l'armée.

— Je vais prendre un Glenlivet, sec, s'il vous plaît, dit-il au barman.

Voyant qu'il ne prêtait pas du tout attention à elle, Mia se détendit un peu et se risqua à jeter un coup d'œil à ses chaussures.

Elle n'était pas experte en la matière, mais son amie Kylie venait d'acheter sur Internet les mêmes chaussures italiennes pour son mari, et elle savait donc qu'elles étaient hors de prix.

Non, décidément, il n'était pas dans l'armée, sinon, il n'aurait jamais pu être aussi élégant ni boire du whisky aussi cher.

Soudain, les premières notes de la chanson *Cat's in the Cradle* de Harry Chapin s'élevèrent, et il lui fallut quelques secondes pour s'apercevoir que c'était la sonnerie du téléphone portable de son voisin.

*Eh bien !* Étant donné les paroles de cette chanson, cet homme devait avoir des problèmes à régler avec son père.

Il sortit son portable de sa poche, le mit en silencieux et le posa sur le comptoir. Le téléphone se remit à sonner presque aussitôt. L'homme jura tout bas et appuya sur l'écran.

Il avait de belles mains, de grandes mains qu'elle aurait aimé sentir sur…

— GP ? Allô !

La voix d'homme qui s'élevait du haut-parleur l'arracha à ses pensées et la fit sursauter.

— GP, tu es là ? Tu m'entends ?

Il avait dû décrocher involontairement.

— Maudit téléphone ! marmonna-t-il avant de prendre l'appareil et de le placer contre son oreille. Non, papa… Je ne veux plus en parler.

Elle but une gorgée du cocktail qu'elle avait écarté à

peine quelques minutes plus tôt, fascinée par ce qui se passait à côté d'elle.

— Tu ne me feras pas changer d'avis… Non, ne leur dis pas de m'appeler.

L'homme marqua un temps d'arrêt.

— Écoute, reprit-il, restons-en là, nous ne sommes pas d'accord. Bon retour à la maison.

GP, puisque c'était son prénom, raccrocha et sembla résister à l'envie de jeter son portable à la volée.

Le barman lui apporta son whisky, et Mia en profita pour lui faire signe de lui apporter l'addition.

*Bon sang !* Elle aurait mieux fait de partir quand l'homme était au téléphone.

— Je suis désolé, dit-il en remettant son portable dans la poche de sa veste. Je déteste les gens qui prennent des appels personnels dans les lieux publics.

Il n'avait toujours pas regardé dans sa direction, alors il lui fallut quelques instants pour s'apercevoir que c'était à elle qu'il parlait. Elle le regarda, et son cœur fit un bond dans sa poitrine quand il plongea ses yeux noisette dans les siens.

Il était beau, plus que beau. Sa mâchoire était contractée, et il n'avait pas l'air désolé du tout. Cependant, il n'avait pas non plus l'air d'être un prédateur.

Elle ne put s'empêcher de regarder à nouveau ses mains, et elle remarqua qu'il portait des boutons de manchette, de petits carrés en or ornés d'un insigne, une ancre de marine, peut-être. Il aurait fallu qu'elle s'approche pour en être sûre, mais elle s'en garderait bien.

Qui que ce GP puisse être, il semblait davantage préoccupé par sa dispute avec son père qu'intéressé par elle. Elle garda son sac à main serré contre elle, mais elle expira lentement pour relâcher un peu ses muscles contractés.

— Ne vous inquiétez pas, répondit-elle tandis que le barman posait l'addition devant elle, je m'apprêtais à y aller, de toute façon.

— Je vous en prie, ne partez pas à cause de moi, je ne voulais pas vous déranger… D'ailleurs, dit-il, tendant le bras pour prendre sa note, permettez-moi de vous offrir votre verre.

— Non, s'écria-t-elle d'une voix un peu trop forte, je ne partais pas…

Elle s'empressa de saisir l'addition avant qu'il ne puisse la prendre.

— Enfin, si, je partais, mais pas à cause de vous.

Il eut un sourire éclatant, qui adoucit son expression et lui donna un air gamin plus que séducteur. Cette fois encore, Mia sentit son cœur se mettre à battre la chamade.

*Eh bien !* Son cocktail devait être plus fort qu'elle ne l'aurait cru. Elle aurait dû s'enfuir en courant, mais elle n'était plus sûre de pouvoir avoir confiance en ses jambes, pourtant musclées, tant celles-ci lui semblaient soudain flageolantes.

La chanson de Harry Chapin s'éleva de nouveau.

— Bon sang ! Je suis désolé, j'ai un nouveau portable, et je ne sais pas comment le mettre en silencieux une bonne fois pour toutes.

Il lui montra son téléphone, sur lequel s'affichait le mot « papa ». C'était le même modèle que le sien, et elle était experte à filtrer les appels.

— Regardez, dit-elle en le lui prenant des mains, il vous suffit d'appuyer sur le bouton rouge pour raccrocher, et ensuite, vous pouvez aller dans « Réglages »…

Il se pencha vers elle, et le parfum citronné de son eau de Cologne vint lui chatouiller les narines. Elle n'osait pas croiser son regard, pas alors qu'il était si proche d'elle. Elle garda les yeux rivés sur l'écran du téléphone, tout en lui montrant comment le mettre en mode silencieux.

— Et ensuite, comment est-ce que je remets le son ? Disons, la semaine prochaine, quand mon père se sera calmé et qu'il se sera enfin fait à l'idée que je veux vivre ma vie sans marcher sur ses traces ?

Oui, il avait bel et bien des problèmes à régler avec son père, mais elle était mal placée pour le juger.

— Eh bien, s'il est comme ma mère, dit-elle, ne pouvant réprimer un frisson, cela risque de prendre un peu plus d'une semaine…

— Si vous saviez ! Enfin, j'ai bel et bien besoin d'apprendre à me servir de ce téléphone… Je ne vais pas pouvoir faire profil bas éternellement, même si l'idée est tentante.

Elle acquiesça d'un hochement de tête. Elle avait passé les deux dernières années à essayer de se cacher, mais c'était impossible de disparaître complètement, du moins pas sans se perdre au passage, et elle ignorait ce qui serait resté d'elle si elle s'était perdue encore davantage.

— Dans ce cas, vous pouvez simplement bloquer ce numéro, comme ceci… Vous continuerez à recevoir les appels de tous les autres numéros. Bien sûr, cela ne marchera que jusqu'à ce que votre père s'aperçoive de la supercherie et vous appelle d'un autre numéro.

— Hum… Ce serait sournois, mais il en serait capable, il est assez ingénieux.

— Ma mère a pour habitude de m'appeler de la maison de retraite de ma grand-tante Nonnie, elle sait très bien que je ne peux pas ne pas décrocher. Votre père finira sûrement par trouver un moyen de vous joindre, lui aussi… D'après mon expérience, il vaut mieux décrocher, se laisser sermonner pendant très exactement deux minutes et demie, puis prétendre qu'il y a un livreur à la porte et raccrocher.

L'homme rit si fort qu'il attira l'attention du barman et du pianiste. Son sourire l'avait troublée, et son rire acheva de la faire fondre.

Sérieusement, quel genre de personne plaisantait sur les tensions familiales avec un parfait inconnu ? Apparemment, le même genre de personne qui regardait avec un sourire d'écolière enamourée ce bel inconnu.

Il glissa son portable dans la poche intérieure de sa

veste, sembla fouiller dedans et en sortit une petite boîte en velours. Il la posa sur le bar, regarda le plafond d'un air pensif et se passa une main sur le front.

C'était le genre d'écrin qui renfermait un bijou, une bague de fiançailles, peut-être. Voir que cet homme, qui avait l'air si contrarié, si déçu, était en possession d'une telle chose la poussa à se demander ce qui lui était arrivé au juste.

— C'est une très jolie boîte, remarqua-t-elle.

— C'est ce que mon père pensait aussi…

Il ouvrit le petit écrin, qui contenait des boutons de manchette en onyx, sur lesquels les initiales « GPM » étaient gravées en lettres d'or.

— Ils sont magnifiques, dit-elle avec un sourire poli, se demandant pourquoi il avait un air narquois.

Il but une gorgée de whisky.

— Il m'a dit qu'il me les offrait pour me rappeler qui j'étais et d'où je venais. L'ironie de la chose, c'est que mon père déteste les boutons de manchette. D'ailleurs, il déteste ma façon de m'habiller.

Elle se pencha légèrement en arrière pour mieux le regarder. Son costume était pourtant impeccable. Certes, il était peut-être un peu trop tiré à quatre épingles pour Boise. Personne ne portait d'accessoires aussi luxueux dans cette région.

Son père était peut-être un agriculteur qui estimait que son fils était devenu un peu trop sophistiqué. Elle avait le problème inverse avec sa mère : chaque fois qu'elles se voyaient, sa mère lui reprochait de porter sa tenue de sport en ville et lui disait qu'elle aurait pu se trouver un mari qui l'aurait exhibée fièrement si elle avait fait quelques efforts vestimentaires.

— J'en conclus que votre père n'aime pas les costumes ?

— On peut le dire ! Mon père se plaît à se décrire comme un « contestataire ». C'est un esprit libre. Il s'habille comme s'il venait de se faire virer d'un concert des Beach Boys… Ce que je n'ai jamais compris, étant donné l'éducation qu'il a reçue et ce qu'il fait comme métier. Il dit que je suis son « fils rebelle ».

— Vous n'avez pourtant pas particulièrement l'air d'un rebelle.

On aurait plutôt dit un homme d'affaires sur le point de signer un contrat de plusieurs milliards de dollars.

— Je lui dirai que vous m'avez dit ça la prochaine fois qu'il appellera.

Il tapota du bout du doigt la petite boîte, qui glissa de quelques centimètres sur le comptoir ciré.

— Alors, deux minutes et demie, hein ?

Il but une autre gorgée de whisky, qui avait exactement la couleur de ses yeux.

*Seigneur !* Pourquoi avait-il fallu qu'elle regarde à nouveau ses yeux ?

— Oui, répondit-elle. C'est une vraie science. Moins de deux minutes et demie, et la personne se sentira roulée et rappellera plus tard. Plus de deux minutes et demie, et c'est l'effet boule de neige, le sermon gagne en vitesse et en intensité, on ne peut plus interrompre la liste de tous les sacrifices qui ont été faits pour vous et de toutes les occasions que vous ratez.

— J'ai l'impression que je devrais prendre des notes. Je peux vous offrir un verre ? Vous me donnerez les cinq meilleures excuses pour échapper au repas de famille de Thanksgiving.

Elle aurait dû refuser poliment, prendre sa veste et son sac à main, et s'en aller le plus rapidement possible, mais à la pensée qu'elle serait encore seule pour Thanksgiving, à peine deux mois plus tard, elle sentit sa gorge se nouer, et fut tentée d'accepter. Quand avait-elle, pour la dernière fois, discuté avec un homme qui n'était pas un voisin et qui n'avait pas au préalable reçu l'approbation de ses deux meilleures amies ?

Il dut percevoir son hésitation, car il eut son irrésistible sourire gamin.

— Que voulez-vous boire ?

— Du champagne, se surprit-elle à répondre.

Il regarda d'un air sceptique le verre posé devant elle, qui contenait un reste de vodka-tonic et une rondelle de citron vert, puis il haussa les sourcils et demanda au barman une bouteille de Veuve Clicquot.

*Une bouteille ?* Où avait-elle eu la tête ?

Maxine et Kylie lui auraient dit qu'elle n'avait pas réfléchi avec sa tête. Elles l'auraient ensuite félicitée d'avoir relevé le défi qu'elles lui avaient lancé, et elles lui auraient dit qu'il était grand temps qu'elle s'aventure à prendre un verre avec un homme.

Avec un peu de chance, elle ne le regretterait pas.


Garrett McCormick passait la soirée la plus contrariante de sa vie quand il était entré sans but dans le bar désert de cet hôtel de luxe, et ce n'était pas peu dire étant donné qu'il avait travaillé comme chirurgien dans quelques-unes des zones de combat les plus dangereuses du monde.

Quand il avait quitté le restaurant cinq étoiles au bout de la rue, fulminant, laissant son raisonneur de père seul à table, il avait eu envie d'un petit remontant et de la solitude que ne pouvaient pas lui offrir les bars branchés du centre-ville ou le club des officiers près de l'hôpital militaire de Shadowview, où il travaillait.

Il était tellement en colère, obnubilé par l'idée qu'il avait besoin d'un verre pour se calmer, qu'il n'avait même pas remarqué la belle jeune femme menue aux cheveux de jais assise au bar. S'il l'avait vue, il se serait méfié et assis ailleurs.

Quand son portable avait sonné inopinément, son embarras l'avait poussé à regarder autour de lui. Il était sincère quand il lui avait dit qu'il n'aimait pas les gens m'as-tu-vu qui décrochaient leur téléphone dans des lieux publics et obligeaient ceux qui les entouraient à entendre leurs conversations personnelles. Cependant, il ne regrettait pas que son portable ait sonné à ce moment-là, puisque c'était pour cette raison qu'il discutait maintenant avec elle.

Elle portait un petit haut à sequins sans bretelles. Au dossier de son tabouret était accrochée une veste noire en satin, dont le tissu brillant était le même que celui de son pantalon près du corps, noir lui aussi. Sa tenue lui évoquait un smoking, mais beaucoup plus sexy qu'un smoking d'homme.

Étant donné qu'il était près de 23 heures et que c'était un soir de semaine, elle devait être allée à une soirée chic et s'être arrêtée au bar de cet hôtel pour prendre un dernier verre avant d'aller se coucher.

Bien sûr, il se pouvait aussi qu'elle se soit mise sur son trente et un pour séduire un homme d'affaires esseulé.

Il connaissait bien ce genre de femmes : les croqueuses de diamants, celles qui cherchaient à séduire des célébrités, celles qui avaient des aventures sans lendemain avec des inconnus rencontrés dans les bars.

Toutefois, il y avait quelque chose dans les yeux bleus de cette jeune femme qui lui donnait davantage l'air d'un lapin effrayé que celui d'une prédatrice à l'affût. De plus, elle était belle, mais pas à la façon des adeptes de la chirurgie esthétique, qui cherchaient à plaire à tout prix.

C'était ce type de femmes-là qu'il redoutait le plus. Son père était un ancien chirurgien plasticien, devenu producteur de télévision spécialisé dans les émissions sur les opérations de chirurgie esthétique et le relooking.

S'il y avait bien une chose que Garrett savait reconnaître, c'était la beauté artificielle. Il avait passé les quinze dernières années de sa vie à essayer d'échapper à Med TV et aux gens qui perpétuaient un idéal de beauté factice et prétentieux.

Il finissait son whisky quand le champagne arriva. Le

barman posa devant eux le seau rempli de glace contenant la bouteille et deux coupes.

Garrett avait eu l'intention de se contenter d'un verre de Glenlivet, mais ses projets pour la soirée avaient soudain pris une tournure inattendue.

— Aux parents qui ne savent pas lâcher prise ! dit-il en faisant tinter sa coupe contre celle de la jeune femme.

— À tous les gens qui ne savent pas lâcher prise !

Il se demanda si elle faisait allusion à quelqu'un d'autre de sa connaissance, ou si elle sous-entendait qu'ils étaient tous les deux un peu tendus et devaient se laisser un peu aller.

— Alors, où avez-vous dû aller pour échapper à vos parents ? lui demanda-t-il, désireux d'apprendre à la connaître.

Elle but une gorgée de champagne et inclina légèrement la tête sur le côté, comme si elle jugeait de ce qu'elle pouvait lui confier. Après tout, il n'était qu'un parfait inconnu, pour elle.

— Ma mère habite en Floride.

— Vous êtes de là-bas ?

— Non… Nous déménagions souvent quand j'étais enfant. Ma mère a toujours tout fait en dilettante, mais elle nourrissait de grandes espérances pour sa fille unique. Chaque fois qu'elle entendait parler d'une nouvelle compagnie de danse ou d'une prof de danse renommée, elle mettait mes justaucorps et mes collants dans une valise et nous prenions la route.

— Alors comme ça, vous êtes danseuse ?

— Je l'étais, murmura-t-elle avant de boire une autre gorgée de champagne. Et vous ? Où avez-vous dû aller pour fuir vos parents ?

Il comprit qu'elle ne souhaitait pas en dire davantage sur elle-même pour le moment.

— J'ai quitté la maison familiale le lendemain du jour

où j'ai obtenu mon baccalauréat, à la grande déception de mon père et de mes belles-mères.

— De *vos* belles-mères, au pluriel ?

— Eh bien, mon père a eu un certain nombre de femmes… Pas en même temps, notez bien, ajouta-t-il lorsqu'elle sembla sur le point de s'étrangler avec son champagne. La plupart d'entre elles sont restées en contact avec moi, ne serait-ce que pendant la période où elles touchaient une pension alimentaire.

— Ma mère a toujours rêvé de toucher une pension alimentaire, mais mon père et elle n'ont jamais été mariés, alors elle a dû se contenter des allocations pour parent isolé. Je n'ai jamais compris cette mentalité, l'idée de dépendre d'un homme financièrement. Un homme doit subvenir aux besoins de ses enfants, bien sûr, mais j'ai toujours pensé qu'il valait mieux rompre définitivement avec le passé, tourner la page, oublier le pauvre type en question et recommencer à zéro. Subvenir à ses propres besoins.

*Eh bien !* De toute évidence, un homme avait fait souffrir cette jeune femme. C'était rafraîchissant de voir qu'il y avait des femmes qui ne s'intéressaient pas aux hommes pour leur argent. Il repensa à toutes les femmes superficielles qui lui avaient bien fait comprendre qu'elles seraient ravies de mettre la main sur sa fortune et d'être la cible des caméras qui entouraient constamment sa famille.

— Je suis tout à fait d'accord, répondit-il, levant son verre pour étayer son propos.

Après tout, tourner la page était ce qu'il avait fait quand il avait quitté la maison familiale à dix-huit ans. Il aurait pu profiter de la fortune de son père, mais il aurait fallu pour cela qu'il se plie à sa volonté, et qu'il adopte le même mode de vie que lui.

— C'est pour ça que mon père et moi nous sommes disputés, ce soir. Il ne comprend pas que je veuille me débrouiller seul et prendre mes propres décisions, vivre ma vie.

— Ma mère et moi avons eu la même dispute un nombre incalculable de fois. L'une de mes meilleures amies me dit souvent que je comprendrai quand je serai mère à mon tour...

Elle n'avait donc pas d'enfants. Elle ne portait pas d'alliance mais, bien sûr, cela ne voulait rien dire pour certaines femmes.

— Elle me dit d'imaginer à quel point je serais triste si ma mère n'en avait rien eu à faire de moi et si elle ne s'était pas impliquée dans ma vie... Mais je crois que je pourrais supporter cette tristesse.

Il hocha la tête avec sérieux.

— On m'a dit la même chose. Pourtant, la plupart du temps, je n'ai pas l'impression que mon père agisse comme il le fait parce qu'il *en a quelque chose à faire*. Il cherche surtout à flatter son amour-propre. Il ne veut pas nécessairement ce qu'il y a de mieux pour moi, il veut que ma vie soit le reflet de ses propres succès.

— Exactement !

Ils trinquèrent à nouveau.

Enfin, quelqu'un le comprenait ! Quelqu'un comprenait quelle enfance il avait eue.

Il se sentait soudain plus détendu, et un peu étourdi. Ce devait être l'effet du whisky, ou celui du champagne, ou la combinaison des deux.

— Peu importe ce que nous disons à nos parents : ils n'en tiennent aucun compte.

— Et cela ne changera probablement jamais. Nous pourrions nous retrouver ici dans dix ans et nous plaindre de la même chose.

— Promettez-moi que nous nous retrouverons ici dans dix ans, dit-il, un peu plus sérieusement qu'il n'en avait eu l'intention.

— Oh ! je ne sais pas… Ce serait un peu pitoyable, non ?

— De me retrouver dans dix ans ?

— Non, d'avoir toujours les mêmes problèmes et d'éprouver le besoin de faire le trajet jusqu'à Boise pour nous apitoyer sur notre sort ensemble.

Elle avait raison. C'était pitoyable. Il ne voulait surtout pas que cette jeune femme charmante et authentique le voie comme cela.

— Alors comme ça, vous n'êtes pas de Boise ?

Elle prit la bouteille de champagne et remplit à nouveau leurs verres.

— Je suis ici pour un spectacle de danse, je rentre chez moi demain.

Cela expliquait sa tenue chic. Elle n'était donc ni une groupie ni une habitante de la banlieue en quête d'une brève aventure.

*Seigneur !* Elle était superbe, avec ses pommettes hautes, ses yeux bleus, sa peau laiteuse. Elle était tournée vers lui, les jambes croisées, l'un de ses talons calé contre le barreau de son tabouret.

— Vous avez de magnifiques clavicules, finit-il par dire, incapable de détacher son regard.

— De magnifiques *clavicules* ? répéta-t-elle, visiblement perplexe.

— Oui…

Il tendit la main vers elle et fit glisser un doigt de son cou à son épaule. Il l'entendit retenir son souffle, mais il était bel et bien éméché, et à moins qu'elle ne s'écarte de lui ou ne lui dise d'arrêter, il continuerait à toucher sa peau veloutée.

— J'ai toujours eu un faible pour les clavicules.

Oui, il était décidément en bonne voie pour être ivre.

Pendant quelques secondes, elle resta parfaitement immobile, puis elle se passa la langue sur les lèvres.

— Et pourquoi ça ?

— Je les trouve incroyablement sexy, tout simplement… Et authentiques. C'est l'une des rares parties du corps que l'on ne peut pas modifier grâce à de la chirurgie esthétique.

Il plongea ses yeux dans les siens et vit qu'elle avait les pupilles dilatées. Ce soir, il ne voulait pas se soucier de son père, ni du nouveau cabinet qu'il allait ouvrir le mois suivant. Il ne voulait penser qu'à la jeune femme merveilleuse qui se trouvait en face de lui.

Il fit glisser sa main sur son bras et la posa sur sa taille. Elle ne chercha toujours pas à s'écarter de lui.

— Et je vous trouve, *vous*, incroyablement sexy et authentique, ajouta-t-il avant de se pencher vers elle et de poser ses lèvres sur les siennes.

Elle émit un petit bruit qui pouvait être un gémissement ou une protestation, mais il garda sa bouche sur la sienne. Enfin, elle lui passa les bras autour du cou et lui rendit son baiser sans réserve.

Il aurait aimé l'enlacer, mais les tabourets sur lesquels ils étaient assis rendaient les choses incommodes.

Sans jamais détacher ses lèvres des siennes, il se leva pour que leurs visages soient à la même hauteur, et posa son autre main sur sa taille pour la serrer contre lui.

Un toussotement discret et la voix du barman, qui annonçait la fermeture du bar, l'arrachèrent brusquement au brouillard de passion dans lequel il était plongé. Il s'écarta un peu de la jeune femme, mais ne desserra pas son étreinte, désireux de maintenir le plus de contact physique possible sans attirer davantage l'attention.

— Je n'avais encore jamais embrassé quelqu'un en public, comme ça, murmura-t-elle d'une voix rauque.

Ses joues s'étaient empourprées. Il espérait que c'était le désir et non l'embarras qui expliquait cela.

— Tu veux réessayer en privé ?

— Où ça ?

— Eh bien… Je pourrais prendre une chambre…

Où avait-il la tête ? Il n'avait pourtant pas pour habitude de faire des propositions indécentes aux femmes qu'il rencontrait dans les bars.

Cependant, il ne pouvait pas l'emmener à la caserne, et il n'avait pas du tout envie de la laisser partir tout de suite.

Une foule d'émotions le submergeaient, et comme il n'avait pas l'habitude de boire, l'alcool ne l'aidait pas à réfléchir.

D'ailleurs, pour une fois dans sa vie, il n'avait pas envie de réfléchir.

Il effleura la ceinture satinée de son pantalon et se demanda quel genre de sous-vêtements elle portait.

Elle jeta un coup d'œil autour d'elle, observant le bar presque vide, et se passa à nouveau la langue sur les lèvres.

— J'ai déjà une chambre.

Il ne prit pas la peine de lui demander d'explication. Il sortit son portefeuille de sa poche, en retira quelques billets et les posa sur le comptoir avant de prendre la bouteille de champagne à moitié pleine et d'entrelacer ses doigts à ceux de la jeune femme.

# - 2 -

Garrett fut réveillé en sursaut par la sonnerie stridente du téléphone. Il tendit le bras et décrocha à tâtons.

— Allô !

— Qui est à l'appareil ? demanda une voix de femme.

Il ouvrit les yeux, promena son regard sur la chambre d'hôtel plongée dans l'obscurité, et resta silencieux jusqu'à ce qu'il se rappelle où il était.

Des souvenirs de la soirée précédente lui revinrent en foule. Pressentant qu'il était seul, il se retourna et en eut la confirmation. Un sentiment de déception l'envahit.

Son interlocutrice dut s'impatienter, car elle raccrocha sans lui poser d'autres questions.

Il venait à peine de reposer le combiné sur son socle que le téléphone se remit à sonner.

— Allô ! fit-il plus distinctement mais avec un certain agacement, cette fois.

— Encore vous ! s'étonna la même voix féminine. C'est bien la chambre 804 ?

— Je n'en ai pas la moindre idée, répondit-il sans réfléchir.

Il s'assit et alluma la lampe de chevet, mais il lui fallut un moment pour que ses yeux s'habituent à la luminosité et qu'il puisse voir le numéro de la chambre écrit sur le combiné.

— Euh… Oui, c'est bien ça. Que puis-je pour vous ?

Il entendit des voix en bruit de fond, puis son interlocutrice qui chuchotait :

— C'est bien sa chambre, mais c'est un homme qui a décroché.

*Attends un peu !* Connaissait-elle la jeune femme avec qui il avait passé la nuit ?

— Excusez-moi, dit-il. Allô ! Connaissez-vous la jeune femme qui avait pris cette chambre ?

— Oh ! mon Dieu ! s'écria son interlocutrice d'un ton affolé. Il y a un problème ? Il lui est arrivé quelque chose ?

*Bon sang !* Il ne voulait effrayer personne.

— Quoi ? Non ! Je, euh… Je l'ai rencontrée hier soir, mais je ne connais pas son nom…

— Si vous ne connaissez pas son nom, que faites-vous dans sa chambre ?

C'était une bonne question. Hélas, il n'avait pas de réponse.

— Allô ! Il y a quelqu'un ?

Après quelques secondes de silence, son interlocutrice ajouta :

— Nous ferions peut-être mieux d'appeler la sécurité.

— Non ! s'écria-t-il en se levant. Ce n'est pas la peine. Je crois qu'elle est partie. Elle m'a invité à monter et…

Il ne termina pas sa phrase. Il ne voulait pas attirer des ennuis à cette jeune femme.

— Impossible. Elle n'inviterait jamais un inconnu dans sa chambre d'hôtel.

De toute évidence, son interlocutrice n'allait lui apporter aucune réponse, et il ne pouvait pas se défendre sans compromettre quelqu'un d'autre.

— Vous ne m'avez pas dit que vous vouliez la chambre *804* ? Je suis désolé, c'est la chambre *808*… Il y a eu un malentendu. Bonne journée !

Il raccrocha précipitamment et essaya de réfléchir à ce qu'il allait faire maintenant, mais il n'avait pas les idées claires quand on l'arrachait brusquement à un sommeil profond.

Il avait le sommeil lourd depuis la faculté de médecine. Quand il était interne au Naval Medical Center de San Diego, il avait appris à dormir n'importe où, chaque fois qu'il en avait l'occasion. L'aide-soignant de garde le réveillait s'il y avait une urgence.

Il n'avait donc pas entendu la jeune femme s'en aller.

Debout dans cette chambre d'hôtel, il regarda, perplexe, les draps entortillés et la bouteille de champagne vide posée sur la table de chevet. Il observa son torse nu dans le miroir au-dessus de la commode, et vit la marque violet clair d'un suçon sur son cou. Il passa une main dans ses cheveux courts, ce qui ne fit qu'accentuer son mal de tête.

Comment avait-il pu suivre une femme qu'il venait à peine de rencontrer dans sa chambre d'hôtel ?

Il avait grandi entouré de caméras, et avait appris à être prudent et à ne laisser personne s'approcher trop de lui, de crainte que l'on ne s'intéresse à lui que pour devenir une star du petit écran.

Son père avait d'abord été la vedette de son propre talk-show, puis il avait produit différentes émissions de téléréalité, et Garrett avait souffert des retombées de la présence constante des paparazzis, qui l'associaient toujours à la notoriété de son père.

Il avait trente-six ans, et avait encore du mal à distinguer les femmes qui s'intéressaient sincèrement à lui de celles qui cherchaient uniquement leur quart d'heure de gloire.

À en juger par la façon dont la belle jeune femme avec laquelle il avait passé la nuit s'était éclipsée, elle ne cherchait rien d'autre qu'un moment agréable.

Comment avait-il pu être aussi stupide ?

Était-ce son père qui avait tout manigancé ? La jeune femme avait-elle été envoyée par des assistants de production ? Il n'avait pas regardé les émissions de son père depuis des années mais, pendant le dîner, la veille au soir, celui-ci lui avait confié que leurs indices d'écoute n'étaient pas bons et que certaines de ses émissions risquaient d'être supprimées s'il ne leur redonnait pas rapidement du peps.

*Seigneur !* Il espérait que ce n'était pas un coup de pub de dernière minute.

*Non.* La personne qu'il avait eue au téléphone semblait surprise que la jeune femme qu'il avait rencontrée ait invité un homme à monter dans sa chambre. Avec un peu de chance, il s'agissait simplement d'une voyageuse solitaire qui avait envie de compagnie et cherchait à donner un peu de piquant à sa vie.

Il allait bientôt être rendu à la vie civile, et il ne voulait pas risquer que des photos osées ou compromettantes mettent en péril sa carrière.

Il aurait détesté que la presse ait vent de sa vie privée. Il avait passé sa vie d'adulte à éviter les caméras, et il n'y avait que dans l'armée qu'il s'était senti à l'aise.

Il avait pris soin de s'engager comme volontaire dans les missions les plus éloignées possible pour échapper à l'attention constante des médias, qui ne s'intéressaient à lui que parce qu'il était le fils du Dr Gerald McCormick.

Il n'allait certainement pas se laisser harceler maintenant. D'ailleurs, c'était exactement ce qu'il avait dit à son père la veille au soir, quand ils s'étaient disputés au sujet de sa carrière.

Il s'assit sur le bord du lit et regarda la penderie béante, elle était vide. Il y avait une valise dans la chambre, la veille au soir, et la jeune femme avait déjà sa clé quand ils avaient décidé de monter. Elle était donc cliente de l'hôtel, et puisque même lui ignorait qu'il finirait dans le bar de cet hôtel quand il avait quitté le restaurant où il dînait avec son père, il n'avait pas pu être victime d'un coup monté. Par ailleurs, c'était lui qui l'avait abordée.

Il soupira et se laissa aller en arrière sur le lit.

Des bribes de leur conversation lui revenaient peu à peu. Elle lui avait dit qu'elle était danseuse, et sa grâce et sa

28

souplesse l'attestaient assurément. Elle lui avait également dit qu'elle était de Boise, non ? Peut-être était-elle une femme au foyer qui s'ennuyait, obligée de rentrer chez elle avant que son mari et ses enfants ne se réveillent.

*Non !* Elle lui avait dit qu'elle n'avait pas d'enfants. Elle n'avait pas parlé d'un mari, mais aurait-elle été honnête à ce sujet si elle en avait eu un ?

Il prit un oreiller et se le mit sur la tête, envahi par un sentiment de culpabilité mêlé de honte. Il prit une profonde inspiration, espérant ne pas avoir contribué à briser le cœur d'un pauvre mari trompé. Cependant, il n'aurait pas dû respirer l'oreiller, car il était encore imprégné du parfum enivrant de la jeune femme.

*La jeune femme. Bon sang !* Il avait peine à croire qu'il ne connaissait même pas son prénom.

Cela ne lui ressemblait pas. Le lieutenant Garrett McCormick était un chirurgien orthopédiste qualifié, il gardait son calme en toutes circonstances et ne se laissait jamais décontenancer. Il restait toujours sur ses gardes et ne faisait jamais rien qui soit indigne d'un officier.

Alors pourquoi s'était-il laissé troubler par une belle jeune femme au regard triste ? Qu'est-ce qui avait bien pu lui prendre ?

Il respira une dernière fois le capiteux parfum de jasmin, puis jeta l'oreiller par terre, se leva et se dirigea vers la salle de bains.

Il avait laissé son désir l'emporter sur sa raison, voilà tout. Il était en colère contre son père, et avait éprouvé le besoin de prouver son indépendance à cette jeune femme, qui avait pris le temps de l'écouter et le comprenait, sachant ce que c'était qu'avoir un parent égoïste et dominateur.

Il n'était pas comme son père. Il ne couchait pas avec toutes les belles jeunes femmes qui lui faisaient les yeux doux. En revanche, il méritait bien d'avoir un peu de compagnie, n'est-ce pas ?

Il entra dans la cabine de douche et fit couler l'eau, puis il déboucha la minuscule bouteille de gel douche de l'hôtel. Il se débarrasserait du parfum de la jeune femme, qui lui collait sûrement au corps, et bannirait de ses pensées tout souvenir de la nuit précédente.

Hélas, il craignait de ne pas pouvoir oublier la sensation de bien-être qu'il avait éprouvée quand il l'avait prise dans ses bras, ni les soupirs de plaisir qu'elle avait poussés quand ils avaient fait l'amour.

*Bon sang !* Il fallait qu'il se ressaisisse, qu'il oublie tout cela, qu'il l'oublie, *elle*.

Il se sécha et enroula la serviette autour de sa taille avant de retourner dans la chambre. Ses yeux se posèrent sur son portable, sur la table de chevet, et il repensa au moment où elle lui avait montré comment bloquer un numéro. Et si elle avait ajouté le sien à ses contacts ?

Le cœur battant, il parcourut la liste de ses contacts, puis consulta ses derniers appels, mais eut la déception de constater qu'elle n'avait ni enregistré ni composé son numéro. En revanche, il avait quatre appels en absence de son père, et deux de Marty, l'assistant de son père.

*Eh bien !* Tous deux pourraient attendre.

*Maîtrise-toi, McCormick !* s'adjura-t-il intérieurement. Il détestait se mettre en colère. Pourtant, il *était* en colère, contre lui-même. Il n'aurait jamais dû aborder la jeune femme, il n'aurait jamais dû la suivre dans sa chambre. Il était aussi en colère contre *elle*, parce qu'elle s'était volatilisée.

Il s'habilla et jeta un dernier coup d'œil à la chambre, soit pour mémoriser ce moment, soit pour tenter une dernière fois de trouver un indice sur l'identité de la jeune femme.

Soudain, on frappa à la porte. Son ventre se noua.

Était-ce elle ? Était-elle revenue, en fin de compte ?

Il ouvrit la porte et se trouva face à une dame d'un certain âge vêtue de l'uniforme des femmes de chambre.

— Excusez-moi, dit-elle dans un anglais hésitant. Je croyais que vous aviez déjà réglé votre note.

Elle prit l'écritoire à pince accrochée à son chariot, comme pour s'assurer qu'elle ne s'était pas trompée de chambre. Il était peu probable que ce soit le cas : la jeune femme avec laquelle il avait passé la nuit avait bel et bien dû régler sa note.

Dans l'espoir d'apercevoir son nom sur la première feuille de l'écritoire, il fit un pas dans le couloir. La porte, qu'il avait lâchée sans réfléchir, se referma derrière lui dans un claquement sonore. La femme de chambre leva les yeux vers lui et serra son écritoire contre elle. Tandis qu'elle le regardait fixement, il jeta un coup d'œil à la poignée et s'aperçut qu'il ne pouvait plus entrer dans la chambre.

S'il restait là plus longtemps, l'employée de l'hôtel s'apercevrait qu'il n'avait pas de clé, et il n'aurait aucun moyen de prouver qu'il était un client. Le talkie-walkie accroché au chariot crépita. Garrett se ressaisit, il n'avait vraiment pas besoin que les agents de sécurité de l'hôtel soient avisés de sa présence.

— Oui, mon épouse a déjà réglé la note, répondit-il, s'estimant heureux que ses clés et son portefeuille soient dans sa poche. Elle m'attend au bar.

Comment lui était venue l'idée de prétendre que la jeune femme qu'il avait rencontrée la veille au soir était sa femme ? Et pourquoi préciser qu'il devait la retrouver au bar ? Quel genre de personnes se retrouvait dans un bar à 8 heures du matin ?

La femme de chambre haussa les sourcils d'un air soupçonneux. Il comprenait sa méfiance, mais il était persuadé que les employés d'hôtels voyaient des choses bien plus scandaleuses que cela.

Il prit tout de même un billet de vingt dollars dans son portefeuille et le lui tendit.

— Tenez… Nous avons oublié de laisser un pourboire

pour le service de chambre, marmonna-t-il avant de se diriger vers l'ascenseur et de regagner le hall.

Il retourna au bar. Il n'y avait personne en dehors du barman, qui lisait un journal, et d'un serveur en train d'essuyer les tables.

Il repensa à la veille au soir, au moment où il était entré dans ce bar, furieux, bien décidé à boire un verre pour oublier ses tracas. Son père avait eu le culot de lui demander de retourner vivre en Californie pour participer à une nouvelle émission. Les boutons de manchette qu'il lui avait offerts dans le but de le culpabiliser avaient été la goutte d'eau qui avait fait déborder le vase.

Il sortit machinalement le petit écrin de velours de la poche de sa veste, l'ouvrit et fronça les sourcils en s'apercevant qu'il manquait un bouton de manchette. L'avait-il fait tomber dans la chambre ? Il jeta un coup d'œil en direction de l'ascenseur et se demanda s'il était prêt à courir le risque que la femme de chambre appelle la sécurité.

Il se rappelait avoir sorti la petite boîte de sa poche la veille au soir, quand il discutait avec la jeune femme. Alors qu'ils s'apprêtaient à monter dans sa chambre, elle l'avait récupérée sur le bar et la lui avait tendue. Elle avait dû se douter qu'il n'était pas du genre à abandonner quelque chose d'aussi personnel et d'aussi coûteux, même s'il n'appréciait pas les motivations de son père à lui faire ce cadeau.

Il se rappelait aussi avoir ramassé sa veste et l'écrin de velours dans l'ascenseur, quelques minutes plus tard, et il n'était pas près d'oublier comment ils avaient fini par terre. Souriant à ce souvenir, il retourna dans la cabine de l'ascenseur pour y chercher le bouton de manchette manquant, mais celui-ci avait bel et bien disparu, tout comme la jeune femme.

Où avait-il bien pu passer ?

Où avait-*elle* bien pu passer ?

Il y avait du monde dans le hall, et il renonça à l'idée de demander des renseignements au réceptionniste. La femme de chambre l'avait déjà regardé comme s'il était un criminel. Qu'aurait-il bien pu demander au réceptionniste ? « Excusez-moi, pourriez-vous me donner le nom de la jeune femme de la chambre 804 ? J'ai passé la nuit avec elle, mais je n'ai pas pensé à le lui demander moi-même… »

*Pitié !* S'il s'était agi d'un petit motel, il aurait peut-être pu soudoyer l'employé, mais il doutait que le personnel d'un établissement de ce standing, sans doute alerté par la personne qui avait appelé la chambre un peu plus tôt, accepte de lui donner des informations sur une cliente.

Les pensées se bousculaient dans sa tête, et il n'arrivait pas à décider de la ligne de conduite à adopter.

Cependant, peut-être n'y avait-il *rien* à faire. Peut-être venait-il d'échapper au pire. Après tout, il n'avait pas l'intention de s'engager dans une relation durable, et il n'avait certainement pas besoin des perturbations que la situation aurait pu causer, surtout en cette période de transition dans sa vie professionnelle. Il valait mieux qu'il oublie cette femme et cette expérience.

Il quitta l'hôtel et remonta la rue animée en direction de l'endroit où il avait garé sa voiture, se retournant sur toutes les brunes qu'il croisait pour voir si c'était elle.

Soudain, son portable sonna. Il le sortit de sa poche et vit le nom de Matt Cooper s'afficher sur l'écran. L'ancien marine et actuel chef de la police de Sugar Falls avait été l'un de ses patients les plus têtus, mais c'était aussi un ami, qui l'avait encouragé à ouvrir son propre cabinet dans la petite ville de l'Idaho.

Cooper lui avait dit que de nombreux touristes allaient à Sugar Falls pour faire du ski, du rafting et de la randonnée, et que la ville avait besoin d'un chirurgien orthopédiste.

Son ami n'avait eu aucun mal à le convaincre, car non seulement c'était une petite ville tranquille loin des feux des projecteurs, mais l'idée de se rendre utile au sein de la petite communauté lui plaisait.

— Quoi de neuf, Coop ? demanda-t-il sans préambule en décrochant.

— Je viens d'avoir le maire, Johnston, au téléphone, la ville a approuvé le plan d'urbanisation pour que tu transformes la vieille scierie que tu as achetée en clinique. L'une des amies de ma femme a un frère dans le bâtiment, il pense pouvoir commencer les travaux dès demain.

— Il est doué ?

— Je crois… Mais puisque tu vas venir t'installer ici, il faut que tu comprennes que c'est comme ça que ça marche, dans les petites villes.

Cooper non plus n'était pas originaire de Sugar Falls, il avait grandi à Detroit avant de s'engager dans l'armée et, au cours d'une récente conversation, il lui avait confié qu'il n'était pas encore tout à fait habitué à son nouveau mode de vie.

— Tout le monde connaît quelqu'un de la famille de quelqu'un d'autre qui peut faire quelque chose pour toi… Il m'a fallu un moment pour m'y faire, mais c'est vraiment un bon système.

— D'accord. Demande-lui de m'envoyer un devis et un contrat par mail. Du moment que les gens se mêlent de leurs affaires, j'embaucherai qui ils veulent.

Cooper rit.

— Je n'ai jamais dit que les gens d'ici se mêlaient de leurs affaires, mais ils sont solidaires et, s'ils t'apprécient, ils ne te vendront pas aux paparazzis d'une grande ville ! À ce propos, comment s'est passé le dîner d'hier soir avec ton père ?

Cooper était l'une des rares personnes de son entourage à savoir que son père était le célèbre producteur de télévision : c'était un fin limier, et quand il avait été hospitalisé pour une double opération, il n'avait rien eu de mieux à faire pour tromper l'ennui que d'enquêter sur son chirurgien.

— Comme on pouvait s'y attendre, répondit Garrett. Il voulait ce qu'il veut toujours, c'est-à-dire que je retourne en Californie pour tourner avec lui. Je lui ai parlé de mon nouveau projet… Il m'a dit que je n'avais aucune raison d'aller ouvrir une clinique dans un « trou perdu » où mes patients ne pourraient me payer qu'en m'offrant « des ragoûts ou des animaux empaillés ».

— Aïe ! Enfin, moi aussi je m'attendais au pire avant de visiter Sugar Falls.

— Eh bien, en tout cas, espérons dans l'intérêt de tout le monde que mon père et son équipe de cadreurs ne viendront pas visiter la ville, *eux*…

Garrett pensa à l'histoire familiale de son ancien patient et s'aperçut qu'il risquait de paraître ingrat.

— Enfin, j'aime mon père, hein… Mais je n'aurais jamais dû accepter de dîner avec lui hier soir. Si je ne l'avais pas vu, je ne me serais pas énervé, et…

*Et quoi ?* Il ne serait pas entré dans ce bar d'hôtel et n'aurait pas passé la nuit la plus merveilleuse de sa vie ?

Il ne pouvait pas dire cela à Cooper. Ils commençaient à être amis, mais il n'avouerait jamais à personne que son cœur insubmersible avait failli être emporté par le courant.

Il monta dans son pick-up et appuya le front sur le volant. Il était trop embarrassé pour raconter sa nuit à qui que ce soit, et il ne voulait pas que le chef de la police d'une petite ville, susceptible de s'ennuyer, ne lui pose trop de questions.

*Attends un peu…* En revanche, Cooper pourrait poser des questions *pour lui*. Il pourrait l'aider à retrouver la mystérieuse inconnue. L'idée était peut-être ridicule, mais cela ne l'empêcherait pas de la creuser plus tard, quand il n'aurait plus mille choses à faire en prévision de son déménagement.

— Enfin, passons ! dit-il en mettant le contact. Parle-moi plutôt des gens que je vais rencontrer dans la petite ville de Sugar Falls !

## 3

Deux mois plus tard, tandis que ses deux meilleures amies étaient assises dans le salon pour leur habituelle soirée du jeudi, Mia sortit de la salle de bains avec le bâtonnet en plastique à la main.

— Déjà ? dit Kylie Gregson, regardant la boîte vide. C'est écrit ici que tu dois attendre trois minutes pour avoir le résultat…

— Je sais, mais je ne voulais pas attendre toute seule dans la salle de bains.

Mia posa le test de grossesse sur une feuille d'essuie-tout, sur le plan de travail de la cuisine, puis elle s'empressa d'aller s'asseoir sur le canapé où elle s'emmitoufla dans un plaid.

— Il faut attendre encore deux minutes. Je ne peux pas regarder. Regardez, vous, et donnez-moi le résultat !

Maxine Cooper se dirigea vers le plan de travail et regarda le bâtonnet.

— Eh bien, je crois que nous n'aurons pas à attendre aussi longtemps… La deuxième ligne bleue est déjà bien visible.

— Qu'est-ce que ça veut dire, les deux lignes bleues ?

— Ça veut dire que c'est positif, répondit Kylie, survolant à nouveau les instructions.

— Attendons encore un peu, murmura Mia. La deuxième ligne va peut-être disparaître.

Bien sûr, elle n'était pas stupide, elle savait très bien

que la ligne ne disparaîtrait pas. Rien de tout cela ne disparaîtrait.

Elle était enceinte. Célibataire, et enceinte.

Un flot d'émotions la submergea. Elle n'aurait pas su dire ce qu'elle ressentait.

Elle avait pourtant envisagé ce résultat bien avant d'envoyer ses amies lui acheter un test à la pharmacie du coin. Elle n'était pas désespérée. Elle était terrifiée, mais elle avait déjà dû faire face à beaucoup de choses dans sa vie. Elle était dans le déni, mais elle avait la sensation de n'être plus que l'ombre d'elle-même depuis quelques années et cet état ne lui était donc pas étranger. Elle avait honte, aussi, même si son sentiment de culpabilité était éclipsé par la perspective d'un bonheur tel qu'elle n'en avait jamais connu.

— Oh ! ma chérie ! dit Kylie. Je sais que c'est une nouvelle bouleversante, mais tu es une femme forte, et nous sommes là pour te soutenir et t'aider.

— Je sais, répondit Mia, les yeux pleins de larmes. Je m'étais juré d'oublier cette nuit-là, à Boise, et j'aurais peut-être réussi si je ne m'étais pas rendu compte que mes règles avaient tant de retard… Je crois que, dans ma détermination à tout oublier, j'en ai oublié les conséquences éventuelles de mes actes.

— Veux-tu parler de ce que tu vas faire maintenant ? lui demanda Maxine.

— J'ai peur, évidemment… Je ne sais pas comment je vais faire.

Dès qu'elle s'était rendu compte qu'elle était peut-être enceinte, la peur l'avait gagnée, mais une autre émotion aussi : l'enthousiasme.

— Une partie de moi se réjouit d'attendre un bébé… Je sais que c'est égoïste, parce que j'ai souffert de ne pas avoir de père, et que j'ai toujours dit que si j'avais des enfants un jour, je ne ferais pas les mêmes erreurs que ma mère, mais j'avoue que je suis excitée à l'idée d'avoir un bébé…

Elle frotta son genou douloureux, qui lui faisait un peu plus mal chaque jour.

— Ce sale type de Nick m'a tant pris. J'ai cru ne jamais me remettre quand il m'a agressée, j'ai cru que ma vie était gâchée… La pensée d'avoir un enfant est surréaliste, mais de façon positive. Être enceinte me donne le sentiment d'avoir à nouveau un but dans la vie.

Ses amies échangèrent un regard avant de reporter leur attention sur elle.

— Et le père du bébé ? demanda Kylie.

— Eh bien ? Ce n'est pas comme si je le connaissais… Je ne saurais même pas où le trouver.

Maxine sembla hésiter avant de parler.

— Cooper connaît des gens dans la police à Boise, il pourrait les appeler, parler aux agents de sécurité de l'hôtel, poser quelques questions discrètement…

— Non, l'interrompit Mia. Et s'il est marié ? Ou si c'est un psychopathe ? Je n'ai pas besoin de lui. *Nous* n'avons pas besoin de lui, se reprit-elle en posant une main sur son ventre encore plat dans un geste protecteur.

Ses amies se regardèrent à nouveau, et Maxine haussa les épaules.

— Tu n'es pas obligée de prendre de décisions tout de suite. Prends le temps de réfléchir calmement à tout ça, et si tu changes d'avis, nous t'aiderons à le retrouver.

Mia acquiesça d'un hochement de tête, mais elle savait déjà qu'elle ne changerait pas d'avis. Elle allait prendre le contrôle de son existence, de sa destinée, et elle n'avait pas l'intention de permettre à un inconnu de s'immiscer dans sa vie, de mener la barque ou de mettre son veto à ce qu'elle déciderait.

Elles changèrent de sujet pour parler de grossesse, d'accouchement, et de leurs doutes au sujet du Dr Suarez, le seul généraliste de la ville, qui aurait dû prendre sa retraite depuis des années.

— Je vais peut-être chercher un obstétricien à Boise, dit Mia.

— J'ai vraiment de la chance d'être couverte par la mutuelle de Drew, dit Kylie, qui était mariée à un lieutenant et était enceinte de cinq mois. Je n'aurai qu'à aller à l'hôpital militaire de Shadowview pour accoucher... Tu n'as pas peur que Boise fasse un peu loin ?

Mia plia et déplia la jambe. La douleur qui lui étreignait le genou s'était intensifiée au cours des dernières semaines.

Son amie avait raison, mais aller voir le médecin du coin reviendrait à annoncer à tous les habitants de la petite ville qu'elle était enceinte alors qu'elle n'était pas mariée. Les parents de certaines de ses élèves pourraient estimer qu'elle n'était pas un bon exemple pour leurs enfants. Elle participait aussi à l'entraînement de l'équipe de pom-pom girls du lycée, et l'association de parents d'élèves remettrait sûrement en question sa moralité. Sugar Falls était une petite ville, et sa carrière n'avait pas besoin de cette mauvaise publicité.

— Et la nouvelle clinique, dans l'ancienne scierie ? suggéra Maxine.

Kylie hocha énergiquement la tête.

— Ah, oui ! Mon frère Kane s'est chargé des travaux de rénovation, et il m'a dit qu'elle ouvrait la semaine prochaine.

— Quel genre de médecins y aura-t-il ?

Mia était sceptique, mais un médecin récemment arrivé à Sugar Falls serait considéré comme un étranger et ne serait pas si prompt que le Dr Suarez à divulguer des informations personnelles au sujet de ses patients.

— Le chirurgien orthopédiste qui s'occupait de Cooper à l'hôpital militaire y aura son propre cabinet maintenant qu'il a quitté l'armée, et j'ai entendu dire qu'il y aurait aussi un dentiste à partir du mois prochain, mais je ne crois pas qu'il y aura d'obstétricien.

— À ce propos, intervint Maxine, ce serait sûrement

une bonne idée de parler de ton genou au Dr McCormick, Mia.

— Je sais… Il me fait horriblement mal, depuis quelque temps, mais maintenant que je suis enceinte, il vaudrait sans doute mieux que je ne me fasse pas réopérer.

— C'est vrai, dit Kylie en se tapotant le ventre, mais ce sera pire quand tu auras pris du poids… Il pourrait peut-être te faire une piqûre de cortisone, ou te donner quelque chose pour t'aider à tenir jusqu'à la fin de ta grossesse.

— Oui, et même au-delà, approuva Maxine, ce serait un calvaire d'avoir mal au genou et de devoir s'occuper d'un nouveau-né, et continuer à donner tes cours de danse va déjà être suffisamment éprouvant comme cela.

Ses amies la connaissaient mieux que quiconque. Elles avaient toutes les trois fait partie de la même équipe de pom-pom girls quand elles étaient plus jeunes, et Maxine et Kylie l'avaient beaucoup soutenue quand elle avait quitté Miami pour se réfugier à Sugar Falls. Aujourd'hui encore, elle allait avoir besoin d'elles.

Maxine était propriétaire de la Sugar Falls Cookie Company, une pâtisserie spécialisée dans les cookies qui attirait de nombreux touristes. Elle avait ouvert sa boutique quand son fils, maintenant âgé de onze ans, n'était encore qu'un bébé, et elle savait ce que c'était qu'élever un enfant seule tout en gérant un commerce.

Kylie, quant à elle, était experte-comptable, et elle avait passé l'été à s'occuper des neveux de son mari, des jumeaux turbulents, sans jamais cesser de travailler.

Mia était contente que ses amies aient vécu quelque chose de semblable à ce qu'elle allait vivre et qu'elles puissent donc la conseiller, car elle s'aventurait en terrain inconnu.

— D'accord, répondit-elle avec un soupir. Donne-moi son numéro, je prendrai rendez-vous avec lui…

Quelques minutes plus tard, Kylie et Maxine s'en allèrent. Mia avait beau les adorer, elle était contente d'être enfin seule pour se faire à l'idée de sa nouvelle réalité.

Après avoir verrouillé la porte derrière elles, elle prit le bâtonnet de plastique sur le plan de travail, alla se rasseoir sur le canapé et regarda fixement les deux petites lignes bleues.

Elle allait être mère. Elle avait peine à le croire. Quand elle était plus jeune et qu'elle se plaignait parce qu'elle ne voulait pas auditionner pour un spectacle qui n'avait rien à voir avec la danse, ni déménager uniquement parce que sa mère était persuadée qu'elle pourrait avoir un agent si seulement elle acceptait de prendre des cours de théâtre, Rhonda Palinski lui reprochait de ne pas savoir elle-même ce qu'elle voulait.

Or, depuis quelques années, Mia se laissait aller à croire que sa mère avait raison, qu'elle ne savait pas ce qu'elle voulait faire de son existence.

Elle se passa une main sur le ventre. Elle avait maintenant la certitude de vouloir cet enfant, plus qu'elle n'avait jamais voulu quoi que ce soit dans sa vie.

Jusque-là, elle avait obéi aux désirs des autres, et on avait brisé ses rêves, mais ce bébé était le *sien*, et personne, pas même ce GP Machin-Chouette, ne pourrait lui enlever cela.

Elle sortit le bouton de manchette en onyx de la poche de son sweat-shirt et regarda les initiales gravées en lettres d'or.

## GPM

Le lendemain de la nuit qu'elle avait passée avec lui, elle s'apprêtait à se diriger vers le hall de l'hôtel quand elle avait vu du coin de l'œil quelque chose briller par terre, dans l'ascenseur. Elle s'était baissée pour le ramasser, et avait repensé à la façon dont son amant d'une nuit l'avait plaquée contre le miroir de la cabine, au fait qu'elle avait glissé les mains sous la veste de son costume pour l'attirer vers elle. Elle avait entendu un bruit mat juste avant que le tintement métallique de l'ascenseur ne leur annonce qu'ils étaient arrivés à son étage, mais il avait ramassé l'écrin de velours tombé de la poche de sa veste, puis ils s'étaient dirigés vers sa chambre pour y passer ensemble cette nuit fatidique.

Elle ne portait pas beaucoup de bijoux et elle n'avait pas la moindre idée de ce que ce bouton de manchette pouvait valoir, mais ce n'était pas pour sa valeur financière potentielle qu'elle l'avait glissé dans la poche de son pantalon en satin, ce matin-là. Elle aurait dû le déposer à la réception, et peut-être l'aurait-elle fait si elle n'avait pas eu honte du manque total d'inhibition dont elle avait fait preuve en couchant avec un inconnu.

Elle avait repensé au mécontentement que le cadeau de son père semblait lui inspirer et à la négligence avec laquelle il avait posé les boutons de manchette sur le bar, et elle s'était dit que *GPM* se moquerait certainement d'en avoir perdu un.

Elle avait donc décidé de le garder, pour se rappeler qu'elle était encore pleine de vie et de passion.

Même le prince charmant avait conservé la pantoufle de vair de la princesse. Bien sûr, contrairement à lui, elle n'avait pas l'intention de parcourir le monde pour retrouver le propriétaire de ce petit bijou.

Elle effleura les lettres d'or du bout de l'index.

Si elle pensait à l'homme qu'elle avait laissé nu et endormi dans sa chambre d'hôtel, à la façon dont il lui avait fait l'amour, sa raison l'abandonnerait, et elle serait tentée d'accepter la proposition de Maxine de demander à Cooper de l'aider à retrouver sa trace.

*Non.* Il valait mieux qu'elle l'oublie, et qu'elle oublie la nuit torride qu'ils avaient partagée.

Elle prit le petit coffre en bois que le fils de Maxine lui avait offert pour son anniversaire, trois ans plus tôt, y rangea le bouton de manchette et le referma, bien décidée à ne plus penser à son propriétaire.

Un homme comme GPM n'aurait sûrement pas envie d'être retrouvé. Il semblait avoir ses propres problèmes, il n'apprécierait sans doute pas d'avoir un souvenir durable de cette nuit-là, et encore moins de devoir subitement accepter les responsabilités de la paternité. D'ailleurs, il avait dû être soulagé de découvrir qu'elle avait disparu quand il s'était réveillé, ce matin-là.

Elle leur avait épargné à tous les deux une situation fort embarrassante.

Elle n'avait encore jamais eu d'aventure sans lendemain avec un inconnu rencontré dans un bar. À vrai dire, elle n'avait encore jamais eu d'aventure avec qui que ce soit, et elle allait rarement dans les bars. Son comportement, ce soir-là, lui ressemblait si peu que, le lendemain matin, quand elle s'était réveillée, son instinct lui avait dicté de s'enfuir et de faire comme s'il ne s'était rien passé.

Dès l'instant où elle avait quitté l'hôtel, elle s'était juré d'oublier GPM.

Cependant, elle ne pouvait s'empêcher de repenser au moment où ils avaient remonté le couloir désert en direction de sa chambre, au fait que c'était délibérément qu'elle avait pris la décision de passer la nuit avec lui.

Debout devant la porte de sa chambre, elle avait levé les yeux vers lui et avait vu la passion dans son regard, atténuée uniquement par ses sourcils légèrement froncés, comme si lui aussi était un peu hésitant. À cet instant précis, elle était arrivée à la conclusion qu'il avait peut-être autant besoin d'elle qu'*elle* avait besoin de *lui*.

Pour une fois dans sa vie, elle avait donc écouté son cœur et décidé de satisfaire ses désirs.

Cependant, il était temps de revenir à la réalité.

Elle se leva, traversa le salon de son petit appartement et ouvrit la porte-fenêtre qui donnait sur Snowflake Boulevard, la rue principale de Sugar Falls. C'était là sa réalité. Cette petite ville était devenue son refuge et son chez-elle.

Elle inspira profondément pour prendre une bouffée de l'air frais de la montagne, désireuse de s'imprégner de son environnement pour chasser de son esprit le souvenir de cette nuit de passion dans une grande ville anonyme.

L'anonymat, oui, c'était ça la clé de la tranquillité. Elle avait songé à lui laisser son numéro de téléphone, ou à attendre qu'il se réveille pour prendre son petit déjeuner avec lui, mais elle s'était ravisée, et même si elle avait envie maintenant de revoir son mystérieux amant, même si elle s'en voulait un peu de garder sa grossesse secrète, elle n'était pas prête pour ce niveau d'intimité. Elle n'était pas prête à s'enraciner et à sortir de sa coquille. Une seule relation néfaste suffirait à la faire retourner à la case départ, et elle refusait de courir ce risque.

Garrett ne savait pas quoi penser de Cessy Walker. Elle s'était gentiment proposée pour tenir la réception en attendant qu'il engage du personnel, mais il n'était pas sûr qu'elle ait sa place dans le cabinet médical d'une petite ville. Après tout, elle portait un tailleur-pantalon haute couture en lainage, dont il reconnaissait la marque car l'une de ses ex-belles-mères avait le même, et elle avait assez de perles autour du cou pour couler un radeau de sauvetage.

— Avez-vous déjà travaillé dans un cabinet médical, madame Walker ?

— Appelez-moi Cessy, je vous en prie… Je n'ai jamais travaillé dans un cabinet médical à proprement parler, mais j'ai présidé le gala de l'hôpital pour enfants de Boise en 1989, et nous avons récolté plus de cinquante mille dollars.

— Et redites-moi pourquoi vous voulez travailler ici ?

— J'ai besoin de faire quelque chose d'un peu plus stimulant de mon temps. Je voulais participer au programme de patrouilleurs bénévoles, mais Cooper s'est mis dans tous ses états quand j'ai mis mon CD de Barry Manilow sur le haut-parleur d'une voiture de police…

Il se mordit l'intérieur de la joue pour se retenir de rire, ne connaissant que trop bien les excentricités des riches qui cherchaient à tromper l'ennui. Apparemment, même une petite ville comme Sugar Falls avait son lot de bons samaritains privilégiés désireux de pimenter leur existence. Les intentions de Cessy Walker étaient sans doute bonnes, mais il n'avait pas vraiment besoin de son aide.

S'il n'avait pas eu un rendez-vous avec sa première patiente l'après-midi même, il aurait poliment décliné sa proposition et se serait passé de réceptionniste.

— Je vois à votre expression que vous êtes abasourdi par mon ingéniosité, reprit-elle, l'arrachant à ses pensées. Mon troisième mari me regardait de la même façon… Mais, entre nous, il ne fallait pas être un génie pour s'apercevoir que le défilé de la fête du Travail allait être mortellement ennuyeux avec Mae Johnston aux manettes ! Personnellement, je crois que les habitants de la ville étaient contents que j'ajoute une musique de fête pour animer un peu les choses, mais le chef de la police a eu peur que tout le monde en fasse autant et utilise les ressources publiques sans autorisation.

Elle soupira bruyamment, comme si *elle* avait eu l'autorisation d'utiliser le haut-parleur d'un véhicule de police.

— Enfin, bref ! continua-t-elle. Cooper m'a dit que vous auriez peut-être besoin d'une réceptionniste, et comme je connais tout le monde ici, je me suis dit que je pourrais vous être utile et vous aider à vous imposer auprès du gratin de Sugar Falls.

Manifestement, Cooper voulait se débarrasser de l'ex-belle-mère de sa femme, et il la lui avait envoyée dans ce but. Quelque chose lui disait que Cessy Walker avait l'habitude d'obtenir ce qu'elle voulait, et même s'il mettait un point d'honneur à se débrouiller seul, il était nouveau à Sugar Falls et avoir l'approbation d'un membre établi de la communauté pourrait être utile.

Par ailleurs, il s'apprêtait justement à demander un

service au chef de la police, et celui-ci lui serait redevable s'il donnait une occupation à Cessy Walker.

Un peu plus de deux mois s'étaient écoulés depuis qu'il avait passé la nuit avec la jeune femme rencontrée dans le bar d'un hôtel de Boise, et il n'arrivait pas à l'oublier. Il avait fait tout ce qui était en son pouvoir pour la retrouver, il avait appelé l'hôtel le lendemain dans l'espoir de découvrir le nom de la cliente de la chambre 804, il s'était renseigné sur les spectacles de danse qui avaient lieu à Boise dans l'espoir de tomber sur sa photo, il était même retourné plusieurs fois au bar de l'hôtel au cours de la semaine qui avait suivi, à l'affût des brunes qui passaient la porte, mais en vain. Plus le temps passait, moins il avait de chances de retrouver sa trace par ses propres moyens. Il était temps qu'il appelle des renforts.

— Très bien ! Je vous remercie de bien vouloir m'aider pendant deux ou trois jours.

Il marqua un temps d'arrêt pour bien lui faire comprendre qu'elle était là à titre provisoire uniquement.

— Ma première patiente sera là dans une heure, c'est une amie qui l'envoie. Demandez-lui de remplir ce formulaire, et faites une photocopie de sa carte d'assurance maladie. Officiellement, nous ne sommes pas encore ouverts, alors je ne m'attends pas à recevoir beaucoup d'appels ces jours-ci mais, si vous vouliez bien répondre au téléphone et prendre les messages s'il y en a, ce serait parfait.

— Aucun problème, docteur ! Et rappelez-vous que je ne peux travailler que deux semaines maximum… Ensuite, je serai en congé sabbatique.

Il voyait mal comment une femme comme Cessy Walker pouvait avoir besoin d'un *congé sabbatique*, mais il se garderait bien de le lui demander, car quelque chose lui disait qu'elle lui expliquerait.

Il regagna son cabinet et s'assit derrière le vieux bureau qu'il avait trouvé sur Internet. Il n'avait pas pour habitude de dépenser l'argent qu'il n'avait pas gagné lui-même, et il avait déjà puisé dans ses économies pour acheter le bâtiment et se payer du matériel médical haut de gamme.

Il voulait que ses patients se sentent à l'aise dans son cabinet, mais il ne voyait pas l'intérêt de dépenser de l'argent en frivolités et décorations inutiles. Bien sûr, employer du personnel qualifié faisait maintenant partie de ses priorités.

Pour solliciter l'aide de Cooper, il aurait pu lui téléphoner, mais il ne voulait pas que sa nouvelle « réceptionniste » surprenne sa conversation. Il écrivit donc un mail à son ami où il fit la liste de toutes les informations auxquelles il put penser sur la jeune femme de l'hôtel. Il avait conscience qu'elle lui aurait laissé ses coordonnées si elle avait eu envie d'être retrouvée, mais plus il pensait à elle, à la nuit qu'ils avaient partagée, plus il brûlait de la retrouver et de la revoir.

Peut-être romançait-il ce qu'ils avaient vécu. Ou peut-être ne supportait-il pas le sentiment de rejet qu'il continuait à éprouver. Cependant, même s'il venait d'un milieu privilégié, il n'avait pas l'attitude de l'enfant gâté qui ne voulait que ce qu'il ne pouvait pas obtenir.

Bien sûr, il n'y aurait peut-être aucune étincelle s'ils se revoyaient.

*Peut-être*. Et s'il y en avait bel et bien une ?

Il envoya son mail et referma son ordinateur portable. Sa quête était probablement vaine, et en demandant à son ami de l'aider à retrouver la jeune femme, il s'exposait certainement à ses taquineries, mais tant pis !

Il mettait de l'ordre dans l'une des salles d'examen quand il entendit sa première patiente arriver. Elle était en avance, il n'était pas tout à fait prêt. Par ailleurs, il ne voulait pas paraître trop empressé et donner l'impression qu'il n'avait rien d'important à faire de son temps.

La voix de Cessy Walker, qui accueillait sa patiente, lui parvint depuis la réception.

— Tu vas adorer le Dr McCormick, Mia ! C'est un ami

de la famille, et c'est le meilleur orthopédiste de l'Idaho. Il va soigner ton genou en un rien de temps !

C'était peut-être un peu exagéré, songea Garrett, mais son ego fragile avait bien besoin d'être un peu regonflé. Par ailleurs, c'était avec le mari de l'ex-belle-fille de Cessy qu'il était ami, mais il supposait que dans une petite ville comme celle-là, tout le monde avait un lien avec tout le monde.

Certes, Cessy Walker n'avait pas d'expérience en tant que réceptionniste, mais elle avait peut-être raison quand elle avait déclaré qu'elle pourrait lui être utile.

Il jeta un coup d'œil à sa montre. Sa patiente aurait sans doute besoin de quelques minutes pour remplir le formulaire, alors il continua son rangement.

Après un moment, il entendit un murmure indistinct, puis à nouveau la voix de Mme Walker :

— Parfait ! Suivez-moi…

Il enfilait sa blouse blanche quand la réceptionniste entra et lui tendit le dossier de sa nouvelle patiente.

— Docteur, Mia Palinski est arrivée…

Cessy ressortit, le laissant face à face avec sa première patiente.

Cependant, au lieu de lui tendre la main et de se présenter, il s'immobilisa en voyant devant lui les cheveux noirs comme du jais, les yeux bleus et le corps gracieux qui hantaient ses pensées depuis deux mois.

## 4

*Non*, pensa Mia. *Non, non, non !*

GPM était *ici*, à Sugar Falls ? C'était *lui*, son médecin ? Comment était-ce possible ?

— C'est *toi*, se contenta-t-elle de dire.

Elle resta là où elle se tenait, immobile, hébétée, le regardant fixement sans savoir que dire.

— Tu habites à Sugar Falls ? lui demanda-t-il enfin, l'observant attentivement. Comment est-ce possible ?

Ses mots trahissaient si précisément sa propre perplexité qu'elle faillit laisser échapper un rire nerveux. Puis, soudain, il sourit, comme s'il avait reçu un cadeau dont il rêvait depuis longtemps, et un sentiment de panique qu'elle ne connaissait que trop bien l'envahit.

Elle esquissa un geste pour récupérer son dossier, qui contenait toutes ses informations personnelles, y compris le fait qu'elle était enceinte. Elle essaya de le lui prendre des mains, ces mains qui avaient fait frémir tout son corps deux mois plus tôt, mais il tenait fermement le dossier de papier kraft et elle n'y parvint pas.

Elle laissa retomber son bras, soudain prise d'une irrésistible envie de s'enfuir. Elle fit un pas en arrière, cherchant une échappatoire. La salle d'examen se trouvait tout au bout du bâtiment, et son genou lui faisait trop mal pour qu'elle puisse marcher très vite.

Elle pensa alors à la très mondaine Cessy Walker, qui se trouvait à l'accueil et avait tendance à donner son opinion à qui voulait l'entendre, sur toutes sortes de sujets. Bien sûr, Mia n'allait pas pouvoir cacher sa grossesse bien longtemps, mais elle espérait pouvoir au moins taire l'identité du père du bébé.

*Comment était-ce possible ?* se demanda-t-elle encore. Que pouvait-il bien faire là, et comment allait-elle assumer les conséquences de ses actes ?

— Mademoiselle...

Il marqua un temps d'arrêt et baissa les yeux sur le dossier qu'il avait dans les mains.

— C'est bien « mademoiselle », n'est-ce pas ? Pas « madame » ?

Il avait quelque chose d'implorant dans le regard, comme s'il voulait qu'elle lui assure qu'elle n'était pas mariée. Espérait-il passer une autre nuit avec elle si elle était célibataire ?

Elle ne répondit pas, craignant d'encourager des attentes irréalistes.

Bien sûr, il aurait la réponse à sa question bien assez tôt, puisqu'il y avait dans son dossier son nom complet et, malheureusement, son adresse. Cependant, cela ne l'obligeait pas à abattre ses cartes tout de suite.

— Entre, dit-il, regardant ostensiblement ses pieds tandis qu'elle continuait à reculer vers le couloir. Nous pourrons parler en privé.

Elle n'avait pas du tout envie d'être seule avec lui, mais elle pourrait difficilement l'éviter s'il s'était bel et bien établi à Sugar Falls.

Elle prit une profonde inspiration. Elle ne devait pas projeter sur lui la très mauvaise expérience qu'elle avait eue avec un autre homme. Elle devait se montrer rationnelle. GP, ou plutôt, le Dr McCormick, quel que soit son prénom, était un chirurgien réputé. Le mari de sa meilleure amie, qui était aussi le chef de la police de Sugar Falls, avait été l'un de ses patients. Avec un peu de chance, ce n'était pas un sociopathe qui, quelques semaines après l'avoir rencontrée, avait décidé de changer de vie et de venir s'installer à Sugar Falls pour la harceler.

Par ailleurs, elle avait tout de même déjà passé une nuit entière à faire l'amour avec lui.

Peut-être était-ce *cela* qui lui faisait peur : elle avait déjà eu la preuve qu'elle devait se méfier *d'elle-même* quand elle était seule avec lui.

Il lui posa une main sur le coude, mais elle tressaillit et eut un mouvement de recul. Sa réaction sembla le surprendre et l'offenser, mais elle était tellement décontenancée qu'elle avait peine à se maîtriser. Elle inspira profondément une seconde fois et s'empressa de se retourner pour être face à lui.

*Calme-toi. Ce n'est pas Nick ! Il ne va pas te faire de mal.*

Alors même qu'elle essayait de se rassurer, elle ne put s'empêcher d'observer son environnement. Elle le faisait toujours quand elle arrivait dans un endroit qu'elle ne connaissait pas et qu'elle était mal à l'aise. Les habitudes avaient la vie dure.

Il y avait une table d'examen, sur laquelle elle n'avait absolument pas l'intention de s'allonger, un tabouret et une chaise en plastique qui ressemblait à celles de l'école primaire où elle allait vingt ans plus tôt.

Pour un homme qui avait des goûts irréprochables en matière de chaussures et de whisky, il aurait mieux fait d'engager Cessy Walker comme décoratrice d'intérieur que comme réceptionniste.

— Je peux fermer ? lui demanda-t-il, tenant la lourde porte en bois.

Elle était contente qu'il lui laisse la possibilité de s'en aller. Après un instant d'hésitation, elle acquiesça d'un hochement de tête et fit un pas en avant.

La pièce était petite, et ils étaient tout proches l'un de l'autre. La seule façon de mettre un peu de distance entre eux aurait été pour elle de s'asseoir, mais elle ne voulait pas se mettre en position de faiblesse.

— Eh bien, Mia Palinski, je ne m'attendais pas à te revoir !

— Et moi, je ne m'attendais pas à te rencontrer la première fois, dit-elle sans réfléchir.

Elle était d'une nature pacificatrice et détestait le conflit. De plus, sa mère lui avait inculqué la politesse dès son plus jeune âge, lui répétant qu'elle ne pouvait pas forcément savoir quand elle se trouvait face à un découvreur de talents.

— Je suis désolée. Tout ceci est très inattendu, et je suis un peu déconcertée… Je ne suis pas comme ça, d'habitude… Mais tu ne peux pas le savoir. Nous ne nous connaissons pas vraiment.

— Nous ne nous sommes pas présentés, si je ne m'abuse… Je m'appelle Garrett McCormick.

Il lui tendit une main, tenant son dossier de l'autre.

— Mia Palinski.

Elle lui serra la main.

Comment aurait-elle pu oublier ces mains ? Il portait des boutons de manchette en argent, cette fois. Pourquoi tenait-il à être sur son trente et un, même au travail ?

— Attends un peu… Je croyais que tu t'appelais GP.

— Comment connais-tu mon surnom ?

— J'ai, euh… J'ai entendu ton père t'appeler comme ça quand il t'a téléphoné, au bar.

Son regard s'assombrit, et elle regretta aussitôt d'avoir mentionné un sujet délicat.

— Il n'y a plus que lui qui m'appelle GP, pour « Garrett Patrick » … Mais s'il avait pu, il m'aurait appelé « Junior ».

— Tu n'as rien d'un gamin.

Elle n'était pas sûre d'avoir envie de parler une fois de plus de leurs parents, mais c'était plus simple que de parler de sa grossesse.

— Toute ma vie, je me suis efforcé de ne pas non plus avoir le sentiment d'en être un.

C'était révélateur. De même que le fait qu'il tenait

encore sa main dans la sienne. Elle se dégagea vivement et croisa les bras sur sa poitrine.

Son geste sembla le surprendre et le rappeler à la réalité.

— Je n'ai encore jamais fait ça…

— Tu veux dire que tu n'es pas *réellement* un chirurgien orthopédiste ?

— Bien sûr que si !

Il indiqua d'un geste vague les diplômes accrochés aux murs. Il était donc allé à l'Académie navale d'Annapolis, puis à la faculté de médecine de Dartmouth. C'était très impressionnant.

— Je voulais dire que je n'avais encore jamais eu une relation avec une patiente.

— Nous n'avons pas eu une *relation*…

Elle préférait s'assurer tout de suite qu'il comprenait que ce qui s'était passé entre eux ne se reproduirait jamais.

— … Et il ne vaut peut-être mieux pas que je devienne l'une de tes patientes.

Elle baissa les yeux, fit un pas en arrière et trébucha sur le tabouret, qui cogna la table métallique tandis qu'elle perdait l'équilibre et tombait par terre. Son genou blessé heurta l'une des roulettes du tabouret, et elle eut le souffle coupé par la douleur.

Garrett fut à ses côtés en un clin d'œil. Il lui fit tendre la jambe et lui demanda où elle avait mal, mais elle ne répondit pas.

— Tu vas devenir ma patiente que tu le veuilles ou non, semblerait-il… Laisse-moi t'aider à monter sur la table pour que je puisse t'examiner.

À moins d'être prête à rester assise par terre indéfiniment, elle allait devoir accepter son aide.

Au lieu de l'aider à se mettre debout, il lui passa un bras sous les genoux et l'autre derrière le dos, et la souleva. Elle fut prise de vertige quand il se releva, mais elle n'aurait pas su dire si c'était à cause de sa grossesse, du stress ou du trouble qu'elle éprouvait dans ses bras.

Quoi qu'il en soit, elle résista à l'envie de lui passer les bras autour du cou, et elle s'appuya à la table d'examen tandis qu'il la déposait avec délicatesse.

Il fit un pas en arrière et la regarda comme si elle avait davantage besoin d'un psychiatre que d'un chirurgien orthopédiste. Il se passa une main sur le front, et elle se rappela l'avoir vu faire le même geste au bar de l'hôtel.

— Pourquoi ne pas m'avoir dit que tu étais médecin ? Et que tu allais t'installer à Sugar Falls ?

— L'occasion ne s'est pas présentée.

Il pinça les lèvres, et elle se dit qu'il cachait quelque chose. *Oh non !*

— Oh mon Dieu ! Est-ce que tu es marié ?

Elle regarda instinctivement sa main gauche. Il n'avait pas d'alliance, tout comme le soir où elle l'avait rencontré, mais, bien sûr, cela ne prouvait rien.

— Quoi ? Non, je ne suis pas marié. Et toi ?

— Bien sûr que non !

Elle essaya de ne pas s'offenser de cette suggestion ; après tout, elle aussi l'avait soupçonné d'infidélité.

Il ouvrit son dossier et jeta un coup d'œil rapide au formulaire qu'elle avait rempli en arrivant, comme s'il cherchait une preuve écrite de ce qu'elle avançait. Elle retint son souffle, consciente de ce qu'il allait lire. Elle le vit écarquiller les yeux lorsqu'il arriva au milieu de la feuille.

— Oh ! mon Dieu…

Son regard se posa sur son ventre encore plat.

— De combien de semaines es-tu enceinte ?

Le moment fatidique était arrivé. Elle aurait pù mentir, prétendre qu'elle était enceinte depuis plus longtemps, pour lui faire croire que le bébé n'était pas de lui, mais il allait travailler à Sugar Falls, la voir régulièrement, et deviner la vérité quand le bébé naîtrait neuf mois après leur rencontre.

— J'en suis encore au premier trimestre, répondit-elle

honnêtement mais sans être trop précise. J'ai mon premier rendez-vous chez l'obstétricienne lundi prochain, je serai fixée à ce moment-là.

Elle se leva, bien décidée à couper court à cette conversation, mais son genou douloureux se déroba sous elle et elle dut s'appuyer à la table pour ne pas tomber une seconde fois.

— Qu'est-ce que tu as au genou ? lui demanda-t-il, sans quitter son dossier des yeux.

Il ne chercha pas à la soutenir, cette fois, mais cela l'arrangea car elle tenait parfaitement en équilibre sur une jambe, et elle n'aurait pas pu supporter qu'il la prenne à nouveau dans ses bras.

Elle avait presque oublié la raison pour laquelle elle avait pris ce maudit rendez-vous : son genou la faisait souffrir de plus en plus, depuis quelque temps.

— On m'a posé une prothèse il y a trois ans, et j'ai toujours eu l'impression que mon genou ne guérissait pas bien. J'ai de plus en plus mal, ces derniers temps, et je me suis dit que j'avais intérêt à me faire examiner avant l'arrivée du bé…

Elle s'interrompit quand il leva les yeux vers elle.

— Enfin, reprit-elle, il y a probablement conflit d'intérêts, ou quelque chose comme ça, alors je ferais sûrement mieux d'aller voir un spécialiste à Boise.

— Tu vas souvent à Boise ?

Il se tenait tout près d'elle et la regardait intensément, comme s'il la mettait au défi de répondre à une question qu'il n'osait pas lui poser sans détour.

Le dos de sa jambe en bon état cogna la table d'examen, et elle s'aperçut qu'elle essayait instinctivement d'échapper à son regard scrutateur.

— En quoi est-ce important que j'aille ou non à Boise ?

— Ce n'est pas important, répondit-il avant de reporter son attention sur son dossier.

Qu'est-ce qui n'était pas important ? La fréquence à laquelle elle allait à Boise, ou la nuit qu'ils y avaient passée ?

— Et si tu me laissais examiner ton genou ?

— Je ne crois pas que ce soit une bonne idée…

Elle redressa les épaules et jeta un coup d'œil à la porte fermée, se demandant à quelle vitesse elle pourrait s'enfuir.

— Écoute, Mia. Soit tu me laisses faire mon travail et t'examiner, soit nous discutons de la durée qui sépare le 3 septembre de la date prévue de ton accouchement.

Il se rappelait la date exacte de leur rencontre et, de toute évidence, il avait envie d'en parler, même s'il avait la courtoisie de la laisser en décider.

Elle s'assit sur la table d'examen le plus rapidement possible.


*Mia Palinski.*

La femme qui hantait ses pensées depuis deux mois était maintenant assise dans son cabinet, en train de retirer les bottes qu'elle portait avec son legging noir.

Et elle était enceinte.

Il avait rêvé de la voir se déshabiller à nouveau, mais pas dans son cabinet à peine meublé, et certainement pas avec Cessy Walker de l'autre côté de la porte.

C'était une chance qu'il sache faire preuve de professionnalisme, car c'était la seule chose qui allait lui permettre d'endurer ce rendez-vous de plus en plus gênant.

Il avait envie de lui poser une foule de questions, mais Mia le regardait comme si elle se méfiait de lui.

À quoi jouait-elle ? À sa place, la plupart se seraient réjouies d'avoir réalisé la plus vieille ruse des femmes vénales : attendre un enfant d'un homme riche et célèbre.

D'ordinaire, il veillait à se protéger, mais il commençait à comprendre que son cerveau et son corps ne voulaient pas la même chose en présence de Mia.

C'était précisément pour cette raison qu'il devait la traiter comme n'importe quelle autre patiente. Non seulement jouer son rôle de médecin l'obligerait à rester maître de ses émotions, mais peut-être aussi que cela la mettrait en confiance et la pousserait à s'ouvrir, ce qui lui permettrait de comprendre ce qu'elle manigançait.

Il n'avait pas envie de profiter de sa position pour lui soutirer des informations personnelles, mais elle était enceinte, vraisemblablement de lui, et il méritait de connaître la vérité.

Il lui toucha doucement le genou. Même à travers son legging, il sentait la chaleur qui en émanait. Il garda les yeux rivés sur sa jambe, résistant à l'envie de regarder son beau visage pour voir s'il la troublait avec ses mains sur elle comme il l'avait troublée cette nuit-là, à Boise.

C'était une patiente, et il devait la traiter comme telle.

Tout son corps semblait être contracté. Comment pouvait-il l'aider à se détendre alors qu'il était lui-même si tendu ?

*Fais comme si de rien n'était. Reste calme. Garde ton sang-froid.*

— Où t'es-tu fait opérer ?

— Au genou.

Était-ce une plaisanterie ? Il se risqua à lui jeter un coup d'œil, mais elle avait les yeux fermés et les paupières serrées. Il doutait qu'elle souffre à ce point, car il l'effleurait à peine. Était-elle donc si mal à l'aise avec lui ?

— Je sais bien… Je voulais dire, dans quel hôpital, et qui était ton chirurgien ou ta chirurgienne ? Je voudrais lui demander ton dossier pour avoir une idée plus précise de ce qu'on t'a fait.

— Ah, oui… Bien sûr. C'était à Miami, le Dr Ron Prellis.

— Je n'ai jamais entendu parler de lui…

— Il est spécialisé dans la médecine sportive. Le

médecin de l'équipe m'a orientée vers lui pour que l'affaire ne s'ébruite pas.

— Le médecin de quelle équipe ?

Elle faisait partie d'une équipe sportive ? Et de quelle *affaire* parlait-elle ? Mia Palinski semblait avoir beaucoup de choses à cacher.

— Celle de la National Football League.

— Une équipe de football américain ?

Cela n'avait aucun sens.

— Oui. J'étais pom-pom girl pour la NFL.

*Bon sang !* Elle lui avait dit qu'elle était danseuse professionnelle. C'était surtout une chasseuse professionnelle de sportifs de haut niveau ! Il n'arrivait pas à croire qu'il ait pu ne pas s'en apercevoir plus tôt, mais il se garda bien de dire quoi que ce soit et il continua à l'examiner.

Son genou était indéniablement gonflé, mais il doutait qu'elle accepte de retirer son legging pour qu'il puisse mieux l'examiner.

— J'aimerais te faire passer une IRM, juste par précaution, mais il vaut mieux attendre le deuxième trimestre de ta grossesse. Est-ce que tu prends des médicaments pour la douleur actuellement ?

— Je prenais de l'ibuprofène, mais j'ai arrêté quand j'ai découvert que j'étais enceinte, j'avais peur que ce ne soit pas bon pour le bébé.

Il s'assit sur le tabouret et soupira. Au moins, elle faisait attention à la santé de leur enfant à naître.

*Leur enfant... ?*

Oui, peut-être était-ce *leur* enfant, peut-être allait-il être père.

— Tu as donc l'intention de le garder ?

— Mon bébé ?

Son regard se fit encore plus glacial, et elle croisa les bras sur son ventre.

— Évidemment que j'ai l'intention de le garder !

Il remarqua qu'elle parlait de *son* bébé, et non de *leur*

bébé. Avait-il son mot à dire ? Aurait-il dû avoir son mot à dire ?

Elle n'avait pas reconnu qu'il était le père du bébé. S'il continuait à la faire parler, elle le lui confirmerait sûrement.

— Avais-tu aussi l'intention de m'en parler ?

Elle détourna les yeux, mais il eut le temps de voir passer une lueur de culpabilité dans son regard. Elle avait probablement pensé attendre le dernier moment pour lui annoncer la nouvelle, pour qu'il ne puisse plus rien faire sinon accepter de lui verser une généreuse pension alimentaire.

— Même si j'avais voulu le faire, je n'avais aucun moyen de te contacter. Jusqu'à aujourd'hui, je ne savais pas où te trouver et je ne connaissais même pas ton nom.

« Même si j'avais voulu le faire » ? Sous-entendait-elle qu'elle n'avait pas prévu de lui annoncer la nouvelle ?

Il se redressa un peu sur son tabouret. S'il avait pu reculer, s'éloigner de la table d'examen et de son esprit fourbe, il l'aurait fait.

— Tu sais, si tu étais restée ce matin-là au lieu de t'enfuir comme une voleuse, j'aurais été ravi de te donner mon nom et mon numéro de téléphone.

Il ne put s'empêcher de prendre un ton accusateur. Il était tenté de s'en prendre à elle et de lui reprocher d'avoir tout orchestré mais, en réalité, il s'en voulait surtout à *lui* de s'être laissé duper.

Elle dut comprendre que la consultation était terminée, car elle se redressa et remit ses bottes.

— Je ne me suis pas *enfuie comme une voleuse*.

— En tout cas, tu ne m'as pas réveillé pour me dire au revoir, et je n'ai pas trouvé de petit mot dans lequel tu me disais que tu avais passé une bonne nuit.

— Ça ne t'est pas venu à l'esprit que je pouvais être gênée ? Ou que je ne savais pas comment j'étais censée me comporter après une aventure d'un soir parce que je n'avais encore jamais rien fait de tel ?

Elle tapa du pied pour essayer de décoincer la fermeture Éclair de sa botte, et tressaillit de douleur.

— Hé, doucement ! Ce n'est pas étonnant que tu aies mal au genou…

— Écoute, je crois qu'il vaut mieux pour tout le monde que je trouve un autre médecin. Ne t'inquiète pas pour mon genou, et ne t'inquiète pas non plus pour mon bébé.

— Attends, Mia, s'il te plaît…

Il alla se placer devant la porte. Il ne retiendrait jamais une femme de force, mais la situation était désespérée, et il était prêt à lui barrer la route.

— Il faut qu'on parle.

— De quoi veux-tu parler ?

— Tu plaisantes ? De plein de choses ! Premièrement, tu peux à peine marcher. De toute évidence, tu souffres le martyre. Ça peut arriver quelques années après une opération, quand la prothèse est défectueuse ou si elle ne tient pas bien. Tu vas peut-être avoir besoin d'être réopérée… Mais je comprendrais que tu veuilles aller voir un autre spécialiste. Deuxièmement, tu portes mon enfant. Enfin… c'est bien mon enfant, n'est-ce pas ?

Elle tourna vivement la tête, comme si elle avait reçu une gifle.

— Bien sûr que c'est ton enfant.

— Tu ne peux pas m'en vouloir de te poser cette question. Avant que tu n'arrives, je ne connaissais même pas ton nom, alors je vois mal comment j'aurais pu savoir quoi que ce soit de ta vie sentimentale. Tu as eu deux mois pour te faire à l'idée de cette grossesse… Pardonne-moi si j'ai besoin d'un peu de temps pour prendre pleinement conscience de ce qui se passe.

Elle eut un hochement de tête presque imperceptible, et ses narines se dilatèrent légèrement, signe qu'elle était encore en colère contre lui mais, au moins, elle semblait se rendre compte qu'il ne cherchait pas le conflit.

— Je ne me suis pas encore faite à l'idée… Comme

j'essayais de te le dire, je n'ai pas l'habitude de ce genre de situation : tomber sur un homme avec lequel j'ai eu une aventure d'une nuit et devoir lui annoncer que je suis enceinte.

— Je comprends.

Soudain, il entendit le téléphone de la réception sonner et se rappela que leur conversation risquait d'être entendue.

— Écoute, nous devrions peut-être prendre le temps de réfléchir à tout ça et nous revoir un peu plus tard, en privé, pour discuter de ce que nous allons faire ensuite.

Elle leva le menton d'un air de défi et haussa un sourcil parfaitement dessiné.

— Qu'entends-tu par *en privé* ? Je crois avoir été claire sur le fait que je n'ai pas l'habitude de… tu sais… Alors j'espère que tu ne t'attends pas à ce que je me jette à nouveau dans ton lit.

— Premièrement, il me semble que nous étions dans *ton* lit, à Boise…

Il avait beau être profondément décontenancé, il devait admettre qu'il aurait été tenté de passer une autre nuit avec elle.

*Ne t'aventure pas dans cette voie, McCormick !*

— Deuxièmement, à moins que tu ne me laisses te faire une piqûre de cortisone contre la douleur, tu ne risques pas de *te jeter* où que ce soit.

Elle se rassit. Il ouvrit l'armoire à pharmacie et en sortit une seringue neuve et une petite ampoule en verre. Il détourna pudiquement les yeux le temps qu'elle retire son legging, puis il lui fit sa piqûre dans le genou, avant de se tourner à nouveau vers le meuble de rangement pendant qu'elle se rhabillait.

Enfin, comme ils semblaient tous les deux maîtriser de nouveau leurs émotions à fleur de peau, il reprit la parole :

— Je voulais juste dire que nous pourrions nous voir

dans un endroit où la commère de la ville ne serait pas juste de l'autre côté de la porte.

— Je préfère le terme de *mondaine de la ville*, docteur McCormick ! cria Cessy Walker.

— Sugar Falls est une petite ville, dit Mia. C'est difficile d'aller où que ce soit sans tomber sur quelqu'un qui ne soit pas déjà au courant de tout ce qui se passe dans ta vie…

Elle haussa la voix pour se faire entendre de la réceptionniste.

— … Et je saurai précisément qui est responsable si quoi que ce soit de tout ceci s'ébruite !

— Et si nous dînions ensemble ce soir ? suggéra-t-il.

— Je ne peux pas. Je donne deux cours de danse classique en fin d'après-midi, et ensuite il y a la répétition du spectacle de Noël jusqu'à 20 heures.

Il se rappelait avoir vu le bâtiment de l'époque victorienne à la façade rose, au centre-ville. Il était passé devant plusieurs fois au fil des semaines, quand il était venu voir l'évolution des travaux à la clinique.

— À la Snowflake Dance Academy ?

Elle sembla se hérisser en entendant cette question.

— Si tu ne savais rien de moi, comment peux-tu connaître mon studio ?

Et dire qu'il croyait qu'ils faisaient quelques progrès !

— Ce n'était pas une déduction très difficile à faire, Mia. Ça ne fait pas longtemps que je suis ici, mais je sais que c'est la seule école de danse de la ville… Du moins, d'après ce que j'en ai vu.

Elle resserra les pans de son gilet sur sa poitrine et expira lentement.

*Seigneur !* Le prenait-elle pour un désaxé capable de l'espionner ?

— Bon, eh bien, si tu n'es pas libre ce soir, nous pourrions peut-être prendre le petit déjeuner ensemble au Cowgirl Up Café, demain matin ?

— Non, les membres du club de patchwork s'y retrouvent le mercredi.

Il n'aurait *surtout* pas fallu qu'ils attirent l'attention des membres du club de patchwork…

— Y a-t-il un endroit où nous pourrions aller qui ne grouillerait pas de monde ?

Elle se mordit la lèvre inférieure.

— Je suppose que nous pourrions nous retrouver chez moi…

— Parfait. Quand ?

— Samedi. J'ai mon dernier cours à 15 heures, alors n'importe quand à partir de 17 heures… Mon appartement est juste au-dessus du studio. Je sais que notre secret finira par s'apprendre, mais plus longtemps nous pourrons le garder pour nous, mieux cela vaudra.

— D'accord. Rendez-vous chez toi, samedi… Je viendrai à 18 heures, pour être sûr de ne croiser personne au studio.

Elle hocha la tête et sortit en boitant. Il aurait voulu avoir davantage de temps pour l'examiner et lui trouver un traitement adapté, mais il était content d'être un peu seul pour réfléchir.

Il y avait quelque chose chez cette femme qui l'empêchait de se concentrer, et il devait absolument rassembler ses esprits s'il ne voulait pas que la situation échappe complètement à son contrôle.

Il se laissa tomber sur le tabouret et se passa une main sur le front. Il allait être père. Il avait peine à le croire. Ce n'était pas ce qu'il voulait, et même si c'était ce qu'il avait voulu, il n'aurait certainement pas souhaité que cela se passe comme ça. Cependant, une petite partie de lui se réjouissait, non pas de l'inconnu dans lequel il allait être plongé, il était bien trop pragmatique pour voir cela comme une bénédiction, mais parce que c'était là la chance d'une rédemption familiale. Il s'était toujours dit que, lorsqu'il deviendrait père, il ne serait pas aussi dirigiste que son propre père.

Cooper lui avait garanti qu'une fois qu'il serait installé à Sugar Falls et que les habitants de la petite ville l'auraient accueilli parmi eux, il n'aurait plus à s'inquiéter de la célébrité associée à son nom de famille. Après tout, si son entrepreneur en bâtiment, qui n'était autre que la star du base-ball Kane Chatterson, avait pu se cacher au sein de cette petite communauté très unie, le fils du Dr Gerald McCormick devrait pouvoir en faire autant.

Hélas, il suffirait qu'un touriste équipé d'un smartphone et ayant un penchant pour la téléréalité l'aperçoive dans la pittoresque petite ville pour qu'il soit démasqué.

Soudain, le club de patchwork et les commérages dont Mia et lui-même pourraient faire l'objet ne lui semblaient pas si dramatiques.

## 5

Mia s'en voulait de ne pas avoir précisé à Garrett qu'elle voulait qu'il la retrouve au studio, et non à son appartement. Bien sûr, le lieu de leur rendez-vous n'avait en fait pas tant d'importance.

Au moins, maintenant, elle connaissait le nom du père de son enfant, de même que ses amies, qui savaient qu'elle devait le voir le soir même. Elles l'avaient convaincue qu'elle ne craignait rien et qu'elle serait passée pour une paranoïaque si elle l'avait appelé pour changer le lieu de leur rendez-vous.

*Bon sang !* Elle devait cesser de s'inquiéter à ce sujet. Ils allaient avoir une discussion sérieuse, et elle resterait très convenable. Il n'y aurait pas d'alcool, pas de musique d'ambiance, pas de lumière tamisée. Elle avait même hésité à prendre une douche après ses cours, tentée de l'accueillir de façon décontractée dans sa tenue de danse.

À 17 h 35, elle décida soudainement de faire bonne impression, physiquement, tout au moins, car les émotions qui la submergeaient ne l'aidaient pas à se sentir stable mentalement.

Dans la salle de bains, tout en se séchant les cheveux, elle réfléchit à tout ce qu'elle avait appris sur Garrett jusque-là.

Elle avait fait une recherche sur lui sur Internet dès qu'elle était rentrée chez elle, après son rendez-vous au cabinet. Elle savait que c'était un ex-marine et qu'il était médecin, mais c'était à peu près tout. Son nom était assez répandu, et à un moment donné, elle tomba sur le site d'une émission de téléréalité diffusée sur Med TV et mettant en scène un riche chirurgien plasticien du sud de la Californie, mais ce Dr McCormick avait une soixantaine d'années. Elle avait également trouvé quelques articles rédigés par Garrett dans une revue médicale, mais elle n'avait pas appris grand-chose à son sujet. Au moins, elle n'avait rien trouvé indiquant que c'était un sociopathe.

Évidemment, elle était bien placée pour savoir qu'un sociopathe habitué à obtenir tout ce qu'il voulait parce qu'il venait d'une famille riche, comme c'était le cas de Nick Galveston, ne dévoilait pas tout de suite sa vraie nature narcissique. Le bureau de Garrett était modestement meublé, mais les vêtements qu'il portait sous sa blouse blanche trahissaient des goûts raffinés et une grande aisance financière.

Soudain, on frappa à la porte de l'appartement. Avant d'aller ouvrir, elle jeta un dernier coup d'œil à son reflet dans le miroir de la salle de bains.

*Par pitié, faites que le père de mon bébé ne soit en rien comme Nick Galveston !*

Le cœur martelant sa poitrine, elle traversa le salon, regarda par le judas et se troubla en voyant ses yeux noisette et sa mâchoire rasée de près.

Pourquoi fallait-il qu'il soit si beau ?

Elle prit une profonde inspiration, comme elle le faisait avant d'entrer en scène, redressa un peu les épaules et ouvrit vivement la porte, mais elle devait se tenir un peu trop près, car la poignée lui cogna la hanche.

— Aïe ! fit-elle, s'efforçant de rester droite mais frottant l'endroit douloureux.

Il s'approcha aussitôt d'elle.

— Ça va ?

Elle ne voulait pas qu'il se concentre sur cette partie de son anatomie, alors elle fit comme si elle n'avait pas mal, et comme si elle ne se sentait pas humiliée.

— Oui, ça va… Entre.

Son appartement était un deux-pièces et, jusque-là, elle ne s'y était jamais sentie à l'étroit. Mais ce fut le cas, une fois Garrett dans les lieux.

Elle indiqua d'un geste le canapé blanc et bleu à motif cachemire, et essaya de ne pas s'inquiéter de ce qu'il penserait de la décoration éclectique. Elle avait trouvé la plupart de ses meubles disparates dans des brocantes, et il y avait une prédominance de bois peint en bleu et de chêne. Elle avait déménagé si souvent quand elle était plus jeune qu'elle était attirée par les meubles anciens qui avaient une histoire, mais elle avait aussi un côté artistique et elle aimait le mélange des genres qui reflétait son style personnel.

— Je me sens ridicule d'arriver chez toi les mains vides, comme ça, dit Garrett en s'asseyant, mais je ne savais pas quoi apporter… L'occasion ne se prêtait pas à des fleurs, et je suppose que tu ne bois pas beaucoup de champagne, ces temps-ci…

Elle songea qu'elle aurait sûrement mieux fait de ne pas en boire non plus deux mois plus tôt, mais elle garda cette pensée pour elle.

— Ne t'en fais pas. En parlant de ça, je peux t'offrir quelque chose à boire ?

— Qu'as-tu à me proposer ?

C'était une bonne question. Dans sa crainte de le recevoir chez elle, elle en avait oublié de réfléchir à ce qu'elle ferait une fois qu'il serait là.

Elle ne recevait pas grand monde en dehors de ses amies, et elle n'avait pas fait de courses de la semaine, alors elle n'avait en fait pas grand-chose à lui offrir.

— J'ai de l'eau… et du soda au gingembre.

— Je veux bien du soda.

Elle alla prendre la bouteille dans le réfrigérateur, deux verres, et les posa sur la table basse, qu'elle avait méticuleusement poncée et peinte en bleu céruléen.

Elle hésita, ne sachant pas où s'asseoir. Elle ne pouvait pas décemment s'asseoir à côté de lui sur le canapé, ils auraient été trop proches l'un de l'autre. Il n'y avait pas d'autres chaises que celles autour de la table de la cuisine, et cela aurait paru suspect qu'elle en prenne une pour la tirer jusqu'au salon. Son regard se posa sur le pouf blanc, et elle décida de s'en contenter.

Feignant une certaine désinvolture, elle s'aida de son mollet pour le déplacer, mais elle trébucha et fut récompensée par une vive douleur au tendon d'Achille.

Elle retint un juron et s'assit sans aucune grâce sur son siège.

— Tu es sûre que ça va ? lui demanda Garrett.

— Oui, prétendit-elle.

Il se frotta le front comme s'il se demandait s'il devait la croire, mais il eut la politesse de ne rien ajouter.

Il retira son manteau, qui semblait être en cachemire, et le posa sur le dossier du canapé avant de verser le soda dans les verres. Il avait un pull-over gris, aussi élégant que la chemise qu'il portait le soir où elle l'avait rencontré.

Soulagée d'avoir quelque chose à faire de ses mains, elle prit son verre et but une gorgée de soda mais, dans sa précipitation, elle inspira le gaz qui s'échappait des petites bulles. Elle éternua avant même que son invité n'ait pris son propre verre.

— Tu es en train de t'enrhumer ?

Il se pencha vers elle et posa une main fraîche sur son front. Elle eut un mouvement de recul et faillit tomber à la renverse.

— Holà !

Il lui plaça la main sur l'épaule pour la retenir. Pourquoi n'arrêtait-il pas de la toucher ?

— Ça va ?

Elle se redressa et il laissa retomber sa main.

— Très bien.

— Si tu le dis...

— Je suis désolée, je suis beaucoup plus gracieuse que ça d'habitude.

C'était vrai. Après tout, elle était danseuse. Cependant, après l'avoir vue trébucher dans son cabinet et manquer de tomber de son siège à l'instant, il devait la trouver terriblement maladroite, alors que c'était justement sa proximité qui la troublait.

— Je crois qu'on peut affirmer sans trop s'avancer que nous sommes tous les deux un peu déconcertés.

Il eut un sourire, qui se voulait sans doute rassurant, mais qui semblait un peu forcé. C'était probablement le même qu'il adressait aux soldats blessés quand il leur annonçait qu'ils allaient devoir subir une opération importante.

— Je, euh… J'ai trouvé ça dans l'ascenseur de l'hôtel, dit-elle en prenant le petit coffre en bois posé sur la table basse.

Elle en sortit le bouton de manchette en onyx et le lui tendit. Il haussa les sourcils et une ombre passa sur son visage tandis qu'il passait l'index sur les lettres d'or du bijou.

— Merci de me le rendre, je me demandais où je l'avais perdu.

Elle sentit ses joues s'empourprer.

— Je l'ai trouvé par terre dans l'ascenseur en partant, ce matin-là, et comme j'étais pressée…

Elle laissa sa phrase en suspens. Elle avait été nauséeuse toute la semaine, et elle risquait d'être malade si elle ne se calmait pas tout de suite.

— Enfin, bref, je me suis dit que tu serais content de le retrouver.

Il s'inclina un peu sur le côté pour le glisser dans la poche de son pantalon.

— Je n'aurais pas dû les laisser sur le bar, ce soir-là… J'étais en colère contre mon père, à ce moment-là. Je suis content que tu m'aies rappelé de les prendre quand nous sommes partis, et je n'aurais pas dû être négligent au point d'en perdre un… Je m'en suis voulu, après coup, comme de bien d'autres choses.

« Comme de bien d'autres choses. » Au moins, maintenant, elle savait qu'il regrettait d'avoir fait l'amour avec elle.

Cela allait lui faciliter la tâche. Au cours des derniers jours, elle avait préparé ce qu'elle voulait lui dire, mais maintenant qu'il était là, devant elle, elle était nerveuse.

L'horloge murale vintage de la cuisine égrenait les secondes, et son tic-tac rendait encore plus gênant le silence qui s'étirait entre eux.

— Tu as déjà dîné ? lui demanda-t-il enfin.

— Euh… Non. Pourquoi ? Tu as faim ?

— Très. Je n'ai pas déjeuné, aujourd'hui… Les techniciens qui devaient installer le matériel de l'IRM devaient venir hier mais ils ne sont venus que cet après-midi, alors j'ai passé la journée à la clinique.

— Je te proposerais volontiers de te préparer quelque chose, mais je ne suis pas allée au Duncan's Market depuis la dernière fois que je t'ai vu, et j'essaie d'éviter le plus possible les lieux publics jusqu'à…

Elle s'interrompit. Sa propre excuse lui paraissait minable.

— Oh ! je ne m'attendais pas à ce que tu cuisines pour moi, je me disais juste que nous aurions pu sortir, aller manger quelque chose quelque part. Cela nous aiderait peut-être à nous détendre d'avoir quelque chose d'autre à faire que parler de… tu sais…, mais si tu as peur qu'on nous voie ensemble, je peux aller acheter quelque chose et le rapporter ici.

— Je n'ai pas peur qu'on nous voie ensemble…

C'était seulement en partie vrai : elle n'avait pas *peur* d'être vue avec lui en public, mais elle ne voulait pas que tout le monde soit au courant de sa vie privée, et dîner avec lui en ville équivaudrait à faire la une de la gazette locale.

— … Mais c'est une bonne idée de prendre quelque chose à emporter.

*Parfait*. Si elle ne pouvait même pas dîner en sa compagnie, comment allait-elle élever un enfant avec lui ?

— Il y a un restaurant italien, tout près d'ici… Comment s'appelle-t-il, déjà ? Chez Patrelli ? Il paraît qu'ils font d'excellentes lasagnes et du pain à l'ail délicieux. Et si je les appelais pour en commander ?

La pensée du pain à l'ail lui souleva l'estomac, et elle s'empressa de boire une gorgée de soda en espérant que cela ferait passer la nausée.

Malheureusement, Garrett fut immédiatement sur le qui-vive.

— Qu'est-ce qui ne va pas ?

Pourquoi fallait-il que le seul homme avec lequel elle avait eu une aventure d'un soir et dont elle portait le bébé soit un médecin capable de repérer la moindre gêne physique ?

— Désolée… Je découvre simplement les joies des nausées matinales, qui ne sont malheureusement pas seulement matinales, et que l'ail a tendance à déclencher.

— Tu veux que je commande autre chose ?

— Non, répondit-elle d'une voix peut-être un peu trop forte. Je pourrais peut-être prendre une salade, ou quelque chose comme ça, et du pain nature.

Depuis qu'elle avait revu le père de son enfant, elle n'arrivait à avaler presque rien d'autre que des sandwichs au beurre de cacahuète. Bien sûr, c'était aussi ce qu'elle avait envie de manger en temps normal. Ses amies la taquinaient souvent à ce sujet, mais quand on avait grandi avec une mère qui estimait que tout faisait grossir en dehors des branches de céleri, on avait tendance à se faire plaisir en mangeant ce dont on avait été privé.

Mia revit le dessin que sa mère accrochait sur le réfrigérateur : celui d'un hippopotame en tutu en train de faire des pointes. Mia, qui n'avait alors que huit ans, avait d'abord cru que sa mère trouvait le dessin amusant, mais celle-ci cherchait en fait à la dissuader de manger quoi que ce soit qui aurait pu nuire à sa carrière de danseuse. Ce dessin les avait suivies chaque fois qu'elles avaient déménagé, et quand elle était partie faire ses études, elle l'avait trouvé sur ses justaucorps, dans sa valise, avec un petit mot lui conseillant de le mettre sur la porte du réfrigérateur de la résidence universitaire. Elle l'avait déchiré et jeté avant même de défaire sa valise.

Soudain le téléphone sonna, l'arrachant à ses pensées. Elle se crispa. Une seule personne l'appelait sur le fixe : sa mère. C'était comme si ce souvenir désagréable l'avait fait se manifester.

— Tu ne décroches pas ? lui demanda Garrett.

— Non. C'est probablement un faux numéro ou du démarchage téléphonique. La plupart des gens m'appellent sur mon portable.

C'était vrai. Elle n'avait pris une ligne fixe en arrivant à Sugar Falls que parce qu'elle était traumatisée par ce qui s'était passé avec Nick et qu'elle voulait avoir plusieurs moyens d'appeler les urgences en cas de besoin.

Quand le répondeur se mit en route, elle croisa les doigts pour que ce soit bel et bien un faux numéro, mais elle sut qu'elle n'aurait pas cette chance dès qu'elle entendit la voix râpeuse de sa fumeuse de mère.

— Mia, ma chérie, c'est maman. J'ai essayé de t'appeler sur ton portable toute la semaine, mais tu ne réponds pas… Je voulais juste savoir si nos projets pour Thanksgiving tenaient toujours… Allô ! Allô ! Qu'est-ce que… ?

Le répondeur continua d'enregistrer le message tandis que sa mère appuyait sur plusieurs boutons de son côté de la ligne, avant que la communication ne coupe abruptement. Quelques secondes plus tard, le téléphone se remit à sonner.

— Tu sais quoi ? s'écria Mia, se levant d'un bond, sachant que sa mère continuerait à appeler et à laisser des messages tant qu'elle ne décrocherait pas. Et si nous allions chez Patrelli pour passer notre commande, en fin de compte ?

Le téléphone se remit à sonner.

Elle préférait encore être vue en compagnie de Garrett qu'entendre ce que sa mère dirait dans le prochain message qu'elle laisserait sur son répondeur.

Elle fut soulagée de constater que Garrett se levait pour la suivre, même si son expression suggérait que sa gêne l'amusait. Elle s'était dirigée vers le portemanteau de l'entrée et finissait de s'emmitoufler quand le répondeur se déclencha à nouveau.

— Ma chérie, c'est encore maman. J'ai été coupée par ton répondeur. Je te disais…

Mia entraîna précipitamment Garrett au-dehors et claqua la porte derrière eux.

— Ta mère est au courant pour le bébé ? lui demanda-t-il tandis qu'ils descendaient l'escalier.

— Pas encore. Il faut que je lui dise, mais je n'arrête pas de repousser… J'ai repoussé beaucoup de choses, ces derniers temps.

— En parlant de ça…

Il se tourna vers elle et, devinant la direction que prenaient ses pensées, Mia se demanda s'il ne vaudrait pas mieux qu'ils remontent pour avoir cette conversation chez elle.

— Je n'arrive toujours pas à croire que tu t'apprêtais à avoir mon bébé sans même me le dire.

*Non !* Apparemment, ils allaient avoir cette conversation dans l'allée mal éclairée derrière la Snowflake Dance Academy.

— Garrett, nous en avons déjà parlé l'autre jour, dans ton cabinet. Comment aurais-je pu te le dire, alors que je ne savais pas où te trouver et que je ne connaissais même pas ton nom ?

Il boutonna son manteau sans la quitter des yeux.

— Tu as raison. Inutile de s'appesantir là-dessus !

L'important, c'est que nous décidions de ce que nous allons faire à partir de maintenant.

— De ce que *nous* allons faire ?

— Tu ne crois tout de même pas que je n'ai pas l'intention de faire partie de la vie de mon enfant ?

— À vrai dire, je ne savais pas quoi croire. Je n'avais pas prévu de tomber enceinte cette nuit-là, à Boise, et je suppose que tu n'avais pas prévu d'élever un enfant avec une parfaite inconnue… Alors je comprendrais que tu veuilles faire comme si rien de tout cela n'était arrivé et être libre de toute obligation.

Elle glissa ses mains dans ses poches, non pas parce qu'elle avait froid, mais pour qu'il ne la voie pas croiser les doigts.

— Et abandonner mon propre enfant ? Non, certainement pas ! Revenons à ce que *nous* allons faire, *toi et moi*. Je me suis un peu renseigné sur la coparentalité et la garde partagée. Si nous nous y prenons bien et que nous faisons passer le bien-être de notre enfant avant tout le reste, il n'y a pas de raison pour que nous n'arrivions pas à nous entendre et à élever un enfant heureux et bien adapté.

— La *coparentalité* ?

Elle n'avait jamais entendu ce terme. Son propre père s'était enfui dès qu'il avait appris que sa maîtresse était enceinte. Il était allé retrouver sa femme. Dan Perez s'était peut-être intéressé à la coparentalité avec la mère de ses enfants légitimes, mais certainement pas avec Rhonda Palinski.

— En quoi est-ce que cela consiste, au juste ? demanda-t-elle.

— Eh bien, nous ferions la garde alternée, tu aurais notre enfant la moitié du temps, je l'aurais l'autre moitié, et nous prendrions ensemble toutes les décisions le concernant, dans quelle école et à quelles activités extrascolaires nous l'inscririons, ce genre de choses. Puisque nous habitons dans la même ville, cela ne devrait pas être trop difficile de nous organiser.

Avait-il perdu la tête ? S'attendait-il vraiment à ce qu'elle confie son enfant à quelqu'un qu'elle connaissait à peine ? À l'entendre, c'était si simple… Ils parlaient pourtant d'un être humain innocent, pas d'un objet !

— Mais nous ne nous connaissons même pas… Et si tu étais un mauvais père ?

— *Moi ?* Je serai un très bon père ! J'ai reçu une bonne éducation, j'ai un travail et des revenus réguliers, et je me suis déjà occupé d'enfants.

— De quels enfants ?

Elle se souvenait qu'il lui avait dit qu'il avait des relations tendues avec son propre père, et elle se demandait si c'était aussi le cas avec le reste de sa famille.

— J'ai travaillé en pédiatrie quand j'étais interne, et j'ai retrouvé l'un de mes vieux livres sur la psychologie de l'enfant en défaisant certains cartons dans mon bureau.

Même dans la faible lueur orangée des réverbères de l'allée, il dut remarquer son expression sceptique, car il se redressa d'un air de défi et lui demanda :

— Et toi ? Et si tu étais une mauvaise mère ?

— Je suis prof de danse, Garrett…

Elle se remit à marcher, et il lui emboîta le pas. Elle avait besoin de bouger pour calmer la colère qu'elle sentait monter en elle. C'était un sentiment qui lui était étranger, car elle ne s'énervait jamais en temps normal.

— Je travaille avec des enfants à longueur de journée, tous les jours de la semaine.

Ils tournèrent à l'angle du bâtiment et commencèrent à remonter la rue principale.

— D'accord… Mais tu pourrais devenir l'une de ces femmes amères et vindicatives, et te servir de notre enfant pour me punir.

Non, elle n'avait pas pour habitude de s'emporter, mais elle n'avait pas l'habitude non plus d'entendre un inconnu remettre en question sa moralité et ses compétences potentielles de mère. Elle s'arrêta net, retira sa main de sa poche et pointa le doigt sur lui.

— Je ne me servirais jamais de quelqu'un, et certainement pas de mon propre enfant, pour punir qui que ce soit, mais même si j'étais le genre de personne capable de faire une chose pareille, il n'y a jamais rien eu entre nous sur le plan affectif, alors je ne suis pas une ex pleine d'amertume. Nous n'avons pas eu une relation susceptible de donner naissance à du ressentiment.

Il se frotta le front, puis lui prit la main. Pourquoi la touchait-il sans cesse ? Ce devait être une habitude de médecin, mais *elle* n'était pas aussi tactile. Et pourtant, quand il la touchait, une douce chaleur l'envahissait instantanément. Pourquoi se troublait-elle à ce point ?

Si elle avait eu un peu de bon sens, elle aurait retiré sa main de la sienne, mais il lui caressait la paume avec le pouce et ce contact l'enivrait. Par ailleurs, elle ne voulait pas faire une scène maintenant qu'ils étaient en plein centre-ville. Elle se remit donc à marcher, le laissant lui tenir la main comme s'ils formaient un couple et se promenaient tranquillement.

— Écoute, Mia… Nous nous connaissons à peine, c'est vrai. Nous ne pouvons pas savoir quel genre de parents nous serons, ni comment nous nous entendrons d'ici un an ou deux, mais j'espère que nous sommes d'accord pour dire qu'au fond nous ne voulons que le bonheur de notre enfant.

Elle le regarda et acquiesça d'un hochement de tête. Il eut un large sourire, absolument sincère, celui-ci, et rassurant.

— Nous avons quelques mois devant nous avant l'arrivée du petit bout pour en apprendre le plus possible l'un sur l'autre, et sur la coparentalité.

Voilà qu'il recommençait avec la coparentalité ! Cependant, il avait raison : ils allaient devoir apprendre à se connaître et à garder le contact pour les dix-huit années à venir.

Elle se détendit un peu.

— Règle numéro 1 de la coparentalité : nous n'appellerons pas cet enfant « petit bout » !

Garrett sourit et, comme ils arrivaient chez Patrelli, il ouvrit la lourde porte en chêne du restaurant italien. En croisant son regard, Mia se rappela pourquoi elle l'avait laissé l'entraîner dans sa chambre d'hôtel. Peut-être même était-ce *elle* qui l'avait entraîné. Quoi qu'il en soit, si elle ne se reprenait pas, tout le monde s'apercevrait à quel point elle aimait le voir sourire comme cela.

Par chance, le samedi soir, il y avait plus de touristes que de gens du coin chez Patrelli, ces derniers évitant les endroits trop animés le week-end.

— Mia, quelle surprise ! s'écria Mme Patrelli quand ils entrèrent. Il y a foule, ce soir, mais une table va sûrement se libérer d'ici quelques minutes, je vous la réserve !

— Oh ! non, madame Patrelli ! Ce ne sera pas nécessaire… Nous voulons seulement commander quelque chose à emporter.

La dame grassouillette aux cheveux bruns et bouclés les regarda tour à tour d'un air sceptique, Garrett et elle, puis elle sortit son bloc-notes de la poche de son tablier pour prendre leur commande.

Avec un peu de chance, son mari ne mettrait pas trop longtemps à tout préparer, en cuisine, car les bonnes odeurs de nourriture qui flottaient dans le restaurant et que Mia trouvait agréables en temps normal, lui soulevaient maintenant l'estomac.

— Je vais vous apporter un verre de chianti pour vous faire patienter…

Mia posa une main sur son ventre.

— À vrai dire, je n'ai pas envie de vin, ce soir… Pourriez-vous plutôt m'apporter un soda au gingembre ?

— Mais vos amies et vous prenez toujours du vin quand

vous mangez ici ! Vous adorez notre chianti ! Une femme passionnée comme vous n'aurait qu'une seule bonne raison de ne plus boire de vin, et ce serait...

Mme Patrelli s'interrompit et l'observa attentivement avant de reporter son attention sur Garrett. Elle les regarda tour à tour, et Mia vit à son expression qu'elle avait deviné.

— Je vous apporte un soda. Et un chianti pour monsieur.

— Génial ! dit Mia en s'asseyant sur le petit banc à côté de l'accueil tandis que Mme Patrelli se dirigeait vers la cuisine. Elle sait...

— Elle sait quoi ? lui demanda Garrett en s'asseyant à côté d'elle et en lui passant un bras autour des épaules dans un geste réconfortant. Que tu es enceinte ? Comment le sais-tu ?

— Mme Patrelli a six enfants, je suis sûre qu'elle sent ce genre de choses.

— Ce serait si terrible que ça qu'elle soit au courant ? Je veux dire, ce n'est pas comme si tout le monde n'allait pas s'en apercevoir d'ici quelque temps, Mia.

— Je sais. Je crois que je n'arrive pas encore vraiment à me rendre compte que nous allons avoir un bébé.

L'expression de Garrett s'adoucit.

— *Nous*. J'aime ce...

— Eh bien, ça alors, GP ! s'écria soudain une belle blonde qui avait dans les bras un petit garçon en train de manger une part de pizza. J'ai failli ne pas te reconnaître, sans ton costume et ta chemise blanche ! Comment vas-tu, depuis le temps ?

Il fallut à Garrett quelques secondes pour reconnaître la jeune femme qui venait d'interrompre l'une des conversations les plus importantes de sa vie. Avec ses pommettes et son nez refaits, Cammie Longacre ne ressemblait plus vraiment à la jeune fille qu'il avait connue au lycée. En revanche, elle ressemblait maintenant à toutes les femmes refaites dont il détestait la mentalité.

Mia esquissa un mouvement pour s'écarter de lui, mais le bras qu'il avait passé autour de ses épaules l'en empêcha.

Il vit les lèvres de Cammie remuer, il entendit même les mots « classe de terminale », « ton père » et « croyais que tu avais disparu », mais il ne put se résoudre à répondre, du moins pas avant que l'ancienne éditrice du journal de la Newport Hills Prep Academy ne s'asseye à ses côtés pour se prendre en photo avec lui à l'aide de son portable.

— Ils ne vont pas en revenir ! s'écria-t-elle avant de se pencher vers Mia. Et je n'ai pas pu m'empêcher d'entendre que vous alliez avoir un enfant... C'est super !

Contrarié que son ancienne camarade de classe ait surpris l'aveu de Mia, Garrett s'empressa d'intervenir dans l'espoir de minimiser les dégâts.

— Que fais-tu ici, Cammie ? demanda-t-il, regrettant aussitôt son ton un peu agressif.

— Mon mari et moi avons emmené les enfants ici pour le début de la saison de ski.

À ce moment-là, un homme dont on aurait dit qu'il était encore président de l'association d'étudiants de son université s'approcha d'eux, avec un enfant hilare sous chaque bras.

— Chip voulait retourner à Telluride, cette année, mais il faut regarder les choses en face : toutes les bonnes stations du Colorado sont de plus en plus commerciales. Un ami d'ami nous a conseillé Sugar Falls, alors nous avons décidé d'essayer quelque chose de nouveau.

— Nous aussi, affirma Garrett, exploitant l'histoire de Cammie.

S'il parvenait à lui faire croire qu'il était simplement en vacances, il y aurait moins de risques que l'on apprenne où il était.

Il serra Mia plus étroitement contre lui, espérant qu'elle jouerait le jeu.

— Nous adorons faire du snowboard, mais il n'y a pas de bonnes pistes près de chez nous… à Miami.

Il avait cité la première ville qui lui avait traversé l'esprit. Miami s'était imposée à lui car Mia lui avait dit s'y être fait opérer du genou quand elle était venue le voir à son cabinet.

— J'aurais dû me douter que tu vivais quelque part sur la côte, et que tu faisais du snowboard ! Tu es devenu branché, GP, comme ton père !

Le plus jeune de ses enfants manifesta bruyamment son impatience et jeta la croûte à moitié mangée de sa pizza par terre.

— Eh bien, je crois qu'il est temps que nous y allions ! Nous vous croiserons peut-être au Snow Creek Lodge ce week-end… Je te raconterai ce que les copains sont devenus depuis la terminale.

— Bonne idée !

Il fit au revoir de la main à la famille sur le départ en se forçant à sourire, alors même qu'il avait envie de disparaître. Il attendit que Cammie, son mari et leurs enfants aient franchi la porte pour se risquer à regarder Mia. Sa mâchoire était contractée, et elle regardait fixement le poster de Venise accroché au mur, en face d'eux.

Une femme aussi belle qu'elle naturellement ne pouvait tout de même pas être jalouse d'une femme comme Cammie, n'est-ce pas ? Peut-être était-elle contrariée parce qu'il n'avait pas fait les présentations ?

Quoi qu'il en soit, il devait de nouveau gagner ses bonnes grâces.

— Je sais que ce que je viens de dire à cette femme a pu te paraître insensé mais, crois-moi, c'était mieux comme ça…

— Pourquoi lui avoir fait croire que nous étions ensemble ? Et que nous habitions à Miami ?

C'était *cela* qui la mettait mal à l'aise ? Le fait que quelqu'un puisse croire qu'ils formaient un couple ?

— À vrai dire, c'est *toi* qu'elle a entendue annoncer à tout le restaurant que nous allions avoir un bébé.

Il ne pouvait s'empêcher d'être sur la défensive. Et si Mia avait tout orchestré ?

— Mais pourquoi mentionner Miami ? Je préférerais que les gens ne m'associent pas à cette ville.

Il faillit rire de ses curieuses préoccupations. N'importe qui aurait pu découvrir où elle habitait autrefois, en faisant une recherche sur Internet. Ce ne pouvait tout de même pas être si terrible que cela ! De toute évidence, elle ne mesurait pas le risque qu'il y avait à ce que quelqu'un de sa ville natale le reconnaisse, lui.

— Elle m'a pris au dépourvu quand elle a fait cette photo, je ne veux surtout pas qu'elle dise où j'habite à tout le monde sur les réseaux sociaux… La Floride est le premier endroit auquel j'ai pensé, parce que tu m'as dit t'y être fait opérer, l'autre jour.

— Pourquoi ne veux-tu pas que les gens sachent que tu vis dans l'Idaho ?

— Disons que je tiens à préserver ma vie privée.

Il crut voir une lueur de compassion passer dans les yeux de Mia, mais il n'en était pas sûr. Il espérait bel et bien qu'elle le comprenait car, sur ce point, il était inflexible.

Plus vite elle s'apercevrait que leur situation devait rester un secret pour les médias, mieux cela vaudrait.

Il éprouva un vif soulagement quand elle hocha la tête et dit :

— Je suis contente que nous soyons sur la même longueur d'onde.

Elle écarta ses cheveux de son visage, et il repensa au fait qu'elle ne voulait pas être vue en public avec lui. Peut-être avait-elle quelque chose à cacher, elle aussi.

*
* *

— Alors, pour le moment, la nouvelle de ta grossesse reste entre nous ? demanda-t-il.

— Oui… Enfin, entre nous et Mme Patrelli, répondit-elle avec un sourire.

Il aimait son sourire. Il s'aperçut qu'il ne l'avait pas vu souvent, au cours de leurs brèves rencontres.

— Et probablement Cessy Walker, ajouta-t-elle. Oh ! et aussi mes deux meilleures amies.

— Pardon ?

— J'ai été obligée de leur parler de toi quand Maxine a appelé ma chambre d'hôtel et que c'est toi qui as décroché le téléphone.

Quelqu'un avait donc bel et bien cherché à la joindre, et cette personne avait très bien pu prévenir les agents de sécurité de l'hôtel.

— Elles étaient aussi avec moi quand j'ai fait le test de grossesse, mais c'était avant que je sache que tu allais vivre ici et que tu voudrais, euh… t'investir.

*Bien !* Il pouvait supporter que quelques-uns des habitants de cette petite ville soient au courant. Après tout, il s'était douté que ce serait le cas quand Mia avait quitté son cabinet en boitillant, quelques jours plus tôt.

Il hocha la tête et prit conscience qu'il avait laissé son bras sur le dossier du banc, derrière ses épaules, et qu'il lui suffirait de bouger légèrement pour la serrer de nouveau contre lui.

— Et Kylie et Max ont dû en parler à leurs maris respectifs, continua-t-elle, ce qui signifie que ton copain, Cooper, est probablement déjà au courant, tout comme le Dr Gregson… Tu as travaillé avec lui quand tu étais à Shadowview, n'est-ce pas ?

— Je ne savais pas que leurs femmes étaient tes meilleures amies.

*Eh oui !* Les nouvelles allaient vite, à Sugar Falls.

— Quelqu'un d'autre est au courant ?

Elle entrouvrit les lèvres, s'apprêtant à répondre, mais

fut interrompue par la sonnerie de son portable. Elle jeta un coup d'œil à l'écran avant de couper le son.

— Pas encore, mais je peux te dire qui va être en colère quand je vais enfin lui annoncer la nouvelle…

Elle lui montra brièvement son téléphone.

— Ma mère.

— Tu ferais peut-être mieux de décrocher.

— Je l'appellerai demain. Écoute, je me sens barbouillée et je n'ai plus vraiment faim…

— Oh… D'accord. Tu veux que nous partions ?

— Non, prends quelque chose à emporter pour chez toi. Où est-ce que tu habites, au fait ?

— J'ai pris une chambre au Bed and Breakfast de Betty Lou, mais j'aimerais trouver quelque chose en plein centre-ville un jour ou l'autre, peut-être l'une de ces maisons de l'époque victorienne à remettre en état.

— C'est un projet à long terme.

Il la regarda du coin de l'œil. C'était l'idée, n'est-ce pas ?

Elle se leva, et il en fit autant.

— Que fais-tu ? s'étonna-t-elle.

— Je te raccompagne.

Le croyait-elle si discourtois qu'elle s'imaginait qu'il allait la laisser repartir seule ?

— Je ne suis qu'à quelques minutes de chez moi, je fais tout le temps ce trajet toute seule…

— Dans ce cas, ça ne te dérangera pas que je le fasse avec toi.

— Et tes lasagnes ?

— Je reviendrai les chercher.

Il lui tint la porte du restaurant, et ils remontèrent en silence la rue bordée de réverbères. Il ne voulait pas la forcer à parler si elle ne se sentait pas bien, même s'il y avait encore tant de choses à dire.

Cependant, quand ils furent arrivés devant chez elle, il dut briser le silence.

— Quand vas-tu voir l'obstétricienne ?

— J'ai mon premier rendez-vous lundi après-midi. Pourquoi ?

Quelque chose lui disait que la timide et réservée Mia n'allait pas apprécier ce qu'il allait suggérer, mais il s'agissait aussi de son avenir à *lui*, et il n'avait pas l'intention de se laisser évincer.

— Nous prendrons ta voiture ou la mienne ?

# - 6 -

Mia avait peine à croire qu'elle laissait Garrett l'accompagner à un rendez-vous médical aussi intime et aussi important.

Ces derniers temps, ses émotions étaient à fleur de peau, et samedi dernier, quand il lui avait fait comprendre qu'il souhaitait l'accompagner, elle avait été prise de court et n'avait pas trouvé de raison valable de lui dire non.

Par ailleurs, il était bel et bien le père de son enfant. Elle aurait voulu vivre sa grossesse toute seule, garder son bébé pour elle toute seule, mais elle ne pouvait décemment pas faire quelque chose d'aussi égoïste. Cela n'aurait été juste ni envers Garrett ni envers son enfant à naître ; à moins bien sûr qu'il ne s'avère être indigne de confiance ou être un mauvais père, auquel cas elle s'en irait avec son fils ou sa fille, si vite et si loin que personne ne pourrait jamais la retrouver.

Tandis qu'elle roulait à une allure modérée sur la grande route en direction de Boise, au volant de sa Prius, elle sentait son cœur marteler sa poitrine. Garrett, assis à côté d'elle, était silencieux et gardait les mains jointes sur les genoux. Ils n'avaient échangé que quelques civilités quand ils s'étaient retrouvés dans l'allée derrière son studio de danse, après le déjeuner, mais c'était mieux ainsi, car elle n'était pas douée pour parler de tout et de rien, de toute façon.

— J'aurais pu conduire, tu sais, dit-il pour la troisième fois au moins.

— Oui, tu me l'as déjà dit… C'était gentil de ta part de me le proposer, mais je suis plus à l'aise au volant de ma propre voiture.

Elle avait l'impression de maîtriser la situation.

Il tripota sa ceinture de sécurité, puis joignit à nouveau les mains. Si elle ne l'avait pas vu déborder d'assurance dans d'autres situations, elle aurait pensé qu'il était tout aussi nerveux qu'elle.

Elle remarqua qu'il portait les boutons de manchette noirs avec ses initiales.

— Je vois que tu as mis les boutons de manchette que ton père t'a offerts…

— Oui. J'étais en colère contre lui, le soir où je t'ai rencontrée, et tu me verras probablement encore souvent en colère contre lui, mais j'ai décidé d'interpréter ses paroles de façon moins amère. Enfin ! Peut-être que je ne suis qu'un imbécile trop sentimental… Je n'en sais rien. Ça t'embête si je mets la radio ?

Elle fronça les sourcils. Ils écoutaient son CD préféré, celui qu'elle avait eu l'intention d'utiliser lors de son audition pour suivre un cursus à la Hollins University, en Virginie. Elle avait économisé juste assez d'argent pour payer les frais de scolarité de la première année quand elle avait dû être opérée du genou ; plus rien n'avait été pareil, ensuite.

— Tu as quelque chose contre Mozart ?

— C'est juste que c'est lent et fastidieux… Ça me rend vraiment nerveux.

— Ah bon ? C'est pourtant censé être apaisant ! J'ai lu un article dans lequel on disait que les bébés entendaient tout in utero, alors j'écoute de la musique classique le plus souvent possible.

— Les Rolling Stones aussi ont composé des classiques…

Il remonta ses lunettes de soleil sur son nez.

Au moins, il ne s'était pas contenté de mettre la radio sans lui demander son avis, comme l'aurait fait l'un de ces garçons avec lesquels sa mère l'encourageait à sortir quand elle était étudiante.

Elle jeta un coup d'œil à la chemise bleue qui mettait en valeur son torse musclé, à son pantalon de toile et à ses mocassins. Garrett s'habillait comme l'un de ces hommes bon chic bon genre que sa mère aurait aimé la voir épouser pour la stabilité financière, mais la ressemblance s'arrêtait là : il avait été dans l'armée, comme le prouvaient les muscles parfaitement dessinés que cachaient ces vêtements coûteux, et il ne se comportait pas comme si tout, y compris elle, lui appartenait.

Par ailleurs, il l'avait surprise en se montrant si distant avec la jeune femme qu'ils avaient croisée chez Patrelli. Mia avait d'abord cru qu'il avait honte d'être vu avec *elle* mais, quand il l'avait serrée contre lui comme il se serait cramponné à un radeau en pleine tempête, elle avait compris que quelque chose chez Cammie Dents-Parfaites le mettait mal à l'aise.

Elle n'aurait pas décrit Garrett comme quelqu'un de rebelle, mais elle avait reconnu son expression quand Cammie avait mentionné son père et les gens qu'ils fréquentaient tous les deux : elle avait vu cette même expression dans le miroir de nombreuses fois, notamment la fois où elle avait défié sa mère en se faisant percer le nez, quand elle était étudiante. Il y avait autre chose dans les beaux yeux noisette de Garrett, une détermination farouche, comme s'il se sentait pris au piège mais qu'il refusait de se rendre.

Qui pouvait bien rechercher Garrett McCormick, et pourquoi ?

Avant de pouvoir élucider ce mystère, elle allait devoir se concentrer sur son premier rendez-vous chez l'obstétricienne.

Elle se gara devant le cabinet médical, un bâtiment de trois étages à proximité de la Boise State University, et inspira plusieurs fois profondément mais discrètement. Jusque-là, Mozart ne l'avait pas aidée à se détendre.

— Tu es prête pour ce rendez-vous ? lui demanda son passager d'une voix hésitante.

— Non !

Elle ouvrit néanmoins sa portière, bien décidée à faire taire ses propres doutes et son malaise dans l'intérêt de son bébé.

Ils traversèrent le parking en silence. Comme elle, Garrett devait être perdu dans ses pensées.

Il lui tint ouverte la grande porte vitrée, puis il trouva l'étage du cabinet de l'obstétricienne sur la plaque à côté de l'ascenseur. Il était aussi anxieux qu'elle, c'était évident, mais au moins, il se montrait prévenant.

Presque *trop*, même. Quand ils arrivèrent devant le bureau de la réceptionniste, ce fut lui qui l'annonça.

— Mia Palinski, nous avons rendez-vous avec le Dr Wang.

La réceptionniste, qui portait une blouse sur laquelle étaient imprimées de petites cigognes, lui tendit plusieurs formulaires à remplir, et Garrett les prit avant que Mia n'ait le temps de le faire.

— Attends, je vais t'aider… Je suis médecin, expliqua-t-il à la réceptionniste, et je suis le père… le père du bébé, pas son père à *elle*.

La dame rit. Elle devait avoir l'habitude des futurs papas nerveux, songea Mia. Elle lui tendit ensuite un flacon en plastique, et lui indiqua les toilettes.

— Vous ne pouvez pas l'aider pour *ça*, docteur Papa !

— Pour être honnête, chuchota Garrett tandis qu'ils se dirigeaient vers la salle d'attente, je ne peux pas vraiment non plus t'aider à remplir ces formulaires… En dehors de ce que j'ai retenu de ton dossier médical à la clinique, je ne sais pas grand-chose de toi. Je voulais juste me sentir utile, je crois.

Elle fut parcourue d'un frisson. Il avait retenu ses

antécédents médicaux ? Bien sûr, elle ne pouvait pas le lui reprocher. Elle aussi aurait examiné tout ce qu'elle aurait trouvé sur lui, pour avoir le plus d'informations possible à son sujet. D'ailleurs, elle avait longuement discuté avec les maris respectifs de ses deux meilleures amies, la veille, et leur avait demandé de lui dire tout ce qu'ils savaient sur Garrett.

Drew Gregson, le mari de Kylie, était psychologue à l'hôpital militaire de Shadowview. Il lui avait garanti que le père de son bébé était un médecin très respecté, très apprécié par son équipe.

Cooper aussi se portait garant du professionnalisme de Garrett, mais Mia sentait que le chef de la police lui cachait quelque chose. Tout ce qu'il avait pu lui dire, c'était que le casier judiciaire de Garrett était vierge et qu'il était digne de confiance.

Drew était qualifié pour remarquer les comportements anormaux, et Cooper savait juger les gens. Ils faisaient partie des quelques personnes auxquelles Mia faisait totalement confiance, et c'était ce qui avait achevé de la convaincre de laisser Garrett suivre sa grossesse.

Cependant, après avoir donné son échantillon d'urine à l'infirmière et enfilé une sorte de robe de nuit en coton, elle se demanda si le cabinet de l'obstétricienne, avec ses dessins d'organes reproducteurs féminins, était l'endroit idéal pour qu'ils fassent plus ample connaissance.

Il se proposa pour prendre sa tension, mais l'infirmière lui montra la chaise dans le coin de la pièce et lui dit qu'il pouvait soit s'y asseoir, soit retourner dans la salle d'attente.

— Eh bien, elle n'est vraiment pas aimable, dit-il lorsque l'infirmière fut partie, les laissant seuls pour attendre l'obstétricienne.

— Je l'ai trouvée gentille, et tout à fait compétente… Et puis, ce n'est pas *toi* son patient, alors elle ne doit pas vraiment chercher à te faire plaisir.

Il croisa les bras sur son torse et, comme d'un commun

accord, ils regardèrent partout autour d'eux sauf dans la direction l'un de l'autre. Il examina le matériel médical, et fit même un commentaire sur la qualité de l'échographe.

Le Dr Wang, une dame d'un certain âge dont les cheveux en bataille étaient attachés en queue-de-cheval et qui portait des lunettes à double foyer, entra enfin dans la pièce, dissipant un peu la tension.

— Félicitations à vous deux ! L'analyse d'urine a confirmé que vous étiez enceinte, alors essayons de déterminer ensemble quand ce bébé va arriver exactement !

Garrett se leva et s'approcha timidement alors que l'obstétricienne s'apprêtait à l'examiner.

— Vous êtes bien curieux ! remarqua le Dr Wang, haussant les sourcils.

— Je suis chirurgien orthopédiste.

Ils parlèrent brièvement de la faculté de médecine et des gens qu'ils connaissaient tous les deux à l'hôpital militaire de Shadowview.

Mia avait envie d'agiter les bras et de crier « Ohé ! Je suis là ! ». Mais elle avait l'habitude de tout faire pour ne pas attirer l'attention sur elle, et elle resta donc silencieuse, essayant de se faire à l'idée qu'elle était bel et bien enceinte. C'était une chose de voir apparaître deux lignes sur un test de grossesse fait à la maison, c'en était une autre d'écouter deux médecins parler de date présumée d'accouchement, d'aménorrhée et de hauteur utérine.

Tout lui paraissait à la fois étrangement réel et irréel. Elle regardait le chaton sur le poster accroché au mur, face à la table d'examen, et il lui semblait qu'elle se voyait, allongée là, nerveuse et tout excitée. Elle avait une curieuse impression de déjà-vu : elle avait eu la même sensation d'absence à elle-même quand elle était montée dans l'ascenseur de l'hôtel de Boise avec Garrett et qu'elle l'avait regardé la prendre dans ses bras.

Elle savait bien que c'était elle qui était là, et pourtant, en même temps, c'était comme si cela ne pouvait pas être elle.

— Qu'est-ce que c'est que ça ? demanda Garrett quand le Dr Wang sortit un petit instrument de la poche de sa blouse.

— Un Doppler fœtal, répondit l'obstétricienne. Nous allons essayer d'écouter les battements du cœur de votre bébé.

Mia se crispa quand le docteur ouvrit sa chemise de nuit pour exposer son ventre. Elle leva un bras et le plaça sur son visage dans l'espoir de cacher ses joues empourprées. Garrett l'avait vue dans des circonstances bien plus intimes que cela, et il avait à ce moment précis une attitude strictement professionnelle, mais elle ne pouvait néanmoins s'empêcher d'être gênée.

— Ça va ? lui demanda-t-il en lui frottant l'avant-bras.

Elle écarta aussitôt son bras de son visage et croisa son regard.

— Oui, répondit-elle avec raideur. C'est un peu froid, c'est tout…

Quand les battements réguliers se firent entendre, il fit glisser sa main sur son bras et entrelaça ses doigts aux siens, au-dessus de sa tête. Au lieu de regarder le Dr Wang, il plongea ses yeux brillants dans les siens.

— C'est son cœur ?

Elle sentit ses propres yeux s'embuer de larmes et ne put s'empêcher de lui serrer tendrement la main.

— Je crois…

C'était son bébé qui bougeait en elle, qui dansait au rythme des battements de son propre cœur. Sa gorge se noua, et une larme de joie coula sur sa joue. Elle serra plus étroitement la main de Garrett dans la sienne, et la ramena sous son menton. Elle était tellement soulagée qu'il soit là, tellement heureuse de ne pas vivre ce moment merveilleux toute seule !

Elle n'avait jamais entendu un son aussi beau de sa vie. Mozart lui-même n'était pas à la hauteur !

Garrett posa sa main libre sur son ventre nu, et cela

lui sembla tout naturel qu'il dessine avec son pouce un arc de cercle autour du petit appareil.

— Tu te rends compte ? demanda-t-il avec un grand sourire fier et communicatif. C'est notre petit bout ! Pouvons-nous le voir à l'échographie ?

Son empressement évoquait celui d'un enfant auquel on venait d'offrir un cadeau et qui déchirait déjà fébrilement le paquet. Pour un chirurgien qualifié, il ne faisait pas preuve d'une grande maîtrise de soi en cet instant précis.

— Oui, répondit le Dr Wang en tirant vers elle l'échographe, mais, pour le moment, vous devez être enceinte de dix semaines environ, alors nous ne verrons pas si c'est une fille ou un garçon.

— J'ai tellement hâte ! dit Garrett.

Il ne retira sa main que lorsque l'obstétricienne la poussa doucement pour étaler un gel froid sur son ventre.

— Être parent nécessite beaucoup de patience, dit le Dr Wang. Vous allez déjà en prendre conscience avec la grossesse.

« *J'ai tellement hâte !* » Les mots que Garrett avait prononcés sans réfléchir résonnèrent dans sa tête tout au long du trajet de retour jusqu'à Sugar Falls. Ce qu'il avait dit était vrai. Il ne savait pas s'il serait un bon père, il ne connaissait rien à la coparentalité, et il ignorait presque tout de la femme qui portait son enfant, mais quand il avait entendu les battements du cœur de son bébé, il s'était aperçu qu'il n'avait jamais été à ce point enthousiaste. Il savait bien qu'il y aurait des hauts et des bas sur le chemin de la paternité mais, curieusement, il n'avait plus peur.

— Pourquoi est-ce que tu souris ? lui demanda Mia en s'engageant sur l'autoroute.

— Je ne peux pas m'en empêcher.

— Je sais… Moi non plus. Tout à l'heure, dans le cabinet, je me disais que tout cela était surréaliste.

— Exactement ! C'est fou… Je devrais avoir peur de ce que l'avenir nous réserve, être terrorisé, même, mais je ne le suis pas. C'est bizarre, parce que, en temps normal, j'aime l'ordre et les règles… C'est pour ça que je me suis engagé dans l'armée.

— Je croyais que tu t'étais engagé dans l'armée pour fuir ton père.

— Eh bien, oui, aussi, en partie… Mais j'aurais pu aller n'importe où pour ça. Grandir au sein de ma famille était comme d'être en tournée avec Jimmy Buffett pendant dix-huit ans… Je suis devenu chirurgien parce que je suis doué pour rester calme même quand c'est le chaos autour de moi.

— Et ta mère ? Tu ne l'as jamais mentionnée.

Il regarda Mia. L'expérience incroyablement émouvante qu'ils venaient de partager lui donnait envie de se confier à elle.

— Elle est morte d'un cancer du sein.

— Oh ! Ça a dû être affreux…

— J'avais deux ans quand c'est arrivé, alors je n'ai pas beaucoup de souvenirs d'elle.

— Je suis désolée.

Il n'avait pas envie de conclure leur journée par une conversation déprimante. Il tripota machinalement ses boutons de manchette, qui avaient maintenant une plus grande valeur sentimentale.

— Cette échographie était impressionnante, hein ? Notre petit bout a l'air en bonne santé !

Elle sourit.

— Je suis heureuse que tu sois enthousiaste et, pour ce que ça vaut, je suis contente que notre projet de coparentalité commence bien.

— Moi aussi !

Le trajet de retour fut reposant. Ils ne parlèrent pas beaucoup, mais ils étaient détendus. Il s'était passé quelque chose dans le cabinet de l'obstétricienne qui leur avait permis d'accepter le fait qu'ils s'apprêtaient à vivre quelque chose de spécial ensemble, et qu'ils resteraient partenaires quoi qu'il arrive.

Certes, Mia ne lui avait pas encore montré qu'elle était prête à se confier à lui, mais au moins n'avait-elle pas insisté pour remettre son CD de musique classique soi-disant *apaisante*. Il avait été agréablement surpris de découvrir qu'elle avait plusieurs stations de radio de rock préprogrammées dans sa voiture.

Ils écoutaient Crosby, Stills, Nash & Young quand elle se gara derrière le bâtiment qui abritait la Snowflake Dance Academy. Il pensa à son appartement à la décoration chaleureuse et se surprit à espérer qu'elle l'y inviterait à nouveau avant la naissance du bébé. Il faudrait bien qu'ils finissent par être à l'aise en présence l'un de l'autre mais, après l'expérience merveilleuse qu'ils avaient partagée l'après-midi même, il ne voulait surtout pas forcer les choses.

Cependant, il n'avait pas non plus envie de retourner au Bed and Breakfast pour regagner sa chambre vide, tout seul.

— Merci encore de m'avoir laissé venir à ton premier rendez-vous.

— Honnêtement, j'étais un peu surprise que tu en aies envie.

— Pourquoi ?

S'imaginait-elle qu'il serait un père démissionnaire ?

— Eh bien, comme tu es un scientifique, un médecin et tout ça, je pensais que ce ne serait pas très intéressant pour toi.

— C'est probablement ce que j'aurais pensé moi aussi il y a encore quelques mois, mais c'est différent aujourd'hui… Quand c'est moi le médecin, je ne pense qu'à m'occuper de mon patient de la façon la plus professionnelle possible, et puis, je n'ai qu'une compréhension basique de l'obstétrique qui me reste de la faculté de médecine, ce n'était

pas un domaine qui m'intéressait vraiment jusque-là…
C'est beaucoup plus palpitant quand il s'agit de son enfant,
de son avenir !

— Je comprends.

Elle indiqua d'un hochement de tête le bâtiment victorien
fraîchement repeint où se trouvait son studio.

— Quand je regarde mes élèves danser pendant un
spectacle, j'ai le sentiment du devoir accompli mais, quand
je vois leurs parents, assis dans le public, une caméra à la
main, qui se lèvent d'un bond pour applaudir dès que le
spectacle est terminé, je me rends compte qu'ils s'inves-
tissent beaucoup plus que moi.

Soudain, on frappa doucement à la vitre, côté conducteur :
c'était une petite fille qui devait avoir environ six ans,
elle portait un épais manteau rose sur des collants de
danse roses.

Mia lui sourit et descendit de voiture. Il l'imita.

— Bonjour, Madison, dit-elle.

— Bonjour, Mia ! répondit la fillette en souriant,
révélant deux dents manquantes. Je me suis entraînée à
faire mes pas toute la semaine, et maman m'a amenée en
avance pour que je puisse te montrer avant que les autres
élèves arrivent…

— J'ai hâte de voir ça. Le cours ne commence que
dans un quart d'heure, alors donne-moi quelques minutes
pour entrer, et ensuite je te regarderai.

Mia sortit une pince à cheveux de sa poche et s'en servit
pour redresser le chignon de guingois de la petite. Garrett
ne l'avait vue au travail que quelques secondes mais, déjà,
elle lui semblait *s'investir* suffisamment.

Elle se tourna vers lui.

— J'ai un cours de claquettes à 17 heures, alors je
ferais mieux d'y aller…

Elle esquissa un mouvement pour lui tendre la main,
mais elle s'aperçut sans doute que le geste était trop formel

après l'après-midi qu'ils avaient passée, car elle fit mine d'avoir levé la main pour resserrer son gilet sur sa taille.

Ils n'en étaient pas encore à s'embrasser pour se dire au revoir, mais il espérait qu'ils avaient dépassé le stade de la poignée de main. Comme le Dr Wang l'avait suggéré, il essaierait de se montrer patient au cours des mois à venir.

— Ça t'embête si j'entre une minute pour utiliser les toilettes ?

C'était un prétexte pour s'attarder et avoir un aperçu de son univers, mais comment aurait-on pu le lui reprocher ? C'était bien naturel qu'il ait envie de voir dans quel environnement son enfant passerait la moitié de son temps, et puisqu'*elle* avait eu l'occasion de le voir à son travail, pourquoi ne pourrait-il pas la voir dans son élément ?

— Non, bien sûr, répondit-elle en haussant les épaules.

Il la suivit dans le studio, où un autre professeur donnait un cours de hip-hop.

Dès que ses pieds touchèrent le parquet, Mia se mit à marcher plus vite, et elle agita la main pour saluer les parents assis sur des chaises pliantes dans une alcôve qui donnait sur la grande salle de danse, mais elle ne s'arrêta pas pour échanger quelques mots avec eux ni pour le présenter. Soit elle espérait que personne n'avait remarqué que son pick-up était resté devant le studio tout l'après-midi et compris qu'ils étaient ensemble, soit elle croyait vraiment qu'il avait besoin d'utiliser les toilettes.

Pendant qu'il se lavait les mains, les basses qui résonnaient au bout du couloir s'interrompirent brusquement. Garrett jeta un coup d'œil à sa montre et supposa que le cours de hip-hop venait de se terminer. S'il traînait un peu dans les toilettes, peut-être pourrait-il assister au cours de Mia et la voir à l'œuvre.

Hélas, on frappa soudain vigoureusement à la porte, et une voix de petite fille s'éleva, ce qui contrecarra ses projets.

— Maman, je dois vraiment faire pipi et je ne veux pas être en retard au cours de Mia !

Il sortit des toilettes et, tandis qu'il remontait le couloir, il passa devant un bureau dont la porte était ouverte. Était-ce celui de Mia ? Il fut tenté d'entrer et de jeter un coup d'œil autour de lui, dans l'espoir d'en apprendre davantage sur elle.

*Oh ! par pitié !* Où avait-il la tête ? Depuis quand espionnait-il les gens ? Il n'avait jamais eu à fureter pour se renseigner sur une femme auparavant. Bien sûr, il ne s'était jamais intéressé à ce point à une autre femme.

*Holà !* Il devait se ressaisir. Il ne s'intéressait pas à Mia en tant que femme, mais en tant que mère de son enfant.

*Patience !* Il se rappela le conseil du Dr Wang. Il découvrirait ce qu'il avait besoin de découvrir en temps voulu.

Il dépassa le bureau et, une fois dans la grande salle, resta en retrait derrière une pile de tapis de sol. Mia s'était attaché les cheveux. Elle portait le même legging que chez l'obstétricienne, mais elle avait retiré son sweat-shirt, et le col rond de son justaucorps révélait sa gorge et son décolleté. Ses pensées se tournèrent malgré lui vers la nuit magique qu'ils avaient passée ensemble. Il se rappelait encore la sensation de ses clavicules sous ses lèvres, la douceur satinée et le goût de sa peau, sur laquelle il avait déposé une ligne de baisers avant qu'elle ne l'attire vers elle pour l'embrasser.

Une musique forte s'éleva soudain du haut-parleur juste au-dessus de sa tête, le ramenant brusquement à la réalité. Mia avait mis une musique de jazz, et elle regardait maintenant la fillette qui avait frappé à la vitre de sa voiture faire des claquettes. Après l'avoir applaudie, elle appela ses autres élèves.

— Allez, mes petits papillons, en piste !

Plusieurs autres petites filles la rejoignirent, et elle leur montra différents pas, qu'elles répétèrent. Garrett la vit se retenir de rire quand une fillette tourna si vite qu'elle atterrit sur les fesses. Il la vit aussi consoler cette même fillette quand ses petits frères, qui étaient assis sur le côté, éclatèrent de rire après sa seconde chute.

Il se demanda si elle savait qu'il était encore là, qu'il l'observait. Il espérait que ce n'était pas le cas, car elle semblait plus à l'aise que jamais, plus à l'aise même que cette nuit-là, à Boise. De toute évidence, elle était dans son élément, et elle n'avait pas menti quand elle lui avait dit qu'elle savait y faire avec les enfants.

Elle les fit ensuite se placer les unes derrière les autres, et les fillettes l'imitèrent tandis qu'elle faisait quelques pas. La dernière de la ligne était à la traîne, elle courut pour rattraper ses camarades, glissa sur le parquet, et tomba. Elle poussa un grand cri de douleur, et Garrett fut à ses côtés avant que Mia ne se retourne, avant même que la mère de la petite n'ait eu le temps de réagir. La fillette pleurait, et il voyait bien à la position inconfortable de son pied que c'était plus qu'une simple entorse.

Il fut aussitôt prêt à intervenir. Son rôle était de s'occuper de l'enfant ; quelqu'un d'autre s'occuperait des parents et des curieux qui s'assemblaient déjà autour d'eux pour voir ce qui s'était passé.

— Je suis le Dr McCormick, mon chou, dit-il à la fillette, d'une voix assez forte pour se faire entendre de la mère affolée, et je vais t'aider. Comment t'appelles-tu ?

— Madison, répondit la petite à travers ses larmes.

Sa mère, agenouillée de l'autre côté de l'enfant, lui caressait les cheveux.

— D'accord, Madison. Je vais mettre mes mains sur tes jambes pour voir si elles sont fortes…

Madison hocha la tête, mais elle ne chercha pas à essuyer les larmes qui coulaient sur ses joues. Mia se pencha vers lui.

— Que puis-je faire pour t'aider ?

Il sortit ses clés de sa poche et les lui tendit.

— Il y a une sacoche à l'arrière de mon pick-up, dans laquelle il y a des attelles et une trousse de premiers secours. Pourrais-tu me l'apporter, s'il te plaît ? Nous allons aussi avoir besoin d'une poche de glace… Eh bien, ça alors ! ajouta-t-il pour rassurer la petite. Tu as des os solides, Madison, et je peux te dire que j'en ai vu beaucoup.

— Les enfants ! dit Mia d'une voix forte. Le Dr McCormick va bien s'occuper de Madison… Arrêtons-nous là pour aujourd'hui ! À lundi !

Plusieurs parents se dirigèrent vers la sortie avec leurs enfants. Garrett était content que Mia ait détourné leur attention ; il ne voulait pas que les autres élèves, qui avaient l'air secouées par la blessure de leur camarade, ne rendent celle-ci encore plus anxieuse.

— Est-ce qu'il y a un squelette dans votre cabinet ? lui demanda Madison en reniflant.

— Oui, mais c'est un faux.

— Il y avait un squelette chez ma copine Chelsea, pour Halloween, et il n'y a que moi qui n'ai pas eu peur de le toucher.

— C'est très courageux de ta part… D'ailleurs, je vois bien que tu es très courageuse.

Il retira doucement la chaussure droite de la fillette, essayant de faire attention à sa cheville déjà gonflée.

— Ouille, ouille, ouille ! cria Madison, qui avait toutefois cessé de pleurer.

Elle était bel et bien courageuse. Il regarda sa mère, qui tremblait encore.

— Son pédiatre est-il près d'ici, madame ?

— Euh…

La mère de Madison semblait perdue, comme si elle ne comprenait pas ce qu'il lui demandait. Il lui reposa la question.

— Pas vraiment, répondit-elle enfin, elle est à Boise, mais nous allons parfois chez le Dr Suarez, quand c'est urgent…

100

Il avait rencontré le médecin, qui était proche de la retraite et ne pourrait sans doute pas faire grand-chose pour la petite fille en attendant qu'elle voie un spécialiste.

Mia réapparut avec sa sacoche, qu'elle posa par terre à côté de lui.

— Je vais chercher une poche de glace, je reviens tout de suite.

— Merci, dit-il avant de reporter son attention sur la mère inquiète. Je suis chirurgien orthopédiste, alors c'est mon domaine, mon cabinet n'est qu'à cinq minutes d'ici, et avec votre permission, je pourrais au moins faire une radio à Madison pour qu'elle ne passe pas les jours qui viennent dans les salles d'attente de différents médecins.

La dame passa une main dans ses cheveux déjà décoiffés.

— Mon mari est en déplacement pour affaires, et je ne peux pas prendre de congés cette semaine pour l'emmener à Boise… Vous croyez que c'est grave ?

— Je ne peux pas en être sûr à cent pour cent avant de lui avoir fait passer une radio mais, à en juger par l'aspect de la grosseur et par ce que j'ai senti, elle va avoir besoin d'un plâtre, et je peux lui en poser un ce soir.

— Un vrai plâtre ? demanda Madison d'un ton plein d'espoir. Un plâtre que mes copines pourront signer ?

Pourquoi les enfants étaient-ils tous ravis à l'idée d'avoir un plâtre ?

Il lui sourit.

— Oui mais, avant, je voudrais faire une radio de ta jambe pour voir si tu en as vraiment besoin, et si c'est le cas, je te ferai le plus beau plâtre que toi et tes amies aient jamais vu ! Qu'en dis-tu ?

Elle hocha énergiquement la tête et essuya ses joues mouillées de larmes.

Mia lui apporta la poche de glace, puis elle se dirigea vers un petit groupe de parents et d'enfants qui s'attardaient encore, visiblement réticents à partir sans savoir ce qu'il adviendrait de Madison.

Heureusement qu'elle était là pour s'occuper des spectateurs et lui permettre de se concentrer sur sa jeune patiente. Tout en mettant une attelle provisoire autour de la cheville de la fillette, il demanda à sa mère si elle voulait bien le suivre jusqu'à son cabinet.

Quand il eut terminé, il prit l'enfant dans ses bras et l'emmena jusqu'au monospace de sa mère, où il l'installa et lui attacha sa ceinture, avant de monter dans son pick-up et de se mettre en route.

Ce ne fut que lorsqu'il eut démarré qu'il se rendit compte qu'il n'avait même pas dit au revoir à Mia.

## 7

Mia craignait que le cabinet de Garrett ne soit fermé quand elle arriverait, après son dernier cours de la soirée, mais quand elle gara sa Prius devant la clinique, elle vit que son pick-up et le monospace de Mme Rosellino étaient encore là.

Elle s'était foulé le poignet quand elle était au collège, et elle se rappelait sa propre mère s'agitant en tous sens dans le gymnase et criant à la cantonade d'appeler une ambulance. C'était la première fois qu'elle lui avait donné l'impression de s'inquiéter davantage pour elle, parce qu'elle était blessée et qu'elle souffrait, que parce qu'elle allait manquer l'entraînement. Toute la semaine qui avait suivi, sa mère l'avait dorlotée, elle lui avait préparé des sandwichs et avait acheté plusieurs pots de glace au chocolat et au beurre de cacahuète, dont elles s'étaient empiffrées devant *Dirty Dancing*, *Grease* et de vieux films de Fred Astaire et de Ginger Rogers, confortablement installées sur le canapé.

Huit jours plus tard, elle retrouvait son régime de branches de céleri et de galettes de riz soufflé et ses deux heures de danse par jour mais, pendant toute cette semaine, c'était *elle* et non son talent, sa carrière ou son avenir qui avait été la priorité de Rhonda Palinski.

Mia avait bien vu que la même chose s'était produite avec Mme Rosellino, ce soir. Ces mères acharnées à voir leur enfant réussir n'étaient peut-être pas si mauvaises qu'elle le croyait.

Elle ne savait même pas que Garrett était encore au studio quand la petite Madison était tombée. Ce n'était que quand elle était allée chercher sa sacoche qu'elle avait pris conscience qu'il avait dû rester pour assister à son cours.

Pourquoi avait-il fait une chose pareille ? En fait, pourquoi avait-il fait n'importe laquelle des choses qu'il avait faites ce jour-là ? Pourquoi l'avait-il accompagnée chez le Dr Wang et pourquoi avait-il demandé à l'obstétricienne à avoir sa propre image de l'échographie, qu'il avait ensuite soigneusement pliée et glissée dans son portefeuille ?

En dehors de son style vestimentaire, Garrett ne tombait dans aucun des stéréotypes du riche play-boy pour lequel elle l'avait pris. Comment allait-il encore la surprendre ?

La porte de la clinique était ouverte, mais la réception était déserte et plongée dans l'obscurité. Elle vit de la lumière au fond du bâtiment et se dirigea vers les salles d'examen.

Elle s'efforça de ne pas penser à la dernière fois qu'elle avait remonté ce couloir, à la panique qui s'était emparée d'elle quand elle s'était aperçue que Garrett allait découvrir qu'elle était enceinte. Elle ne voulait pas non plus repenser au sourire qu'il avait eu quand ils avaient entendu les battements du cœur de leur bébé, l'après-midi même, ni au fait qu'il s'était un peu ouvert à elle pendant le trajet.

Tant de choses avaient changé en l'espace d'une semaine ! Qu'est-ce qui allait encore changer au cours des sept mois à venir ?

— Mia ! s'écria Madison quand elle s'encadra dans la porte de la salle d'examen où Garrett avait fait cette découverte fatidique.

— Coucou, ma chérie ! J'aurais bien voulu venir plus tôt, mais je donnais un cours de yoga… De toute façon, tu étais en de bonnes mains avec le Dr McCormick !

Garrett, qui était en train d'enrouler avec soin de la résine rose vif autour de la cheville de la petite, leva les yeux vers elle. Elle voyait à son expression qu'il était surpris, mais il était trop professionnel et trop poli pour faire une remarque au sujet de son arrivée inopinée.

— Le Dr McCormick a dit que j'étais sa première patiente à avoir un beau plâtre rose ! J'ai hâte de le montrer à mes copines, demain, à l'école… Mais je devrai attendre que ma jambe aille mieux pour recommencer à faire des claquettes, conclut Madison, les sourcils froncés, perdant son enthousiasme.

— Tu pourrais peut-être venir quand même au cours et t'occuper de la musique ? Ou m'aider à distribuer les accessoires ? Je serais contente de continuer à te voir, et tes camarades seraient impressionnées par ce magnifique plâtre rose !

Madison leva vers Garrett un regard suppliant.

— Je peux, docteur ?

Garrett finit ce qu'il était en train de faire et se leva de son tabouret.

— Être l'assistante de la prof de danse serait le travail idéal pour toi, du moment que tu me promets de bien utiliser tes béquilles et de recommencer à faire des claquettes dès qu'on t'enlèvera ton plâtre…

— C'est promis !

— J'ai eu les mêmes béquilles, pendant un moment, dit Mia à la petite en l'aidant à descendre de la table d'examen.

Tandis que Garrett donnait à Mme Rosellino une liste d'instructions, elle montra à Madison comment se servir de ses béquilles, s'efforçant de ne pas penser à l'année où elle avait dû elle-même en utiliser. Cela avait été l'époque la plus douloureuse et la plus démoralisante de sa vie.

En revanche, pour une enfant de six ans qui avait un beau plâtre rose vif, avoir des béquilles devait être très amusant.

— Merci beaucoup, docteur, dit Mme Rosellino en

suivant sa fille qui remontait à cloche-pied le couloir menant à l'entrée de la clinique. C'est vraiment une chance que vous ayez été là quand c'est arrivé…

Ils lui emboîtèrent le pas.

*Par pitié, ne lui demandez pas ce qu'il faisait là !* pensa Mia, même si c'était exactement ce qu'elle-même s'était demandé.

Il s'agissait de Sugar Falls : le moindre détail qui sortait de l'ordinaire suscitait conjectures et commérages. Garrett et elle se faisaient à peine à l'idée de ce qu'ils allaient vivre ensemble ; elle n'avait pas envie que l'opinion et les suppositions inopportunes de leurs voisins viennent entraver leurs projets.

*Leurs projets ?* Avaient-ils vraiment des projets en dehors de celui d'élever un enfant en bonne santé et équilibré ?

Ils n'avaient pas encore parlé de leurs rôles respectifs dans ce domaine, et elle espérait que, lorsqu'ils le feraient, ce serait en privé.

— Que faisiez-vous là-bas, d'ailleurs ? demanda Mme Rosellino.

*Et voilà !* Mia s'était attendue à cette question, mais elle avait espéré en dépit de tout que la mère de Madison ne la poserait pas.

— Nous venions de revenir de chez l'obsté…

— Il utilisait les toilettes, interrompit Mia d'une voix forte.

Peut-être un peu trop forte, car Mme Rosellino se retourna et les regarda, la tête légèrement inclinée sur le côté.

— Je sais ! continua Mia, comme si elle était agréablement surprise. Le hasard fait bien les choses, n'est-ce pas ? Nous avons eu de la chance ! Le Dr McCormick était au bon endroit, au bon moment…

Mme Rosellino ne croyait probablement pas à cette explication, mais elle se tourna à nouveau vers la sortie.

Mia vit alors Garrett lui faire un clin d'œil.

— J'ai le chic pour être au bon endroit, au bon moment, ces derniers temps...

Mia resta figée d'incrédulité. Elle avait peine à croire qu'il lui ait fait un clin d'œil ! Bien sûr, Mme Rosellino ne l'avait pas vu, mais n'importe qui aurait perçu son ton lourd de sous-entendus.

— À la semaine prochaine, Madison, ajouta-t-il en touchant doucement le chignon tordu de la petite tandis qu'elle passait la porte tant bien que mal avec ses béquilles. N'oublie pas de le dire à ta maman si tu as mal à la jambe, ou si ton plâtre te serre, pour qu'elle puisse t'amener me voir.

— D'accord ! répondit la fillette, continuant à avancer clopin-clopant en direction du monospace. Merci, docteur !

Mia s'arracha enfin à sa stupeur, mais elle fut de nouveau surprise quand elle constata que la façon dont Garrett se tenait dans l'embrasure de la porte l'empêchait de sortir, à moins de se faufiler entre lui et le chambranle.

Elle avait pourtant envie de suivre Mme Rosellino et sa fille sur le parking, non seulement parce qu'elle ne voulait pas qu'elles s'imaginent des choses, mais aussi pour éviter d'être seule avec Garrett. La journée avait été chargée en émotions, la *semaine* avait été chargée en émotions, et elle ne se sentait pas la force d'avoir ne serait-ce qu'une conversation polie.

Encore moins d'avoir le moindre contact physique avec le médecin héroïque, sinon son corps fatigué et tendu fondrait probablement comme neige au soleil.

Pour la énième fois, elle se demanda pourquoi il fallait qu'il soit si beau, si fort, si compétent. Elle n'avait encore jamais eu besoin d'un homme, et elle n'avait pas l'intention de commencer maintenant, alors que ses hormones et ses émotions lui jouaient constamment des tours.

— Merci encore de t'être occupé de Madison, dit-elle, consciente qu'elle devrait attendre qu'il s'écarte pour la laisser passer.

— Je t'en prie. Je suis content d'avoir trouvé cette résine rose dans le placard.

Il avait tourné le visage vers elle, mais restait planté dans l'embrasure de la porte.

— Alors, tu n'as toujours pas déballé tes affaires ?

Le vent ébouriffa ses cheveux parfaitement peignés.

*Bon sang !* N'avait-il pas froid ? L'air frais de novembre pénétrait par la porte ouverte, et elle s'était tellement dépêchée après son cours de yoga qu'elle n'avait pas pris la peine de remettre son sweat-shirt.

— Non. Je ne m'attendais pas à avoir beaucoup de patients au début, et je pensais prendre le temps de m'installer…

Les yeux de Garrett se posèrent sur son caraco, et elle sentit ses tétons se durcir, mais pas à cause du froid.

— … mais pour une raison ou pour une autre, continua-t-il, les belles danseuses se succèdent au cabinet !

Troublée, elle croisa les bras sur sa poitrine.

— Eh bien, il faut préciser que la deuxième danseuse n'est pas venue ici d'elle-même…

À ce moment exact, étant donné la façon dont il la regardait, elle n'était pas sûre de vouloir savoir pourquoi il s'était attardé au studio.

— Si on veut être précis, je devrais ajouter que la première danseuse est la seule dont la beauté m'ait profondément décontenancé. À vrai dire, elle a ébranlé mon code déontologique.

Il laissa la porte se refermer et fit un pas vers elle, de telle sorte qu'elle fut obligée de lever légèrement la tête pour le regarder. Elle vit ses yeux se poser d'abord sur son cou, puis sur ses clavicules.

*Ressaisis-toi, Mia. Va-t'en avant que cette conversation ne devienne trop dangereuse.*

Elle n'en fit rien.

— Ton code déontologique ? répéta-t-elle. Pourquoi ?

Il s'approcha encore. Elle ne recula pas.

— Parce que, pour la première fois de ma vie, j'ai terriblement envie d'embrasser l'une de mes patientes.

Elle en eut le souffle coupé.

— Mais je croyais que nous étions d'accord pour dire qu'il valait mieux que j'aille voir un autre médecin, pour mon genou... Alors je ne suis plus vraiment ta patiente.

— Tant mieux ! dit-il avant de poser ses lèvres sur les siennes.

Instinctivement, elle lui passa les bras autour du cou, se colla contre lui et lui rendit son baiser avec fougue.

C'était comme si sa raison l'avait abandonnée, ne laissant aucune instruction pour son corps, un corps qui se rappelait manifestement les baisers de Garrett et qui voulait rattraper le temps perdu.


Il n'aurait jamais dû l'embrasser à nouveau.

Dans le cadre de sa formation militaire, Garrett avait dû sauter en parachute d'un avion. Il n'avait eu qu'à se lancer dans le vide, et il était tombé en chute libre, avec l'impression que l'air quittait ses poumons. Il savait d'avance qu'embrasser Mia lui ferait le même effet, mais hélas, cette fois, il n'avait pas de parachute.

Il avait beau aimer l'ordre et la rigueur, comment aurait-il pu prévoir sa propre réaction face à une telle tentation ?

Mia poussa un petit gémissement, mais il comprit tout de suite que ce n'était pas un gémissement de plaisir et il s'empressa de détacher ses lèvres des siennes.

— Je t'ai fait mal ?

— Non, tu es grand, c'est tout... Je n'étais pas restée sur la pointe des pieds aussi longtemps depuis ma dernière audition, il y a des années, expliqua-t-elle en se penchant pour se frotter le genou comme il fronçait les sourcils, perplexe.

— Oh... J'avais oublié que tu portais des talons, la dernière fois...

Il laissa sa phrase en suspens, songeant qu'il n'était peut-être pas judicieux d'évoquer ce qui s'était passé la dernière fois qu'ils avaient échangé un baiser si passionné.

— Je ferais sûrement mieux d'y aller.

Elle se redressa et croisa les bras sur sa poitrine dans un geste protecteur, comme elle le faisait généralement quand il s'approchait d'elle. Il vit aussi sa paupière clignoter. Le croyait-elle vraiment capable de lui faire du mal ?

— Je comprends… La journée a été riche en émotions pour toi, pour *nous*.

— Exactement !

Elle se raccrocha à cette piètre excuse un peu trop rapidement, et il se demanda s'il n'aurait pas préféré qu'elle dise le contraire, qu'elle lui avoue qu'elle avait envie de l'embrasser parce qu'elle le désirait depuis quelques jours, depuis quelques *semaines*, comme *lui* la désirait.

Cependant, il n'était pas fait pour les conversations délicates, ni avec sa famille ni avec les femmes avec lesquelles il sortait en temps normal. Bien sûr, il ne sortait pas avec Mia.

Quoi qu'il en soit, il valait mieux qu'elle s'en aille et qu'ils fassent comme si ce moment d'égarement n'avait jamais eu lieu.

Ne se croyant pas capable de la laisser passer devant lui sans rien faire, il attendit qu'elle ouvre la porte et laissa l'air de novembre le rafraîchir avant de se risquer à parler.

— Prends soin de toi… On se croisera sûrement en ville.

Pour toute réponse, elle agita brièvement la main au-dessus de son épaule tout en se dirigeant d'un pas pressé vers sa voiture.

*Hum.* Son genou ne lui faisait apparemment pas si mal que cela. Peut-être cherchait-elle juste à lui échapper.

Il regarda sa voiture s'éloigner, puis il tourna les talons et s'assit lourdement sur une chaise de la salle d'attente. Mia Palinski ne ressemblait vraiment à aucune des femmes qu'il avait connues.

D'un côté, c'était rafraîchissant, car il avait passé les dix dernières années à éviter les femmes comme Cammie Longacre, qui ne s'intéressaient à lui que pour l'argent et la célébrité de son père ; d'un autre côté, c'était assez déconcertant, car il ne savait pas quoi penser d'elle. Il espérait qu'elle était solide et digne de confiance, et qu'elle ne voulait que le bonheur de leur enfant, car ils allaient devoir s'entendre pendant au moins dix-huit ans.

Le jeudi soir, Garrett se trouvait chez Cooper, prêt à jouer au poker avec les maris respectifs des amies de Mia.

Il avait rencontré Cooper et Drew à l'hôpital militaire de Shadowview, bien avant de connaître ne serait-ce que le nom de Mia et, a fortiori, avant de savoir qu'ils étaient mariés aux meilleures amies de la jeune femme.

On ne pouvait donc pas l'accuser d'essayer de s'immiscer parmi ses connaissances pour l'espionner mais, si Cooper et Drew voulaient lui en dire un peu plus sur elle pendant leur partie de poker hebdomadaire, il ne les en empêcherait pas.

La seule chose qu'il avait trouvée sur Mia par ses propres moyens était un article sur Internet dans lequel on disait qu'elle avait été agressée par un désaxé à l'époque où elle était pom-pom girl professionnelle mais, bizarrement, il n'y avait pas de détails sur ce qui s'était passé ni sur l'identité de l'agresseur, du moins d'après ce que ces capacités de recherches limitées lui avaient permis de trouver.

Quelqu'un avait dû payer beaucoup d'argent pour que l'affaire soit étouffée car, dans le monde de la télévision, un incident comme celui-là n'échappait pas aux feux des projecteurs.

Cette agression expliquait la nervosité de Mia, mais elle soulevait d'autres questions. Quelqu'un disposant de gros moyens avait veillé à ce que l'affaire soit passée sous silence ; cela impliquait un arrangement financier. Mia ne vivait apparemment pas dans l'opulence, mais il se pouvait qu'elle ait déjà dilapidé l'argent qu'elle avait touché et qu'elle attende patiemment une autre rentrée d'argent. Peut-être était-ce là que lui-même entrait en scène…

Cooper, qui distribuait les cartes, le rappela à la réalité en annonçant le montant du droit d'entrée.

— La cave est de douze cookies aux pépites de chocolat et six cookies aux noix de pécan.

Les hommes assis autour de la table sortirent les fameux cookies de Maxine de leur emballage de papier cristal et les empilèrent soigneusement sur la table.

Luke Gregson, le frère jumeau de Drew, entra dans la pièce avec ses fils, des jumeaux eux aussi.

— Nous sommes passés à la pâtisserie juste avant la fermeture, mais ces deux ouistitis ont mis la main sur mes réserves et il ne me reste que ceux aux airelles et ceux à la citrouille et à la noix de muscade de la semaine dernière…

Les deux garçons de huit ans, qui avaient encore la bouche pleine, embrassèrent leur père avant de se diriger en courant vers la chambre de Hunter, le beau-fils de Cooper, pour jouer avec lui. De toute évidence, ils donnaient du fil à retordre à Luke, et quand il voyait l'air fatigué du marine, Garrett se réjouissait que l'obstétricienne de Mia ait entendu les battements d'un seul cœur à l'échographie.

Ils en étaient à leur deuxième partie quand Kane Chatterson, le frère de Kylie, qui s'était chargé des travaux de rénovation de sa clinique, entra avec un sac de chez Domino's Deli.

— Il paraît que les félicitations sont de mise ! dit-il en leur faisant passer les sandwichs qu'il avait achetés.

Garrett jeta un coup d'œil autour de lui pour voir de qui parlait Kane, mais tous les regards étaient tournés vers lui. Il comprit à quoi l'on faisait allusion, et fut surpris de constater qu'il n'éprouvait pas le besoin de faire de mystères. À vrai dire, il était content que son secret soit éventé.

Il se demandait tout de même qui avait vendu la mèche.

— Les nouvelles vont vite ! remarqua-t-il.

— Ça, c'est sûr, dit Cooper, mais tu peux être sûr que cela restera à Sugar Falls : les gens d'ici se protègent les uns les autres.

Étant donné la situation avec son père, Garrett trouvait la précision rassurante. Kane, en revanche, n'avait pas l'air convaincu. Il haussa négligemment les épaules.

— Peut-être… L'avenir le dira.

Garrett s'était confié à lui quand il avait appris que lui aussi s'était réfugié dans cette petite ville pour échapper aux feux des projecteurs. Comme Cooper, Kane connaissait donc son histoire familiale.

— Alors tout le monde à Sugar Falls est au courant ? Je me demande comment Mia va réagir…

Il écarta son sandwich et mangea un cookie d'un air dégagé, espérant que personne ne s'apercevrait qu'il allait à la pêche aux informations.

— Je l'ai appris par Donatella Patrelli, qui m'a engagé pour ajouter une salle de bains à sa maison, dit Kane.

Alex Russell, le propriétaire de la boutique d'articles de sport, plaça ses cartes au centre de la table pour se coucher avant de prendre la parole :

— Moi, je l'ai appris par le père de Jake Marconi, qui est passé au magasin pour acheter les nouvelles tenues de l'équipe de base-ball. Il m'a dit qu'elle était allée prendre de l'essence chez lui l'autre jour… Apparemment, elle a vomi quand la personne qui faisait la queue devant elle a ouvert un sachet de viande séchée, et la femme de Marconi a tout de suite su qu'elle était enceinte.

— Moi, ce sont les jumeaux qui me l'ont dit, dit Luke en sortant une barquette de piments rouges du sac de Domino's Deli. Ils l'ont appris à l'école, c'est une fillette du cours de claquettes de Mia qui le leur a dit.

Drew rit.

— On raconte que tu t'es comporté en héros, l'autre jour, au studio… L'une des élèves de Mia s'est foulé la cheville mais, par chance, le Dr McCormick se cachait justement dans le bâtiment, et il a volé à son secours !

— Je ne me *cachais* pas dans le bâtiment.

— Alors que faisais-tu à un cours de claquettes destiné à des enfants de six ans ? demanda Cooper.

— J'étais aux toilettes. Depuis combien de temps Mia est-elle prof de danse ?

— Sérieusement ? Tu ne pouvais pas aller aux toilettes ailleurs qu'à la Snowflake Dance Academy ?

Non, Cooper n'allait pas lui faciliter les choses. Et dire que Garrett avait espéré que ce serait *lui* qui obtiendrait des informations, ce soir ! Il n'aurait pas dû se lier d'amitié avec un ancien membre de la police militaire qui avait l'habitude de faire subir des interrogatoires à des terroristes.

— Très bien ! J'ai accompagné Mia à la première échographie, à Boise, et je lui ai demandé si je pouvais utiliser les toilettes du studio quand nous sommes rentrés, après le long trajet du retour.

— Comment c'était ? demanda Luke.

— Le trajet du retour ? Bien.

— Pas le trajet du retour, l'échographie ! Quand Samantha était enceinte des jumeaux, j'étais à l'étranger, je n'ai pas pu y assister... Mais elle avait tout filmé, et j'ai dû regarder l'échographie cinq cents fois !

— Je n'oublierai jamais non plus la nôtre, dit Drew. La seule chose qui m'ait empêché de m'évanouir quand le médecin nous a annoncé que Kylie attendait des jumelles, c'est d'entendre mon beau-père pousser des cris de joie de l'autre côté de la porte... Kane, ton père a une voix vraiment tonitruante !

— Au moins, il était content... Tu devrais l'entendre quand il s'en prend à l'un de ses lanceurs !

Kane but une gorgée de bière et reporta son attention sur Garrett.

— Enfin, je voulais juste te féliciter. Je suis venu ici

pour jouer au poker, pas pour entendre des futurs papas parler d'échographies toute la soirée !

Effectivement, Garrett allait bientôt rejoindre les rangs des jeunes pères, et ceux qui étaient assis avec lui autour de cette table étaient aussi fiers que lui. Il repensa à l'émotion qui l'avait submergé quand il avait entendu battre le cœur de son bébé, un peu plus tôt dans la semaine. Il repensa aussi à la façon dont Mia s'était enfuie de la clinique pour lui échapper quand il l'avait embrassée, ce soir-là.

— Eh bien, Kane, nous pourrions parler du fait que l'équipe du lycée a besoin d'un instructeur, dit Alex d'un ton lourd de sous-entendus.

L'ancien joueur de base-ball ne répondit pas, mais il secoua la tête, avant de se lever pour aller chercher d'autres bières dans le réfrigérateur.

— Et toi, Garrett ?

— Quoi, *moi* ? Je ne suis pas instructeur !

— Non, mais nous allons aussi avoir besoin d'un préparateur physique. Jusqu'à présent, des étudiants ont rempli bénévolement ce rôle mais, si tu acceptais d'être le médecin de l'équipe, tu pourrais superviser les choses. Pour le moment, il s'agit seulement des matchs de football, le vendredi soir, mais ensuite ils vont avoir besoin de quelqu'un pour les autres disciplines.

Garrett pensa à son cabinet, prêt à accueillir de nouveaux patients. Mia était loin de le harceler pour passer du temps avec lui, et sa vie sociale se résumait à ces soirées poker. Il n'avait pas grand-chose d'autre à faire, pour le moment. Par ailleurs, plus il passerait de temps avec les gens qui fréquentaient Mia, plus il en apprendrait à son sujet.

— D'accord ! répondit-il à Alex. Pourquoi pas ?

## 8

Mia n'assistait pas à tous les matchs de football du coin, mais elle aidait les pom-pom girls du lycée à monter leurs spectacles les plus importants, et elle était venue avec Maxine et Kylie ce soir pour les regarder danser à la mi-temps.

C'était son dernier week-end de liberté avant l'arrivée de sa mère, le lundi suivant pour un séjour d'une semaine. Elle ne savait pas comment elle survivrait à Thanksgiving si sa mère découvrait avant cette date qu'elle était enceinte, et connaissant le flair de Rhonda Palinski pour les commérages, Mia craignait qu'elle ne le découvre bel et bien, surtout si elle passait du temps dans les commerces du centre-ville, où tout le monde semblait être au courant.

Tandis qu'elle se dirigeait vers les gradins avec ses amies, la fanfare se mit à jouer le premier morceau de la Sugar Falls High School. Elle se tourna vers le terrain et vit un homme vêtu d'un survêtement et d'un sweat-shirt à capuche, sur lequel était imprimé le logo des Huskies de la SFHS, se pencher devant l'un des joueurs pour lui parler. Une douce chaleur l'envahit et elle se troubla aussitôt, comme à chaque fois qu'elle se trouvait en présence de Garrett McCormick.

C'était impossible !

— Attention ! Regarde où tu marches, lui dit Kylie quand elle trébucha sur la première rangée de sièges des gradins.

Elle tourna la tête et se concentra sur ce qu'elle faisait plutôt que de regarder en arrière pour avoir la confirmation de ce qu'elle savait déjà. Il avait beau ne pas porter l'un de ses costumes impeccables, elle savait pertinemment que c'était lui.

Que pouvait-il bien faire là ? C'était déjà assez embarrassant que les parents de plusieurs de ses élèves l'aient félicitée cette semaine-là parce qu'elle était enceinte et, pire encore, que la plupart soient allés jusqu'à lui demander si le nouveau docteur de la ville était bien le père du bébé… Pourquoi fallait-il en plus qu'il assiste aux mêmes événements qu'elle ?

Il n'y avait rien d'étonnant à ce que les rumeurs aient circulé si vite !

— Tu veux des nachos ? lui demanda Maxine en lui présentant une barquette pleine de chips recouvertes de fromage fondu.

Mia sentit son estomac se soulever.

— Non, merci… Ce fromage sent horriblement mauvais.

L'odeur du pop-corn de Hunter et du hot-dog de Kylie l'écœurait aussi.

— J'étais comme toi il y a quelques semaines, dit Kylie entre deux bouchées. Je ne supportais plus aucune odeur… J'ai dû perdre quatre kilos pendant le premier trimestre de ma grossesse ! Maintenant, c'est le contraire : je ne peux pas m'arrêter de manger.

Hélas, Mia ne pouvait attribuer son soudain malaise exclusivement à sa grossesse. Certes, il y avait eu cet incident malheureux à la station-service mais, en dehors de cela, elle mangeait plutôt normalement jusque-là.

Elle plissa les yeux.

— Que fait Garrett sur le terrain ?

— Drew m'a dit qu'il avait accepté d'être le préparateur physique et le médecin de l'équipe, répondit Kylie.

— Pourquoi ? Il essaie d'attirer la clientèle ?

— Eh bien, ça alors ! Voilà qui ne ressemble pas à

notre douce et placide Mia, s'écria Maxine, une main dans sa barquette de nachos. Pourquoi es-tu en pétard contre le Dr Divin ?

Mia haussa les sourcils d'un air sceptique.

— Vraiment ? C'est le surnom que tu lui as trouvé ?

— « Dr Beau Gosse » est déjà pris, puisque c'est le surnom que nous avons donné à Drew quand Kylie s'est mariée avec lui… Je ne voudrais pas qu'on les confonde. Allez, dis-nous tout ! Pourquoi es-tu aussi nerveuse quand tu le vois ?

— Indépendamment du fait que je le connais à peine mais que je vais devoir élever mon enfant avec lui à cause d'un coup d'un soir ?

— Maman ! intervint Hunter d'une voix forte pour se faire entendre malgré la musique de la fanfare. C'est quoi, « un coup d'un soir » ?

Maxine sortit un billet de sa poche et le tendit à son fils.

— Tiens, mon chéri, va à la buvette et rapporte à Mia un soda et un sachet de chocolats fourrés au beurre de cacahuète.

— Nous ne devrions pas l'autoriser à en avoir tant qu'elle ne nous aura pas dit ce qui se passe avec le Dr Chouchou, dit Kylie.

Mia frissonna dans son épais manteau.

— Tout à coup, « Dr Divin » ne me paraît plus si terrible… Bon, je vais tout vous dire, mais vous devez me promettre toutes les deux de ne rien répéter à vos maris respectifs.

Kylie et Maxine levèrent l'index et se touchèrent le bout du doigt. C'était ce qu'elles faisaient quand elles étaient étudiantes et qu'elles se promettaient solennellement quelque chose.

Mia leur parla de la réaction de Garrett à l'échographie, de son enthousiasme, qui n'avait fait qu'intensifier ses propres émotions. Puis elle leur raconta qu'elle était allée au cabinet le soir même pour voir comment allait

Madison Rosellino, et elle leur avoua qu'ils avaient échangé un baiser passionné.

— Bon sang ! Quand on t'a mise au défi de t'amuser un peu, tu n'as pas fait les choses à moitié, dit Maxine avec un sourire.

— Ne me rappelle pas ce texto… Si je n'étais pas parfaitement honnête, je vous tiendrais pour responsables de ma situation actuelle !

— Alors, qu'as-tu fait quand il t'a embrassée ? demanda Kylie.

— Je lui ai rendu son baiser.

Kylie leva les yeux au ciel.

— Je me doute bien ! Et ensuite ?

— Ensuite, je me suis enfuie.

Les épaules de Maxine s'affaissèrent. Elle avait l'air déconfite.

— Oh ! Mia… Tu ne peux pas fuir éternellement…

Un sifflement sonore annonça la fin du premier quart-temps. Mia devrait bientôt descendre sur le terrain pour aider les pom-pom girls à se préparer pour leur numéro de danse de la mi-temps.

— Je sais bien, surtout maintenant que je vais avoir un enfant qui aura besoin de plus de stabilité que je n'en ai eu moi-même en grandissant, mais ce serait beaucoup plus simple si je n'avais pas à me préoccuper de son père.

— Tu en es sûre ? demanda Maxine. J'ai élevé Hunter toute seule jusqu'à l'arrivée de Cooper dans ma vie, et crois-moi, être mère célibataire n'a rien de simple !

Son amie avait raison. Mia l'avait vue se démener financièrement et sur le plan émotionnel pendant des années. Quant à Rhonda Palinski, elle n'avait certainement pas été un exemple de mère célibataire. Cependant, Mia avait l'habitude d'être seule. Elle avait appris très tôt dans la vie, par l'absence de son père, que les hommes ne restaient jamais longtemps. Elle avait donc toujours été déterminée à ne compter sur aucun d'entre eux.

Du moins, elle l'était avant que Garrett ne lui prenne la main, d'abord sur Snowflake Boulevard, puis dans le cabinet de l'obstétricienne. Quand elle était avec lui, elle se laissait volontiers aller à croire que tout allait bien se passer, qu'il était solide et fiable.

C'était précisément pour cette raison qu'elle essayait de l'éviter. Certes, son corps était irrémédiablement attiré par lui, mais rien de bon ne pouvait en résulter.

Pendant le deuxième quart-temps, elle descendit sur le terrain. Elle parlait à la jeune capitaine des pom-pom girls quand Garrett l'aperçut. Ils ne s'étaient pas parlé de la semaine, et elle avait encore honte de lui être tombée dans les bras.

Elle avait entendu dire que certains médecins, en particulier des chirurgiens, se croyaient tout-puissant. Garrett ne lui donnait pas cette impression, mais il avait reconnu lui-même qu'il aimait l'ordre et les règles, et il y avait quelque chose dans son attitude qui lui laissait à penser qu'il avait l'habitude d'arriver à ses fins. Et à en juger par son comportement jusque-là, il ne voyait en elle rien d'autre que la femme qui portait son enfant.

Le lundi soir, elle s'était plus ou moins attendue à ce qu'il lui coure après, ou à ce qu'il frappe à la porte de chez elle pour tenter de la séduire. C'était ce que faisaient les hommes persévérants quand ils se rendaient compte qu'elle était inaccessible, surtout les hommes riches qui avaient tout et n'avaient pas l'habitude qu'on leur refuse quoi que ce soit, comme Nick Galveston. Elle n'aurait pas su dire si Garrett faisait partie de cette catégorie, mais elle voyait à ses vêtements et à son imposant pick-up qu'il avait plus d'argent que la plupart des officiers de l'armée.

Étant donné qu'il n'avait pas insisté ce soir-là et qu'il n'avait pas cherché à la voir depuis, elle supposait qu'il était aussi gêné qu'elle par ce qui s'était passé dans le hall de la clinique, et qu'elle ne l'intéressait plus du tout d'un point de vue sentimental.

Pourtant, alors qu'il s'approchait d'elle, elle s'aperçut qu'il la dévorait du regard, comme s'il se consumait de désir. Son cœur fit un bond dans sa poitrine.

— Salut, dit-il simplement quand il s'arrêta devant elle.

— Salut… Alors comme ça, c'est toi le nouveau médecin de l'équipe ?

— Je donne juste un coup de main, pour le moment.

— Comment ça se passe ?

— Eh bien, notre defensive tackle n'était pas dans son assiette pendant le premier quart-temps parce qu'il avait entendu que la fille qui lui plaît s'apprêtait à l'inviter à sortir… Mais il s'est repris et je crois que tout le monde est en forme, maintenant. Que fais-tu sur le terrain ?

— J'aide les pom-pom girls à préparer leur chorégraphie…

Avant qu'elle ait pu finir sa phrase, quatre des pom-pom girls les interrompirent.

— Excusez-moi, mademoiselle Palinski, dit la capitaine de l'équipe. Sophie voudrait savoir si à la fin de notre numéro nous pouvons brandir les pancartes que nous avons faites pour demander à JoJo Patrelli d'aller au bal de Sadie Hawkins avec elle…

— Est-ce que JoJo Patrelli est le defensive tackle ? lui demanda Garrett à voix basse.

Elle hocha la tête.

— C'est d'accord, du moment que vous attendez d'avoir terminé le dernier porté. Il ne faudrait pas que vous vous blessiez… N'est-ce pas, docteur McCormick ?

Il sourit aux adolescentes et sembla déconcerté quand elles se mirent à glousser nerveusement. N'avait-il donc pas conscience que la plupart des jeunes filles et quelques-unes de femmes de la ville en pinçaient pour lui ?

— Alors comme ça, si je comprends bien, vous allez brandir des pancartes pour demander à un garçon de sortir avec l'une d'entre vous… C'est comme ça qu'on fait, maintenant ? demanda-t-il aux adolescentes en se frottant le front, l'air interloqué.

Mia se redressa un peu.

— Enfin, Garrett ! Pourquoi une fille ne pourrait-elle pas inviter un garçon à sortir ? Nous sommes en faveur de l'égalité des sexes, ici, à Sugar Falls... Et puis, c'est pour le bal de Sadie Hawkins. C'est la tradition.

— Bien sûr, je sais ce que c'est que le bal de Sadie Hawkins... Je me demandais juste si c'était courant d'inviter quelqu'un en public, comme ça.

— Oh ! oui ! répondit Sophie.

Elle et ses amies se lancèrent alors dans le récit des invitations les plus mémorables, et Garrett eut la gentillesse de les écouter patiemment.

Il restait trente secondes avant la mi-temps quand Mia vit l'une des jeunes filles se tourner vers elle.

— Vous allez surveiller le bal de Sadie Hawkins cette année, mademoiselle Palinski ?

— Qui allez-vous inviter cette fois ? demanda une autre adolescente avant de hocher ostensiblement la tête en direction du nouveau médecin de l'équipe.

Garrett haussa les sourcils et croisa les bras sur son torse.

— Oui, mademoiselle Palinski, qui allez-vous bien pouvoir inviter au bal de Sadie Hawkins cette année ? demanda-t-il d'un ton lourd de sous-entendus.

Les quatre adolescentes éclatèrent de rire.

*Mise au pied du mur par des pom-pom girls ! Trahie par celles qu'elle avait aiguillées !* Elle y réfléchirait à deux fois avant de leur apporter à nouveau son aide.

— Je, euh... Je n'avais pas l'intention d'y aller cette année, à cause de mon genou, mais si je devais inviter quelqu'un à m'y accompagner, ce serait probablement encore M. Cromartie.

— Et qui est ce M. Cromartie, au juste ?

Elle vit la mâchoire de Garrett se contracter. Les yeux plissés, il promena son regard sur les gradins. Les adolescentes rirent de plus belle. Se rendait-il compte à quel point il avait l'air jaloux à cet instant précis ?

Elle montra du doigt l'homme de quatre-vingts ans à l'épaisse chevelure blanché et à la peau couleur café qui avait sa baguette de chef d'orchestre à la main.

— Tu vois le monsieur qui s'éloigne avec la fanfare ? Il a le sens du rythme et il est bon danseur.

— Hum, se contenta de marmonner Garrett, laissant toutefois ses épaules retomber.

— Ne vous inquiétez pas, monsieur McCormick, dit Sophie. Je suis sûre que vous trouverez une autre femme prête à vous inviter au bal de Sadie Hawkins, si vous avez envie d'y aller !

À ce moment-là, l'arbitre annonça la mi-temps, et les jeunes filles allèrent aussitôt chercher leurs pompons et leurs pancartes.

Mia et Garrett restèrent seuls sur le bord du terrain. Elle se retint de sourire en pensant qu'il était agacé à l'idée qu'elle puisse sortir avec un autre homme. Elle avait envie de lui demander ce que cela signifiait, mais elle ne voulait pas l'embarrasser, ni risquer de l'entendre prétendre qu'il n'en était rien.

*Dis quelque chose !* s'adjura-t-elle intérieurement. Le vent se leva, une bouffée de son eau de Cologne citronnée et musquée à la fois lui parvint, et elle se surprit à regarder fixement la veine qui palpitait au creux de son cou.

— J'ai une autre échographie prévue le mois prochain.

À peine eut-elle prononcé ces mots qu'elle dut se retenir de se frapper le front du plat de la main.

*Quelle idiote !* N'aurait-elle pas pu trouver un sujet plus neutre pour entamer la conversation ? D'ailleurs, avait-elle vraiment besoin de lui parler ? Elle aurait mieux fait de s'en aller en même temps que les pom-pom girls.

Le visage de Garrett s'éclaira.

— Oh ! génial ! Tu me diras quel jour et je me libérerai.

*Parfait !* Maintenant, elle était obligée d'aller à son

deuxième rendez-vous avec lui. Pourquoi était-elle incapable de se montrer subtile quand elle s'adressait à lui ?

Dès l'adolescence, elle avait pris l'habitude d'éviter les hommes et de repousser leurs avances pour se concentrer sur sa carrière. Elle avait commencé au lycée, quand sa mère lui interdisait de sortir avec des garçons parce que cela aurait empiété sur le temps qu'elle devait passer à s'exercer. Plus tard, à l'université, elle était sortie avec quelques garçons, mais ils semblaient tous la prendre pour leur pom-pom girl personnelle, alors qu'*elle* commençait enfin à prendre son indépendance. Elle avait donc trouvé plus simple de les tenir à distance. Elle avait appris à parler aux hommes d'un ton dégagé, sans leur donner de faux espoirs, et sans les inviter à faire part de sa vie.

Peut-être était-elle un peu rouillée à cause de l'exil qu'elle s'était volontairement imposé en s'installant à Sugar Falls.

La fanfare entama un autre air, et l'équipe quitta le terrain en courant à petites foulées, mais Garrett resta planté devant elle, comme s'il ne voyait pas les joueurs en sueur qui passaient à côté d'eux.

Elle prit une profonde inspiration.

— Alors, c'est le moment pour toi ?

— Comment ? Ah oui... Je ferais mieux de les accompagner au vestiaire pour vérifier que tout le monde va bien.

— Oui, et moi, il faut que j'aille aider les pom-pom girls à s'installer.

S'ils avaient été collègues, c'était le moment où ils se seraient serré la main. S'ils avaient été amants, ils se seraient embrassés. Cependant, ils n'étaient ni l'un ni l'autre, et ils se tenaient sur le terrain de sport du lycée, devant les gradins bondés.

Le vent fit voleter ses cheveux et une mèche vint se mettre dans ses yeux. Garrett la lui écarta du visage, lui caressant ensuite la joue du bout des doigts. Aussitôt, elle se troubla et frissonna de plaisir.

Ces mains causeraient assurément sa perte.

— On se croisera sûrement plus tard…

Elle compta jusqu'à cinq et se força à tourner les talons, pour s'éloigner lentement de lui.

Il lui avait dit à peu près la même chose quand elle avait quitté son cabinet, le lundi soir, et cette façon de parler lui déplaisait souverainement : elle sous-entendait qu'ils n'avaient ni le besoin ni le désir de se parler autrement qu'en passant.

La vérité, c'était qu'elle avait peur de tout ce qu'elle avait envie de lui dire. Elle aurait notamment aimé lui dire qu'il était le seul homme qui lui donnait l'impression d'être au bord d'un précipice, sur le point de tomber en chute libre dans l'inconnu.

Au moins, cette fois, elle n'avait pas pris la fuite. C'était un progrès.


Le mardi suivant, Garrett avait terriblement envie d'un bon repas chaud fait maison. Depuis son arrivée à Sugar Falls, il se nourrissait des muffins rassis et des céréales complètes que proposait le Bed and Breakfast de Betty Lou, manifestement plus réputé pour ses lits que pour ses petits-déjeuners. Cela ne le dérangeait pas de mal manger quand il était sur le terrain ou trop occupé par son travail pour aller au mess, mais il était maintenant un habitant à part entière de l'Idaho, État spécialiste de la culture de pommes de terre, et il avait bien l'intention de savourer les spécialités de la région. Par ailleurs, il avait entendu dire que les membres de la chambre de commerce se réunissaient tous les mardis au Cowgirl Up Café et, maintenant que son cabinet était aménagé, il était temps qu'il s'impose en tant que membre permanent de la communauté.

De plus, il n'avait pas vu Mia depuis le match du vendredi, et il savait que sa mère devait arriver d'un jour à l'autre, si elle n'était pas déjà là. Il était curieux de savoir si elle lui avait dit qu'elle attendait un enfant, et le centre-ville de Sugar Falls était l'endroit idéal pour tomber sur elle par hasard.

Il entra dans le petit restaurant, situé à deux pas du studio de danse de Mia. Il aurait dû se douter, en voyant la façade violette de l'établissement, que l'intérieur serait tout aussi original.

Apparemment, la personne qui s'était chargée de la décoration avait un penchant pour le style Far-West. Des photographies de chevaux étaient accrochées aux murs couverts de papier peint à rayures violettes et roses, au milieu d'étriers et de brides ornés de paillettes. Derrière le comptoir, une longue corde formait les mots « Cowgirl Up » sur le mur.

Cammie Longacre et ses amies décoratrices d'intérieur n'auraient sûrement pas pensé à utiliser de petits pots en forme de santiags, contenant chacun un cactus, en guise de milieux de tables, comme on l'avait fait ici.

Cependant, il était là pour rencontrer les membres de la chambre de commerce, et non pour s'intéresser à la décoration du lieu.

— Nous rencontrons enfin le célèbre nouveau médecin de la ville ! dit en le voyant une serveuse d'un certain âge, qui portait un tablier zébré.

Elle avait les cheveux blonds décolorés, du rouge à lèvres corail, et portait un T-shirt moulant vert jaune au décolleté plongeant.

S'il n'avait pas oublié ses lunettes de soleil dans le pick-up, il les aurait mises pour s'accoutumer à toutes ces couleurs vives autour de lui.

Cependant, il entendait le gril grésiller, et les bonnes odeurs de cuisine qui flottaient dans l'air lui laissaient à penser que les habitants du coin avaient une raison valable de venir ici si nombreux dès le petit matin.

Plusieurs clients l'observaient, et il sentit son cœur sombrer, craignant qu'ils n'aient découvert qui il était, mais la serveuse sourit et lui tendit la main.

— Je m'appelle Freckles, je suis la propriétaire de l'établissement.

— Enchanté, madame Freckles… Vous allez devoir me dire ce que j'ai fait pour mériter cette célébrité.

— Oh ! mon chou ! C'est *Freckles* tout court, et tout le monde ici raconte que grâce à vous notre douce petite Mia est enfin sortie de sa coquille.

« Sortie de sa coquille » ? Même dans une petite ville de montagne isolée comme celle-là, on avait Internet. Les gens ne savaient-ils pas que leur « douce petite Mia » avait été pom-pom girl pour la NFL ? Elle avait dû danser sur un écran géant devant des milliers de fans en délire et paraître sur les télévisions de millions de gens regardant les matchs depuis leur salon. Il ne la voyait pas comme quelqu'un de timide qui avait besoin de *sortir de sa coquille.*

En revanche, elle lui semblait au moins être douce, pour le moment.

À cet instant précis, elle entra dans le petit restaurant.

— Quand on parle du loup ! dit Freckles avant de s'éloigner d'une démarche chaloupée derrière le comptoir pour aller chercher une cafetière pleine.

*Parfait !* Maintenant, Mia allait croire qu'il parlait d'elle dans son dos, comme une commère. C'était d'ailleurs exactement ce qu'il aurait fait si elle n'était pas arrivée à ce moment-là, alors qu'il s'apprêtait à poser une question à son sujet à la propriétaire du lieu.

— Salut, dit-il, de façon tout aussi idiote que lorsqu'il l'avait vue au match, quelques jours plus tôt.

— Salut, répondit-elle sans sourire.

Elle promena son regard sur la salle tout en retirant

sa veste, espérant probablement que personne ne serait témoin de cette autre rencontre imprévue et gênante.

Bien sûr, maintenant, tout le monde devait être au courant qu'elle portait son enfant. Personne ne l'avait annoncé sur la place publique, mais les gens n'étaient pas stupides, ils avaient vite compris que Mia était enceinte, et la nouvelle s'était propagée rapidement.

Mia portait un cache-cœur sur un débardeur et un legging, et il se demanda comment les hommes de cette ville faisaient pour ne pas devenir fous quand ils la voyaient déambuler dans les rues dans ses tenues de danse.

Il se frotta machinalement le front, puis enfouit ses mains dans ses poches de crainte d'être à nouveau tenté de la toucher.

— Alors, ta mère est arrivée ?

— Oui. Elle est arrivée hier soir, et j'ai déjà envie de m'installer chez Maxine et Cooper pour le reste de la semaine.

— Tu lui as dit ?

— Quoi ?

— Que tu attendais un bébé, chuchota-t-il. Un bébé de moi.

— Pas encore, Dieu merci, mais je ne sais pas pendant encore combien de temps je vais pouvoir garder le secret.

— Pourquoi voudrais-tu garder le secret ?

Elle recula un peu et le regarda comme s'il avait perdu la tête.

Il aurait dû préciser sa pensée, mais Maxine leur faisait signe de la main, à la table des membres de la chambre de commerce. Il y avait deux chaises libres entre elle et Kylie, qui lui avait proposé ses services d'experte-comptable juste après le match. Il se demandait d'ailleurs si elle voulait vraiment l'aider à s'occuper de ses déclarations d'impôts, ou si elle n'espérait pas plutôt avoir un aperçu de ses finances pour renseigner sa meilleure amie.

Tout le monde s'assit, et il remarqua que les gens avaient

128

volontairement laissé une place libre à côté de Mia. Tous semblaient chaleureux avec elle, et il en conclut donc qu'ils ne la traitaient pas en paria mais qu'ils lui laissaient à *lui* la possibilité de s'asseoir à ses côtés.

Il allait devoir redoubler d'efforts pour ne pas commettre d'impair pendant le petit déjeuner.

— Commençons ! dit le maire, Cliff Johnston. Étant donné la météo, la saison de sports d'hiver a commencé tôt, cette année, et nous devons nous organiser pour faire face à l'afflux de touristes...

Il s'interrompit quand le carillon de la porte du restaurant tinta. Kane Chatterson se tenait dans l'embrasure de la porte, à demi tourné pour regarder quelque chose, dans la rue. Soudain, il baissa son chapeau sur sa tête, tourna les talons et remonta la rue d'un pas pressé.

C'était étrange. Est-ce que tout le monde à Sugar Falls cherchait à fuir quelqu'un ? Si tel était le cas, ils auraient peut-être tous dû réfléchir avant d'aller manger dans l'un des établissements les plus animés de la ville.

Quelques secondes plus tard, Garrett vit qui Kane essayait d'éviter. Un homme d'une soixantaine d'années, qui avait des cheveux gris hirsutes attachés en catogan sous sa casquette rouge de l'équipe de base-ball des Angels de Los Angeles, et qui portait une chemise hawaïenne et des tongs, alors qu'il devait faire quatre ou cinq degrés dehors, aurait déjà attiré l'attention à lui tout seul ; mais il était impossible de ne pas le remarquer alors qu'il était en plus accompagné d'un homme équipé d'une énorme caméra vidéo et d'un micro au bout d'une perche télescopique.

— Oh non ! marmonna Garrett.

— Qu'est-ce qui ne va pas ? lui demanda Mia à voix basse avant de tourner la tête vers la porte.

Une expression de surprise passa sur son visage.

Il n'y avait aucun endroit où se cacher. Il devrait faire face à la situation avec les membres de la chambre de commerce à ses côtés, et ceux-ci assisteraient donc à la scène qui allait se dérouler.

— GP ! Je t'ai cherché partout dans ce trou perdu !

— Que fais-tu ici, papa ?

Son père ouvrit grand les bras dans un geste théâtral, et Garrett se leva, espérant détourner son attention de la tablée.

— Et pourquoi a-t-il fallu que tu viennes avec un cameraman ?

— L'une de tes anciennes amies de lycée est passée au bureau, l'autre jour, elle m'a dit qu'elle avait appris que tu allais avoir un bébé ! Je ne l'aurais pas crue si elle ne m'avait pas montré une photo de toi avec un bras autour des épaules de cette jolie jeune femme…

Son père se tourna vers Mia et lui tendit la main.

— Bonjour ! Je suis le Dr Gerald McCormick, le père de GP, et le futur grand-père du bébé !

Il secoua la tête d'un air contrit.

— Eh bien ! Ce mot me fait vraiment passer pour un vieux… Enfin ! J'ai accepté d'accorder à la chaîne une interview exclusive de mon fils, avec le récit touchant de son parcours, de l'adolescent rebelle qu'il était au chirurgien réputé sur le point de devenir papa… Notre reportage va avoir un succès fou. Jolis boutons de manchette, au fait !

Garrett jeta un coup d'œil à ses boutons de manchette marqués de ses initiales et secoua la tête, s'efforçant de réprimer la colère qui montait en lui.

— Oh ! mon Dieu ! murmura Mia.

Elle blêmit et, au lieu de serrer la main de son père, elle se cramponna aux accoudoirs de sa chaise, les yeux rivés sur la caméra.

Ce n'était pas la réaction que les femmes avaient d'habitude quand elles se trouvaient soudain sous le feu des projecteurs.

— Papa, je te répète depuis l'âge de dix-huit ans que je veux rester le plus loin possible de tes émissions de téléréalité. Il n'y a rien de changé. Pourquoi crois-tu que je sois venu m'installer ici ?

Avant que son père n'ait pu répondre, Freckles s'écria d'une voix forte :

— Eh bien, ça alors ! Si ce n'est pas le Dr McCormick ! Je reconnaîtrais cette casquette rouge entre mille… Je m'appelle Freckles, je suis la propriétaire du Cowgirl Up Café. Il faut que je vous dise, je suis l'une de vos plus grandes fans, je ne rate pas une seule de vos émissions ! C'est un plaisir de vous accueillir.

Elle posa sa cafetière sur une table libre et s'approcha pour serrer la main que son père n'avait pas encore laissée retomber.

— En revanche, je vais devoir vous demander de laisser votre caméra dehors, ajouta la serveuse, ce qui acheva de surprendre Garrett.

— Merci du compliment, madame, répondit son père, hochant la tête d'un air faussement humble.

Garrett connaissait bien cette expression. Son père avait peut-être l'allure d'un bon à rien qui passait son temps à la plage, mais c'était un homme déterminé, qui avait réussi à faire signer un contrat de tournage à une femme quelques minutes avant sa cérémonie de mariage. La serveuse, si impertinente fût-elle, ne faisait pas le poids face à lui.

— Mon cameraman et moi en avons pour une minute, puis nous nous en irons !

Comme toujours, son père essayait de minimiser l'importance de la caméra. Il voulait que tout le monde oublie sa présence et soit naturel, mais Garrett n'en avait jamais été capable.

L'homme qu'il avait vu descendre d'un cheval dont il avait ensuite attaché la longe à un poteau, à l'entrée de l'établissement, se leva. Garrett n'avait pas encore été officiellement présenté au vieil homme, mais il savait que Scooter et sa monture étaient connus de tous, dans la petite ville.

— Je crois que vous avez mal compris Freckles, docteur… Elle voulait dire que votre cameraman devait vous attendre dehors. Vous voyez, nous, les gens des « trous perdus », nous n'aimons pas beaucoup être filmés chez nous.

Son père eut un sourire plus éclatant encore que le coquillage qu'il portait en pendentif autour de son cou. Les choses ne se passaient pas comme il l'avait prévu, et Garrett ne pouvait pas s'empêcher de s'en réjouir.

— Mais ce n'est pas *vous*, que je filme, c'est mon fils.

— J'ai cru comprendre qu'il n'avait pas non plus envie d'être filmé, dit Freckles, et puis il fait partie de ce trou perdu maintenant, alors il vaut mieux que vous y alliez, messieurs… Mais n'hésitez pas à me le dire si vous voulez commander des galettes de pommes de terre ou quelques-uns de mes célèbres petits pains à la cannelle et au sirop d'érable, et je me ferai un plaisir de vous en mettre dans une boîte !

Garrett jeta un coup d'œil à Mia, qui s'était détournée de la caméra et se cachait derrière un menu.

Cela suffisait. Il devait faire sortir son père.

Cependant, avant qu'il n'ait eu le temps de lui dire de partir, plusieurs personnes assises à sa table se levèrent lentement et vinrent se placer devant lui et Mia, formant une sorte de barrière humaine entre eux et son père.

Déconcerté, il cligna des yeux plusieurs fois. Il n'avait encore jamais vu personne à part lui-même tenir tête au célèbre producteur de télévision Gerald McCormick. C'était pourtant ce que faisaient les habitants de la petite ville, pour défendre Mia, mais aussi pour le défendre *lui*.

C'était gentil de leur part, mais il n'avait pas besoin que l'on se batte à sa place. Il s'apprêtait à les contourner pour faire de nouveau face à son père quand on tira d'un coup sec sur la manche de sa chemise. C'était Maxine.

— Il vaut mieux ne pas faire de scène pour éviter d'attirer l'attention dans cette direction, lui chuchotat-elle. De toute façon, ils ont la situation bien en main…

C'était vrai. Personne ne se montrait grossier ni menaçant. Au contraire : tous étaient aussi cordiaux que les habitants des petites villes en avaient la réputation. La dame qui tenait l'épicerie demanda même un autographe à son père, le décontenançant encore davantage.

— Au nom de Marcia Duncan, s'il vous plaît !

— Ça filme encore ? demanda Jonesy, un homme que l'on voyait souvent à cheval lui aussi dans le centre-ville, aux côtés de Scooter.

Il se plaça juste devant la caméra, qui ne pouvait ainsi filmer que sa casquette avec l'emblème du comté de Boise.

— Vous savez, j'ai été dans les Forces spéciales au Vietnam… Vous devriez faire une émission de téléréalité sur les anciens combattants !

— Dans les Forces spéciales ? Pas possible ! dit son père d'une voix qui trahissait un certain agacement.

Garrett l'entendait mais ne le voyait plus, derrière le rempart que formaient ses concitoyens. Il n'osa pas regarder Mia pour voir sa réaction.

— Oui, répondit Jonesy. J'ai appris plein de choses, dans l'armée… Je connais plus de cent façons de tuer un homme !

*Bon !* Cette remarque-là était peut-être un peu menaçante.

Le cameraman baissa son équipement, regarda son patron et secoua la tête.

— Enfin, reprit Jonesy, je voulais juste vous saluer… J'ai hâte de regarder la prochaine saison de votre émission !

Une fois la caméra éteinte, les gens s'écartèrent un peu et Garrett put enfin se rapprocher de son père.

— Écoute, fiston, je reste ici encore quelques jours, lui dit celui-ci. Je suis descendu au Snow Creek Lodge, si tu veux m'appeler…

— Je te parlerai plus tard, papa, mais sans caméra à proximité.

— Ça me va… Mais je préfère te prévenir : mes employés ne sont pas les seuls à avoir entendu dire que tu allais avoir un enfant, même si, pour le moment, personne à part moi ne sait que tu t'es installé ici… Tout ce que je te demande, c'est de me parler avant que les médias ne découvrent où tu es et que les camionnettes des journalistes n'envahissent la rue principale de cette charmante petite bourgade.

Garrett savait qu'il avait eu raison de se méfier de Cammie Longacre quand elle l'avait vu chez Patrelli avec Mia. La situation risquait fort de dégénérer et de tourner à la catastrophe médiatique.

Il se demandait ce qu'il allait faire pour empêcher cela quand le carillon au-dessus de la porte du restaurant tinta. Une dame d'une cinquantaine d'années, qui avait des mèches et portait un blouson de jean orné de diamants fantaisie, entra. Elle retira ses lunettes noires si vite qu'elle en coinça une branche dans l'une de ses créoles fuchsia.

— Ça, par exemple ! s'écria-t-elle en la décoinçant. Personne ne m'avait dit qu'on filma à Sugar Falls…

— Maman ? l'interrompit Mia. Que fais-tu ici ?

# - 9 -

Mia avait déjà eu un choc en voyant la caméra, mais entendre la voix faussement enjouée de sa mère était plus qu'elle n'en pouvait supporter. Combien de présentations embarrassantes allait-elle devoir endurer en l'espace d'une matinée ?

Par ailleurs, elle était perplexe. D'après ce qu'elle avait compris au cours des quelques dernières minutes, le père de Garrett était un nabab de la téléréalité qui avait le style vestimentaire d'un surfeur. Quand il avait qualifié son fils de *rebelle*, elle avait failli partir d'un rire nerveux. De toute évidence, Gerald McCormick ne faisait pas allusion à l'apparence BCBG de Garrett ; il devait donc déplorer que celui-ci ne partage pas sa vision des médias.

À vrai dire, à en juger par la réaction de Garrett, ce dernier redoutait autant qu'elle d'être filmé. Bien sûr, elle avait deviné qu'il venait d'une famille riche, et il avait le physique d'un acteur hollywoodien, mais elle savait que personne ne quittait Hollywood pour venir vivre dans une petite ville où certains se promenaient à cheval.

Au lieu de lui répondre, sa mère s'était mise à discuter avec le célèbre chirurgien plasticien. Mia avait aussitôt senti son ventre se nouer : sa mère était très friande de téléréalité et, manifestement, elle avait tout de suite reconnu le père de Garrett.

Mia regrettait de ne pas être restée chez elle ce matin-là pour annoncer à sa mère qu'elle attendait un bébé.

Maintenant, Rhonda était là et elle ne tarderait pas à apprendre non seulement qu'elle allait être grand-mère, mais qu'elle allait être grand-mère d'un enfant dont la famille paternelle était célèbre.

C'était un cauchemar. Mia se dit qu'elle devait s'en aller, quitter le Cowgirl Up, quitter Sugar Falls.

— Calme-toi, Mia, lui murmura soudain Maxine, comme si elle lisait dans ses pensées. Ne fais pas quelque chose que tu pourrais regretter.

Comment sa meilleure amie pouvait-elle être aussi sereine ?

— C'est ta mère ? lui demanda Garrett, l'arrachant à ses pensées.

— Oui. Ça tourne à la réunion de famille à problèmes, marmonna-t-elle.

Ses paupières se mirent à tressauter, et elle ne put s'empêcher de faire bouger son pied sous la table.

*Oh non !* Ses tics nerveux la reprenaient.

Sa mère finit par reporter son attention sur elle.

— Le studio était fermé, Mia, alors je me suis doutée que je te trouverais ici...

Elle avisa le bagel posé dans une assiette, devant elle.

— ... en train de manger, bien sûr.

*Ne pense pas à l'hippopotame en tutu, ne pense pas à l'hippopotame en tutu,* se répéta Mia.

— Maman, je t'ai laissé un mot pour te dire que j'étais à une réunion et que je te retrouverais après.

— Je sais mais, quand j'ai vu la camionnette de télévision par la fenêtre, je me suis fait un sang d'encre...

*Curieux !* Sa mère n'avait pas l'air inquiète du tout.

— J'ai cru que Nick était sorti de prison et qu'il s'en était à nouveau pris à toi, ajouta Rhonda.

— Qui est Nick ? demanda Garrett.

Sa mère contourna Scooter, le vieil homme bienveillant qui s'était interposé entre Gerald McCormick et elle pour préserver sa vie privée.

— Alors, pourquoi cette caméra ? demanda-t-elle.

*Bien sûr !* Elle était tellement inquiète qu'au lieu de venir voir si sa fille unique allait bien elle s'était ruée sous le feu des projecteurs.

Elle avait son grand sac fourre-tout à l'épaule, et elle en donna involontairement un coup au jeune cameraman nerveux. La caméra tomba sur une table avec fracas, renversant plusieurs verres, qui se brisèrent en mille morceaux. Enfin, il y eut un bref silence, suivi de l'habituel *Oups !* de sa mère.

— Est-ce qu'elle a bu ? lui demanda discrètement Garrett.

— Non. Elle est très maladroite, et elle dramatise toujours.

Elle se pencha vers Kylie, songeant que, grâce à l'incident, elle avait quelques précieuses secondes devant elle pour s'éclipser.

— Il faut absolument que j'y aille, murmura-t-elle à son amie.

— C'est comme si c'était fait… Tiens ! dit Kylie en lui mettant ses clés dans la main.

— Mauvaise idée ! chuchota Freckles, qui n'avait pas bougé pour aider les autres à ramasser le verre cassé. C'est chez toi et chez Maxine qu'ils regarderont en premier… Vous deux, ajouta-t-elle en la regardant ainsi que Garrett, allez discrètement en cuisine… À côté de la porte de derrière, accroché à un clou, il y a un double des clés de la maison de vacances de Cessy Walker. Elle est à Las Vegas cette semaine pour le concert de Barry Manilow, et je suis censée loger chez elle en son absence. Personne n'ira vous chercher là-bas.

— Merci, dit Garrett en esquissant un mouvement pour prendre sa main dans la sienne.

Mia frémit. Il ne s'attendait tout de même pas à ce qu'elle parte avec lui ?

— Je pars toute seule, dit-elle calmement mais fermement.

Elle regarda d'abord sa mère, qui s'affairait auprès du père de Garrett, puis les amis et connaissances qui restaient à proximité de la table, prêts à intervenir de nouveau.

— Je suppose que tu n'es pas venue ici en voiture, dit Garrett, alors à moins que tu ne veuilles prendre le risque d'être suivie jusqu'au studio de danse par un producteur de télévision et par ta mère…

À ce moment-là, il y eut un flash, et Gerald McCormick plissa les yeux, ébloui, tandis que sa mère tentait de se prendre en photo avec lui.

— … tu ferais mieux de t'enfuir avec moi par la porte de derrière, conclut Garrett.

Mia examina les différentes possibilités qui s'offraient à elle, consciente de devoir agir vite.

Sortir par la porte de derrière avec Garrett semblait effectivement être le moindre des maux. Elle demanderait à l'une de ses amies de venir la chercher dès que la voie serait libre.

— Très bien… Scooter, Jonesy, vous voulez bien essayer de les distraire un peu plus longtemps, s'il vous plaît ? demanda-t-elle aux deux vieux cow-boys.

— Bien sûr, répondirent-ils en chœur.

Ils se dirigèrent vers sa mère et vers le père de Garrett.

— Oubliez les vétérans ! dit Scooter d'une voix forte, parvenant à attirer l'attention de tout le monde. Vous savez ce que vous devriez choisir comme thème pour votre prochaine émission ? Le rodéo !

— Allons-y, Junior, souffla-t-elle à Garrett.

Il la prit par la main et l'entraîna vers la cuisine tandis que plusieurs personnes se rapprochaient les unes des autres pour les soustraire aux regards.

— Je déteste qu'on m'appelle « Junior », chuchota-t-il tandis qu'ils passaient à côté du cuisinier, qui continuait à préparer ses pancakes comme s'il n'avait pas remarqué que c'était la pagaille en salle.

Mia ne répondit pas, mais elle ne lui lâcha pas non plus

la main. Apparemment, ils allaient devoir se sortir de cette situation insensée ensemble. Elle le regarda prendre les clés accrochées au clou, près de la porte de derrière. Il jeta un coup d'œil dans l'allée avant de l'entraîner dehors.

L'air glacé passait à travers son cache-cœur et son legging, et elle se rappela qu'elle avait laissé son manteau à l'intérieur, ainsi que son sac à main.

En matière de tentatives d'évasion, celle-ci était certainement la moins préparée et la pire.

Ils passèrent entre le Cowgirl Up et la maison de l'époque victorienne juste à côté, et quand ils arrivèrent à l'angle du bâtiment, Garrett s'arrêta pour regarder encore une fois dans la rue, et Mia se trouva collée contre son dos. Une camionnette blanche, vide, était garée à côté du poteau auquel étaient attachées les longes de Blossom et de Klondike, qui buvaient à l'abreuvoir. La décapotable rouge de sa mère se trouvait de l'autre côté de la route. Par chance, il n'y avait pas encore beaucoup de circulation sur Snowflake Boulevard.

Le père de Garrett avait-il bien dit que d'autres journalistes ne tarderaient pas à arriver ? Son instinct lui dictait de se cacher, mais elle prit sur elle et courut derrière Garrett en direction de son pick-up. Elle lui fit signe de s'écarter quand il lui ouvrit la portière côté passager, mais il resta immobile, comme au garde-à-vous, le temps qu'elle s'installe. En temps normal, elle appréciait les bonnes manières mais, dans le cas présent, tout ce qui importait était qu'ils se hâtent.

— Tu sais comment aller chez Cessy Walker ?

— Fais demi-tour et prends la direction de Sweetwater Bend.

Elle avait déjà mis sa ceinture de sécurité quand il démarra. Elle regarda en arrière pour vérifier que personne d'autre n'était sorti du Cowgirl Up Café. Elle avait vu Garrett jeter un coup d'œil dans le rétroviseur, mais elle préférait quand même vérifier, elle aussi. Quand ils s'engagèrent enfin sur la grande route, elle avait mal au cou et son genou la faisait souffrir.

— Je crois que nous avons réussi…

Garrett soupira, mais il n'avait pas l'air particulièrement soulagé et il ne ralentit pas.

Pourquoi l'aurait-il fait ? Ce n'était pas parce qu'ils avaient échappé à l'œil du cyclone pour le moment qu'ils n'en subiraient pas les conséquences plus tard. Quand elle habitait en Floride, elle avait appris que les dégâts causés par un ouragan se prolongeaient bien après les premières bourrasques. Et maintenant, Garrett et elle allaient devoir arranger les choses ensemble.

Elle lui montra où tourner pour atteindre la propriété enclavée de Cessy. Maintenant que leur refuge était en vue, elle pouvait lui poser la question qui la taraudait.

— Pourquoi ne m'avais-tu pas dit que ton père était un célèbre producteur de télévision ?

— Tu plaisantes ?

Il entra le code écrit sur le porte-clés, puis il la regarda d'un air incrédule pendant que le portail s'ouvrait.

— Comment pouvais-tu ne pas être au courant ?

— Comment aurais-je pu soupçonner une chose pareille ?

Alors même qu'elle lui posait cette question, plusieurs remarques de Garrett lui revinrent en mémoire et elle commença à voir les choses sous un autre angle.

— Tu n'as même pas tapé mon nom sur Internet ? Moi, j'ai tapé le tien.

Il s'était renseigné sur elle ? Avait-il découvert l'existence de Nick ? Elle ne voulait pas le savoir.

— Si, je l'ai fait, répondit-elle, et je suis même tombée sur le site de l'émission de ton père, mais je n'ai pas fait le rapprochement… J'étais aveugle, je n'ai pas vu ce qui se trouvait juste sous mes yeux. Peut-être que je ne *voulais* pas le voir.

Il franchit le portail, puis attendit qu'il se referme derrière eux.

— Pourquoi n'aurais-tu pas voulu le voir ? demanda-t-il avec un sourire narquois. C'est généralement la première chose chez moi qui attire les femmes.

— L'attention constante des médias et l'absence totale de vie privée attirent les femmes ?

— Ce n'est pas ce qui t'a attirée, *toi* ?

Les sourcils froncés, elle secoua la tête.

— C'est ton regard triste, ton sourire espiègle et tes mains qui m'ont attirée… Mais crois-moi, même si je te trouvais terriblement séduisant, je me serais enfuie en courant si j'avais su qui tu étais.

Il y eut un silence. Garrett se contenta de l'observer attentivement, comme s'il essayait de déchiffrer son expression et se demandait s'il pouvait la croire. Comme s'il était tenté de l'embrasser.

S'il le faisait, après la matinée épouvantable qu'ils venaient de passer, elle ne trouverait sans doute pas la force de le repousser.

— Dans ce cas, dit-il enfin, tu es à l'opposé de toutes les femmes que j'ai connues jusque-là.

— Oh ! je t'en prie, Garrett ! J'ai beaucoup de mal à le croire… C'est vrai, il y a des femmes qui adoreraient faire l'objet d'un battage médiatique : ma mère, par exemple, mais la plupart des femmes de ma connaissance ne voudraient pour rien au monde que leur vie privée soit constamment exposée aux yeux de tous.

Il redémarra et commença à rouler en direction de la maison de Cessy, mais il la regardait du coin de l'œil à intervalles réguliers, comme s'il avait du mal à croire à ce qu'elle lui avait répondu.

Enfin, elle montra du doigt la grande maison dont le porche donnait sur le lac.

— C'est là…

Les graviers de l'allée en U crissèrent sous les pneus du pick-up.

— Tu crois qu'il y a de la place dans le garage, pour rentrer le pick-up ?

— Probablement…

Elle prit les clés, qu'il avait posées dans le porte-gobelet de la console centrale.

— Je vais peut-être devoir déplacer la voiture de Cessy et la garer devant la maison.

— Attends, dit-il en lui posant une main sur le bras pour la retenir. Tu es vraiment prête à te cacher ici avec moi ? Je veux dire, comment puis-je être sûr que tu ne vas pas appeler les paparazzis dès que j'aurai le dos tourné pour leur dire où nous sommes ?

Elle se crispa mais essaya de ne pas s'offenser. Rien dans le comportement de Garrett ce matin-là ne correspondait à ce à quoi elle s'était attendue de sa part quand elle avait vu son père et le cameraman entrer dans le restaurant.

Quand elle avait entendu Gerald McCormick s'écrier « GP ! », sa première pensée avait été que Garrett lui avait menti, qu'elle avait eu raison de croire que c'était un privilégié habitué à obtenir tout ce qu'il voulait. Cependant, dans un deuxième temps, elle s'était aperçue qu'il avait pâli autant qu'elle, sinon plus. Puis il avait dit à son père de s'en aller.

Elle avait d'abord cru qu'il avait honte de s'être encanaillé avec une ancienne pom-pom girl qui portait maintenant son enfant illégitime, mais elle s'était vite rendu compte que son dégoût était dirigé sur la caméra et qu'il était furieux contre son père. Elle comprenait mieux certains des commentaires qu'il avait pu faire par le passé.

— Premièrement, je n'ai pas le choix si je ne veux pas retourner chez moi, avec ma mère. Deuxièmement, pourquoi as-tu tant de mal à croire que je ne veux pas de cette notoriété forcée, Garrett ? D'après ce que j'ai vu au Cowgirl Up, être filmé ne t'enchante pas non plus. Tu dois bien te douter qu'il y a des gens qui sont comme toi, qui détestent eux aussi qu'on s'immisce dans leur vie privée.

142

Je ne sais même pas *pourquoi* tu détestes ça, au juste, mais permets-moi de te dire que certains d'entre nous ont encore bien plus à perdre qu'une simple tranquillité.

Il plissa les yeux.

— C'est le moment où tu vas enfin te décider à me dire qui est ce Nick ?

Garrett n'était toujours pas sûr de croire ce que Mia prétendait. Il devait pourtant admettre qu'elle avait eu l'air tout simplement horrifiée à l'idée d'apparaître à la télévision. Quand sa mère avait fait une remarque au sujet de ce Nick, il s'était souvenu de l'article qu'il avait lu au sujet de l'agression qu'elle avait subie.

Le moment était venu pour eux deux de jouer cartes sur table. Il soutint son regard, l'adjurant intérieurement de ne pas se fermer maintenant.

— D'accord, je vais te dire qui est Nick… Mais d'abord, rentrons. Je suis gelée.

Il posa les yeux sur sa tenue légère et s'en voulut d'avoir coupé le contact et le chauffage dans l'habitacle du pick-up.

— D'accord.

Elle descendit de voiture et monta les marches du porche en courant.

*Bon sang !* Il ne se lasserait jamais de la regarder bouger. Elle poussa la lourde porte en bois, se glissa à l'intérieur et la referma derrière elle. Quelques instants plus tard, la porte du garage s'ouvrit lentement, et il vit les feux arrière du coupé de Cessy Walker s'allumer tandis que Mia sortait à reculons pour garer la voiture dans l'allée. Dès que ce fut fait, il prit sa place dans le garage, où il dut entrer légèrement en biais pour faire tenir le pick-up, anormalement long.

Il regrettait d'avoir acheté ce type de véhicule mais, quand il l'avait fait, il revenait à peine d'Afghanistan, et le luxe auquel il s'était habitué aux États-Unis lui manquait.

À l'époque, il était en poste tout près de Boise, et cela ne lui avait pas semblé être une folle dépense car il avait bel et bien besoin d'un véhicule adapté à la montagne, mais offrant le confort qu'il affectionnait.

Toute sa vie, il s'était efforcé de faire le contraire de son père dans tous les domaines. Quand il était entré au collège, son père l'avait emmené faire du shopping chez Tommy Bahama. Quand il s'était apprêté à entrer au lycée, Garrett l'avait donc supplié pour aller dans un établissement privé prestigieux où l'on portait un uniforme constitué d'un costume et d'une cravate. Son père conduisait un Combi Volkswagen ; *lui* avait choisi une Buick comme première voiture.

Hélas, le sang n'était pas de l'eau, et il se demandait s'il parviendrait un jour à échapper à sa famille.

Maintenant qu'il allait être père, il se demandait aussi ce qu'il ressentirait si son enfant s'avérait être radicalement différent de lui. Une chose était sûre : quoi qu'il arrive, il l'aimerait et ne l'abandonnerait jamais.

Il regarda ses boutons de manchette, les retira et les mit dans un compartiment de la console centrale, puis il retroussa ses manches. Il avait de nombreux points communs avec son père, et sa persévérance était l'un d'eux. En revanche, il ne se résumait pas à ses vêtements et à la voiture qu'il conduisait ; mais comment pouvait-il le prouver à Mia ?

Elle le rejoignit dans le garage et ouvrit la porte de la buanderie. Il descendit du pick-up et la suivit dans la maison. Ils traversèrent la cuisine sans s'y arrêter et entrèrent dans un salon qui faisait deux fois la taille du Cowgirl Up Café.

*En parlant de luxe !* La décoration intérieure avait dû engloutir une grosse partie de la pension alimentaire que Cessy Walker recevait de son ex-mari. Le plafond en voûte mettait en valeur les poutres apparentes, haut au-dessus de leur tête, et de grandes fenêtres offraient une vue dégagée sur le lac d'un bleu éclatant.

De gros coussins dans différents tons de beige étaient disposés sur le canapé couleur taupe et sur les fauteuils assortis, placés çà et là dans la pièce. Plusieurs vases en faïence étaient alignés sur une table basse au dessus en verre, aussi grande que son lit à bord du USS *Bowler*. Ils avaient dû coûter très cher, et pourtant ils étaient absolument hideux. Il espérait que Mme Walker ne lui ferait aucune suggestion quant à la décoration de son cabinet.

Mia s'approcha du thermostat accroché au mur et appuya sur différents boutons avant d'abandonner.

— Je ne comprends pas comment marche ce truc, c'est trop high-tech pour moi !

— Je pourrais peut-être faire du feu, dit-il en indiquant d'un signe de tête l'immense cheminée de pierre.

— Bonne idée. Je vais voir ce qu'il y a dans les placards de la cuisine... J'espère que nous ne resterons pas coincés ici trop longtemps parce que, la connaissant, je suppose qu'il n'y a pas grand-chose d'autre que du jus de carotte dans le réfrigérateur. Nous pourrons nous estimer heureux s'il y a des plats de régime dans le congélateur.

Elle quitta la pièce et il se dirigea vers la cheminée, remarquant qu'il n'y avait pas la moindre bûche nulle part. En s'approchant davantage, il s'aperçut que c'était une cheminée à gaz. Il trouva l'interrupteur, appuya dessus, et une belle flambée crépita presque aussitôt dans l'âtre.

*Eh bien !* Voilà qui était facile.

Soudain, son portable vibra dans sa poche. Il crut d'abord que c'était son père, qui s'était aperçu de sa disparition et était déjà à sa recherche, mais c'était le nom de Cooper qui s'affichait sur l'écran.

— Allô !

— Salut, Doc' ! Alors, il paraît que tu as été démasqué... Maxine m'a raconté que ton père avait débarqué au Cowgirl Up et que Mia et toi vous étiez réfugiés chez Cessy.

— J'avais raison, dit Mia en revenant dans la pièce avec une cuillère et un pot de beurre de cacahuète, mais au moins, j'ai trouvé ça dans le garde-manger... Oh ! désolée, ajouta-t-elle en baissant d'un ton quand elle le vit au téléphone.

— C'est Cooper, dit-il à mi-voix.

Il la regarda s'asseoir par terre devant la cheminée. Elle retira ses bottes fourrées et grimaça de douleur avant de s'allonger sur le dos et de lancer une jambe en l'air. Elle tendit la pointe de son pied, puis ramena sa jambe vers elle jusqu'à ce que son tibia touche son front.

*Seigneur !* Elle était incroyablement souple. Il l'avait déjà constaté la nuit où ils avaient fait l'amour, dans sa chambre d'hôtel.

Fasciné, il la regarda baisser la jambe et faire la même chose avec l'autre pour l'étirer à son tour, mais la voix de Cooper l'arracha à sa contemplation.

— Tu m'as entendu, Doc' ?

— Désolé, dit Garrett, se détournant pour se concentrer sur sa conversation téléphonique. Tu disais ?

— Je te demandais si ton père était tenace... Combien de temps penses-tu devoir te cacher avant qu'il abandonne et qu'il reparte chez lui avec sa caméra ?

— Il ne devrait pas y en avoir pour plus de deux ou trois jours.

— *Deux ou trois jours ?* s'écria Mia.

Il se retourna pour la regarder. Elle était maintenant assise, jambes écartées, le torse incliné en avant et le dos cambré.

*Bon sang !* Comment allait-il tenir *deux ou trois jours* seul avec elle dans cette maison ? Il ne savait même pas comment il allait pouvoir tenir deux ou trois *heures* !

Il se dirigea vers la porte-fenêtre, l'ouvrit et sortit sur le porche. Un peu d'air frais lui ferait le plus grand bien.

— Mia a oublié son sac à main et son manteau au Cowgirl Up, reprit Cooper. Maxine et Kylie pensent qu'elle en aura besoin si vous restez là-bas quelques jours. Kylie va passer au Duncan's Market pour vous prendre des provisions, Max va lui préparer un petit sac avec quelques vêtements de rechange, et elles passeront vous apporter tout ça tout à l'heure. Et toi ?

— Quoi, *moi* ?

— Tu veux que je te fasse apporter quelques vêtements aussi ? Je sais que Cessy a une garde-robe impressionnante et que tu as un faible pour la haute couture, mais je doute que vous fassiez la même taille !

— Ah, oui… Tu as raison, je vais probablement avoir besoin de vêtements. Merci !

— Je t'en prie. Alors, comment va Mia ?

— Je crois qu'elle a mal au genou.

— Je ne faisais pas allusion à son genou, Garrett… Je voulais dire : comment va-t-elle après la scène de ce matin ?

Comment était-il censé le savoir ? Elle lui avait d'abord semblé être dans tous ses états, mais elle avait fait preuve de fermeté quand elle lui avait dit que toutes les femmes ne s'intéressaient pas à son argent ou à sa célébrité. En fait, cela lui avait plu de la voir redresser les épaules et lui tenir tête.

Cependant, en cet instant précis, il ne savait plus quoi penser.

Il jeta un coup d'œil dans le salon à travers la porte-fenêtre. Mia avait enlevé son cache-cœur et était allongée sur le dos, les bras tendus au-dessus de la tête et les pieds formant un V.

— Je n'en sais rien… Elle est magnifique, en tout cas.

Il sentit le rouge lui monter aux joues en s'apercevant qu'il avait dit à voix haute ce qui lui passait par la tête.

— Enfin ! Elle… Elle est en train de faire ses étirements, là, et, euh… Oh ! et puis zut ! Dis à Maxine et à Kylie de se dépêcher.

Il écarta le portable de son oreille quand Cooper

éclata de rire et, après quelques secondes, s'apercevant que son ami n'était pas près de retrouver son sérieux, il raccrocha et remit le téléphone dans sa poche, avant de revenir au salon.

— Tes amies vont arriver d'un moment à l'autre avec des provisions et des vêtements.

Sa propre voix lui parut anormalement rocailleuse.

Mia s'assit. Il s'en voulait un peu d'avoir légèrement travesti la vérité, car ils seraient vraisemblablement tout seuls encore une heure ou deux, mais il avait besoin de prétendre le contraire pour ne rien faire qui pût les mettre l'un comme l'autre dans une situation délicate.

— Dans ce cas, autant nous détendre un peu en les attendant.

Se détendre était la dernière chose qu'il avait envie de faire ; il devait rester sur le qui-vive.

— Et si tu me parlais de Nick ?

*Voilà !* Entendre parler d'un ancien amant ne manquerait pas d'étouffer son désir.

Les beaux yeux bleus de Mia s'assombrirent et les coins de sa bouche tombèrent légèrement, mais elle acquiesça d'un hochement de tête et se leva.

— D'accord.

Pieds nus, elle se dirigea vers le canapé. Il attendit qu'elle soit assise pour prendre place à l'autre extrémité, veillant à maintenir une certaine distance entre eux.

Elle se passa une main dans les cheveux dans un geste trahissant sa nervosité.

— J'ai rencontré Nick Galveston quand j'étais pom-pom girl à Miami.

— Nick Galveston… Pourquoi est-ce que je connais ce nom ?

— Il jouait dans l'équipe que j'encourageais il y a quelques années…

*Ha !* Elle était donc bel et bien sortie avec un sportif

professionnel. Il se garda bien de faire le moindre commentaire, réservant son jugement.

— Je n'avais jamais vraiment fait sa connaissance, mais, un jour, il m'a appelée, continua Mia. Il m'a dit qu'il m'avait vue danser à la mi-temps et qu'il avait acheté un membre de l'administration pour obtenir mon numéro personnel.

Il hocha la tête, mais elle ne le regardait pas. Elle regardait fixement le feu dans la cheminée, l'air perdu dans ses pensées.

— Je lui ai dit que le règlement interdisait aux joueurs et aux pom-pom girls de fraterniser en dehors du travail, et pour être honnête, même si cela n'avait pas été le cas, ce n'est pas le genre d'homme avec lequel je serais sortie, de toute façon.

— Et avec quel genre d'homme sors-tu ?

— Ces derniers temps ?

Elle tourna vivement la tête vers lui, et il eut le temps de voir la tristesse qui se lisait dans ses yeux avant qu'elle ne prenne un air de défi.

— Aucun. À vrai dire, je ne sortais pas beaucoup non plus à l'époque, je me concentrais sur ma carrière.

— Ta carrière de pom-pom girl ?

La question sembla l'atterrer.

— Non… ma carrière de danseuse. Je voulais faire une maîtrise, mais ma mère avait insisté pour que je passe une audition pour faire partie de l'équipe de pom-pom girls de la NFL, et j'avais besoin d'argent pour payer les frais de scolarité de la première année… Enfin, si j'avais voulu sortir avec quelqu'un, ce n'aurait certainement pas été avec un riche play-boy trop gâté capable de payer quelqu'un juste pour obtenir mon numéro de téléphone.

— Alors tu as quelque chose contre les hommes riches ?

— Pas parce qu'ils sont riches…

Elle jeta un coup d'œil à ses chaussures avant de lever les yeux vers le plafond.

— Je n'aime pas le fait qu'ils croient avoir tous les droits.

Pourquoi avait-il l'impression qu'elle le mettait dans la même catégorie ?

*Holà !* Il avait intérêt à se reprendre. Elle commençait à peine à se confier, et il l'avait mise sur la défensive. Il devait arrêter de se comporter comme un amant jaloux, et se contenter de l'écouter avec bienveillance.

— Alors, ce sale type… Pardon : ce Nick se croyait tout permis ?

— Ce n'est rien, tu peux l'appeler *ce sale type*. Dieu sait que Kylie et Maxine ont déjà dit bien pire ! Et moi aussi.

Elle posa les coudes sur les genoux et appuya le menton au creux de ses mains. Elle prit une profonde inspiration avant de continuer.

— Malheureusement, le problème n'était pas seulement qu'il se croyait tout permis, c'était encore bien pire que cela…

Elle se pencha en avant pour prendre le pot de beurre de cacahuète sur la table, mais interrompit son geste pour se saisir le genou, le souffle coupé.

— Ça va ?

— Je crois… J'ai dû me faire mal en courant jusqu'à ton pick-up, tout à l'heure. J'ai fait des étirements, mais c'est encore douloureux.

— Fais-moi voir…

Il s'assit à côté d'elle, prit sa jambe sur ses genoux, et massa doucement ses muscles contractés.

— Ça fait du bien ?

Elle hocha la tête et esquissa un mouvement pour prendre le pot posé sur la table basse, mais il fut plus rapide qu'elle et le lui tendit, avec la cuillère qu'elle avait apportée de la cuisine.

— Merci, dit-elle avec un sourire timide.

Manifestement, il n'avait pas mesuré à quel point raconter cette histoire était difficile pour elle.

150

— Nous devrions peut-être parler de ça plus tard, suggéra-t-il. La matinée a été riche en émotions, et…

— Non, l'interrompit-elle d'un ton ferme. Il faut que tu saches, et *moi*, je devrais pouvoir en parler sans que cela m'affecte encore.

Elle dévissa le couvercle du pot de beurre de cacahuète.

— Je devrais aussi faire attention à ce que je mange pendant le premier trimestre de ma grossesse, mais j'ai tendance à me réfugier dans la nourriture, et là, j'ai besoin d'un petit quelque chose pour me remonter le moral.

Il la regarda manger une cuillerée de beurre de cacahuète, s'armant visiblement de courage pour aller jusqu'au bout de sa confession. Elle était bien plus forte qu'elle n'en avait l'air. Il aurait pu passer toute la journée là, à regarder les émotions passer sur son visage, mais il sut qu'il n'aurait pas à le faire quand elle inspira à nouveau profondément, l'air résigné.

— Bref ! reprit-elle. Il m'a appelée deux fois, j'ai été polie, mais je lui ai dit que je n'étais pas intéressée. Ensuite, il m'a fait livrer des roses à l'une de nos répétitions. J'étais morte de honte, et la coach de l'équipe se demandait qui les avait envoyées… Je ne voulais pas avoir d'ennuis, alors j'ai refusé le bouquet, et le livreur est reparti avec. Le lendemain soir, quand j'ai regagné ma voiture après l'entraînement, il y avait des tiges de fleurs et des pétales déchirés partout sur le capot et sur le toit.

— Ça donne la chair de poule !

Elle se mordit la lèvre inférieure et fit oui de la tête. Il continua à lui masser le genou, plus pour la soutenir moralement que pour soulager la douleur, à ce stade.

— Les choses ont dégénéré à partir de ce moment-là. Il s'est mis à m'appeler tout le temps et à passer en voiture devant le terrain où nous nous entraînions pendant les répétitions… J'ai changé de numéro, mais il s'est enhardi : il a commencé à venir me parler sur la ligne de touche pendant les matchs. Lors du dernier match de la saison, il a manqué un but et il a fait perdre son équipe. Quand le match a été terminé, il a couru vers moi en criant que c'était ma faute, que je l'avais déconcentré…

Garrett sentit les muscles de la jambe de Mia se contracter sous ses mains et comprit qu'elle revivait le moment éprouvant qu'elle décrivait. Il avait envie de l'aider à se détendre, de lui rappeler qu'elle était en sécurité maintenant, mais il voulait aussi qu'elle continue à parler, non seulement pour connaître la suite de l'histoire, mais aussi parce qu'il sentait qu'elle avait besoin de décharger son cœur.

— Où étaient les agents de sécurité quand c'est arrivé ? Où étaient les managers, les coachs ? Personne n'a vu ce qui se passait ?

— Comme je te le disais tout à l'heure, il s'agissait de Nick Galveston…

Elle prit une grosse cuillerée de beurre de cacahuète, comme pour faire passer le goût amer que ce nom lui laissait dans la bouche.

— Et alors ? Ce n'est pas parce que c'était un joueur de football égocentrique que… Oh ! attends un peu… Tu veux dire, le fils de Neville Galveston ?

— Exactement. Son père est très influent en Floride, et c'était un gros sponsor à l'époque. Comme la saison était terminée et que j'avais l'intention de m'en aller pour retourner à l'université, je n'ai pas fait d'histoires. En plus, son coach m'avait assuré qu'il serait obligé d'aller voir un psychologue.

Elle secoua la tête.

— Avec le recul, je me rends compte que j'aurais dû au moins déposer plainte.

— Alors c'est ce Nick qui t'a harcelée et agressée ?

Elle le regarda d'un air étonné, comme si elle croyait jusque-là que cette horrible expérience était un secret.

— Quand j'ai cherché ton nom sur Internet, j'ai vu un

article à ce sujet, mais c'était le seul et il était très court. Pardon de t'avoir interrompue ! Continue…

— Deux semaines plus tard, alors que je rentrais chez moi un soir et que je croyais être en sécurité parce qu'il ne m'avait pas contactée depuis un petit moment, il a surgi de nulle part dans l'obscurité, les yeux brillants de colère… Il y avait une telle haine dans son regard !

Elle frémit de tous ses membres.

— Je n'avais encore jamais pu personne regarder quelqu'un comme ça. Je n'arrivais plus à bouger, j'étais comme paralysée. Je n'ai même pas remarqué la batte de base-ball qu'il avait à la main. Il m'a dit que, puisque je refusais d'être *sa* petite danseuse, je ne danserais plus jamais… Puis il s'est jeté sur moi et il m'a donné un grand coup de batte de base-ball dans le genou.

— Quel sale… !

Garrett ne termina pas sa phrase. Il aurait voulu avoir ce monstre en face de lui pour lui rendre la monnaie de sa pièce. Il percevait encore la tension dans la jambe de Mia, et il s'aperçut soudain qu'il avait arrêté de la masser et resserré involontairement son étreinte sur sa jambe.

— Désolé…

Elle ne sembla pas l'entendre. Elle avait l'air d'être perdue dans d'effroyables souvenirs.

— J'ai hurlé… Un voisin est arrivé en courant, mais Nick a eu le temps de me frapper encore plusieurs fois. Il m'a donné un coup à la tête… J'ai été dans le coma pendant une semaine.

Une larme coula sur sa joue, et elle secoua la tête, comme si elle pouvait ainsi se défaire de la douleur qu'elle gardait en elle.

— Quand je suis sortie du coma, j'ai appris que mon genou était brisé et compris que tout était fini, ma carrière de danseuse, ma vie… Tout.

Ils restèrent silencieux pendant quelques instants. Il

voyait bien que les vannes qui retenaient le reste de ses larmes menaçaient de céder.

— Il a été arrêté, n'est-ce pas ? lui demanda-t-il enfin, dans l'espoir de détourner son attention.

— Oui. J'habitais dans une résidence dont le parking était sous vidéosurveillance, alors toute la scène avait été filmée et la police a pu constater ce qui s'était passé. Il a été accusé de tentative de meurtre, mais il a finalement été jugé pour coups et blessures. Il purge une peine de prison, mais son père a soudoyé les bonnes personnes pour que l'affaire soit étouffée.

Elle frissonna encore, et s'essuya les yeux du revers de la main. Il dut expirer lentement et compter jusqu'à dix dans sa tête pour maîtriser sa colère. Il imaginait à peine les conséquences qu'un tel événement avait pu avoir sur elle. Les années avaient passé, mais on voyait encore nettement l'impact qu'il avait eu sur elle.

Cela expliquait pourquoi elle était si nerveuse, la plupart du temps, et pourquoi elle le regardait si souvent d'un air méfiant. Il s'était demandé à plusieurs reprises si elle jouait les ingénues, mais il comprenait maintenant qu'elle ne feignait rien, que son angoisse était bien réelle.

Il aimait soigner les gens, et il n'était pas enclin à la violence, mais il avait une envie irrépressible de faire souffrir l'homme qui avait brisé le genou de Mia, ses rêves, sa confiance.

— Ça va aller, dit-il, il ne peut plus te faire de mal. Je suis là, maintenant…

Il la prit dans ses bras. Enfin, elle laissa libre cours à ses larmes, et se laissa étreindre pendant qu'elle sanglotait, se libérant de toute la douleur qu'elle retenait depuis si longtemps.

# - 10 -

Mia n'avait raconté son histoire qu'à quelques personnes, en comptant le policier qui avait pris sa déposition et ses meilleures amies.

Elle s'était attendue à pleurer tout au long de son récit, à plus forte raison parce qu'elle était particulièrement sensible, ces derniers temps, mais, étonnamment, elle avait réussi à tenir bon jusqu'à la fin. Mais, là, elle avait lâché les vannes !

Elle ne s'était jamais autorisée à se montrer aussi vulnérable, auparavant, surtout dans les bras d'un homme. Quand elle parvint enfin à maîtriser ses larmes, elle s'essuya le visage et s'écarta de Garrett, tout en laissant sa jambe tendue sur ses genoux.

Cependant, pour une raison ou pour une autre, elle n'était pas aussi embarrassée qu'elle avait pu l'être par le passé. Elle avait mangé une grande quantité de beurre de cacahuète, ses larmes avaient fait une tache sur la chemise de Garrett, elle se sentait épuisée mais, étonnamment, elle se sentait aussi plus forte.

Parler de Nick à Garrett avait été douloureux, mais maintenant que c'était fait, elle éprouvait un immense soulagement.

— Alors, au bout du compte, tout s'est arrangé, dit-il, reposant ses mains sur sa jambe, mais un peu plus haut sur sa cuisse, cette fois.

Elle inclina légèrement la tête sur le côté.

— Je n'ai jamais vu les choses comme ça… Mais je suppose que, si rien de tout cela ne m'était arrivé, je ne serais pas assise ici avec toi, maintenant. À l'époque, cela dit, c'était horrible, non seulement à cause de l'agression, mais parce que l'opération ne s'est pas passée aussi bien que prévu et que mon genou n'a jamais vraiment bien cicatrisé. Kylie et Maxine m'ont conseillé de ne pas faire confiance à une équipe de docteurs dont la principale préoccupation était d'étouffer l'affaire, de demander l'avis d'un autre médecin mais, après coup, tout ce qui m'importait était de laisser tout ça derrière moi et de partir le plus loin possible.

— C'est pour ça que tu t'es installée à Sugar Falls ?

— Oui. Mes deux meilleures amies étaient déjà là, et il était hors de question que je retourne vivre avec ma mère. Mon but dans la vie avait toujours été d'être danseuse classique, pas d'enseigner la danse à des enfants dans une petite ville isolée de l'Idaho…

Elle secoua la tête d'un air contrit.

— Je n'avais jamais rêvé de passer mon temps à expliquer aux parents que ce n'est pas grave si leur enfant n'est pas le meilleur de la classe… Mais les rêves peuvent changer.

Il hocha la tête, lui prit le pot de beurre de cacahuète des mains, et le posa sur la table basse.

— Au moins, tu n'as plus à avoir peur que ce fou te suive partout.

Elle eut un autre frisson.

— Justement, l'année dernière, pendant quelque temps, j'ai eu l'impression d'être suivie… Je n'avais jamais vraiment réussi à me défaire de cette impression désagréable et, un jour, j'ai reçu une lettre de la commission de probation dans laquelle on m'annonçait que Nick allait peut-être être mis en liberté conditionnelle, parce que c'était sa première infraction. Cooper a appelé un ami qui travaille aux Services correctionnels de Floride, les gardes ont fouillé la cellule de Nick, et ils ont trouvé des photos récentes de moi, du studio et de mon appartement. Ce monstre avait demandé à quelqu'un de m'espionner !

Les mains de Garrett s'immobilisèrent sur sa cuisse, et quand elle se risqua à lui lancer un coup d'œil, elle s'aperçut que sa mâchoire était anormalement contractée. Elle l'avait vu regarder son père avec mécontentement, mais elle ne l'avait encore jamais vu aussi furieux. L'espace d'un instant, elle se demanda ce que la colère pourrait le pousser à faire.

Elle lui posa une main sur le bras.

— Hé ! Ne te mets pas dans cet état… La commission de probation l'a appris et lui a refusé la liberté conditionnelle, et maintenant, on le surveille encore plus étroitement.

— Je déteste ce qu'il t'a fait, ce qu'il t'a fait vivre… Personne ne devrait avoir à vivre ça.

— Je sais. Pendant longtemps, j'ai eu peur de mon ombre. C'est encore le cas, parfois, mais maintenant que je vais avoir un enfant, je ne peux plus vivre dans la peur. Il faut que je sois forte pour deux.

Le fait de prononcer ces mots à voix haute l'aidait à en prendre encore plus pleinement conscience.

Garrett la regarda, puis il regarda sa main, posée sur son bras. Elle sentit ses biceps se contracter légèrement, et fit glisser son pouce sur son muscle. Sous ses impeccables chemises sur mesure, il était solide comme un roc.

Les mains de Garrett, toujours posées sur sa cuisse, la brûlaient, elle s'interdit de bouger, même si elle était en effervescence intérieurement et qu'elle avait envie de plus de contact.

La matinée avait été pour le moins intense, et elle venait maintenant de s'ouvrir à lui sur le plan émotionnel. Si elle avait eu un peu de bon sens, elle aurait bondi de ce canapé et aurait pris ses distances.

— Alors, tu n'as plus peur ? lui demanda-t-il.

Sa voix était encore plus grave que d'ordinaire, et elle

comprit qu'il était aussi sensible qu'elle à leur proximité, physique et affective.

— De toi ? Non ! Il n'y a encore pas si longtemps, j'aurais été terrifiée à l'idée d'être seule avec un homme que je ne connaissais pas, mais depuis que je t'ai rencontré, dans le bar de cet hôtel, à Boise, tout a changé… Je suis sereine avec toi, même si mon cerveau me dit de rester sur le qui-vive, et maintenant, pour une raison obscure, ta présence me donne le sentiment d'être plus forte. Je me rends compte que j'en ai assez de fuir, assez d'avoir peur.

C'était vrai. Elle aurait pu raconter cette histoire à n'importe qui, mais c'était Garrett qui lui donnait le sentiment d'être en sécurité, c'était à Garrett qu'elle avait ouvert son cœur, et, pour être parfaitement honnête avec elle-même, elle devait reconnaître que… qu'elle l'aimait.

La gêne qu'elle avait éprouvée jusque-là l'avait abandonnée, et elle savourait enfin sa liberté.

Elle posa une main sur sa joue et l'entendit retenir son souffle quand elle fit glisser ses doigts sur sa mâchoire et jusque sur sa nuque.

Elle en avait assez de faire attention à tout, de vivre dans l'ombre. Décidant de faire fi de toute prudence, elle l'attira vers elle, et quand ses lèvres touchèrent les siennes, elle n'avait plus aucune hésitation, plus aucun embarras. Elle était décidée, passionnée, impatiente de rattraper le temps perdu. Elle avait renoncé à tant de choses, s'était interdit de vivre tant de choses ! C'était terminé.

Tout comme elle l'avait fait le soir où elle l'avait rencontré, dans cet hôtel, elle oublia ses inhibitions et s'abandonna entre ses bras. Il l'enlaça, et une vague de désir la submergea.

Ses lèvres ne lui suffisaient plus. Elle avait besoin de sentir son corps tout contre le sien. Elle ramena sa jambe vers elle, puis s'assit à califourchon sur lui, lui arrachant un gémissement viril. Il lui empoigna alors les hanches et la maintint fermement contre lui tandis qu'elle renversait la tête en arrière et qu'il déposait une ligne de baisers au creux de son cou.

Quand il tira doucement sur les bretelles de son débardeur, elle s'écarta juste assez de lui pour l'enlever, brûlant de sentir ses mains sur ses seins.

Il referma aussitôt la bouche sur l'un de ses tétons, puis sur l'autre.

— C'est tellement bon, Garrett...

Il s'immobilisa et elle rouvrit les yeux pour le regarder, se demandant ce qu'elle avait dit de mal.

— Je n'arrivais plus à me souvenir si je t'avais dit mon prénom, le soir où nous nous sommes rencontrés, mais après coup, il me semblait t'entendre le crier pendant que nous faisions l'amour...

Elle lui prit le visage au creux des mains.

— Garrett, murmura-t-elle.

— C'est encore mieux comme ça, dit-il avant de glisser une main sous la ceinture de son legging.

Elle commença à déboutonner sa chemise mais, comme le premier bouton résistait à ses doigts fébriles, elle tira sur les pans de la chemise pour les arracher tous d'un coup. Enfin, elle put faire courir ses mains sur ses pectoraux parfaitement dessinés.

Il se pencha légèrement en avant pour retirer sa chemise, sans jamais détacher ses lèvres des siennes, puis il lui enleva son legging.

Maintenant qu'elle avait décidé de reprendre le contrôle de sa vie, elle refusait de perdre une seconde de plus.

Elle se souleva légèrement pour défaire sa ceinture et faire glisser son pantalon et son boxer, puis, sans lui laisser le temps de les enlever complètement, elle se rassit de telle sorte que son sexe en érection se trouve juste sous elle.

Elle marqua alors un temps d'arrêt, savourant le sentiment de puissance qu'elle éprouvait.

Elle repensa brièvement à la peur dans laquelle elle avait vécu pendant si longtemps, à l'obscurité de la chambre d'hôtel dans laquelle ils avaient fait l'amour à Boise. Elle se réjouissait que cette pièce-ci soit inondée de lumière car, cette fois, elle avait besoin de le voir, de le regarder.

Quand elle se laissa enfin glisser sur son sexe en érection, elle eut l'impression de le faire sien, et qu'il la faisait sienne.

— Oh ! Mia… ma douce Mia, murmura-t-il.

L'entendre prononcer son prénom était un plaisir qui lui avait manqué la fois précédente, même si elle n'en avait pas eu pleinement conscience.

Elle bougea d'abord lentement, s'habituant de nouveau à lui. Elle le regarda fermer les yeux, entendit sa respiration devenir plus saccadée. Il lui enserrait fermement la taille, mais n'essayait pas de diriger ses mouvements.

— Je ne suis pas sûr de pouvoir tenir encore très longtemps, dit-il d'une voix rauque.

Il fit glisser ses mains sur ses fesses et les lui empoigna. Elle accéléra la cadence, sans jamais le quitter des yeux. C'était comme se concentrer sur un point lumineux sur scène tandis qu'elle enchaînait les pirouettes, tournant de plus en plus vite.

Quand il resserra son étreinte sur ses fesses, ses muscles se contractèrent autour de lui et elle s'abandonna complètement, avec l'impression de tournoyer dans les airs.


Garrett tint Mia contre lui jusqu'à ce qu'ils aient repris leur souffle. Elle qui se dressait si gracieusement à peine quelques minutes plus tôt, défiant les lois de la physique avec sa souplesse, elle tombait maintenant comme un ruban de satin défait sur un chausson de danse, et il tombait avec elle.

Ils se blottirent contre les coussins du canapé, et il prit le plaid marron posé sur le dossier pour l'étendre sur eux. Elle avait allongé les jambes, mais ses seins restaient pressés contre son torse, et son ventre contre le sien. Son enfant grandissait là.

Il se demanda soudain quel genre d'homme ne prenait même pas la peine de retirer complètement son pantalon pour prendre sauvagement la mère de son enfant.

Cela étant, il avait le sentiment que c'était *elle* qui l'avait pris sauvagement. Elle avait été résolue à prendre l'initiative et, pour une fois dans sa vie, il s'était laissé guider. Il commençait à comprendre que même s'il s'était battu pour acquérir son indépendance et être maître de son avenir, il ne pouvait pas tout contrôler dans les moindres détails.

Il allait devoir s'habituer à déléguer de temps en temps, surtout à Mia, qui venait de lui prouver qu'elle était tout à fait capable de l'emmener au septième ciel.

Il lui déposa un baiser sur le front, et son petit soupir de contentement fut la dernière chose qu'il entendit avant de sombrer dans un profond sommeil.

Hélas, ce ne fut pas un baiser de Mia qui le réveilla.

— Ohé, vous deux ! Vous avez de la compagnie, cria la voix de Maxine depuis la cuisine.

Il y eut alors deux rires d'hommes bien distincts.

— Oh non ! chuchota Mia en tirant le plaid sur sa tête. J'avais oublié qu'ils venaient…

Lui aussi l'avait oublié, ce qui ne lui ressemblait pas. Il devait se ressaisir, et vite !

Il embrassa Mia une dernière fois avant de se lever. Il la regarda s'affairer, rassembler ses vêtements tout en essayant de garder le plaid enroulé autour d'elle.

— Tiens !

Elle lui lança sa chemise roulée en boule, avant de s'habiller en hâte. Il passa les manches de sa chemise sans la quitter des yeux ; la regarder se trémousser pour enfiler son legging était presque aussi agréable que de la regarder l'enlever.

Elle écarquilla les yeux en voyant sa chemise ouverte, dont les boutons devaient être quelque part entre les coussins du canapé ou sur le parquet. Ses joues s'empourprèrent.

— Je suis désolée d'avoir arraché les boutons de ta chemise…

Il eut un grand sourire.

— Pas moi !

Elle jeta un coup d'œil autour d'elle.

— Avons-nous oublié quelque chose ?

Son regard se posa sur son pantalon. Songeant sans doute qu'ils n'avaient pas perdu de temps à se déshabiller, elle rougit encore davantage, ce qui l'amusa.

Il s'apprêtait à rentrer les pans de sa chemise dans sa ceinture pour paraître vaguement présentable, mais il se ravisa. À quoi bon ? Leurs amis, qui attendaient poliment dans la pièce d'à côté, avaient sûrement déjà deviné ce qui s'était passé.

— Ils vont comprendre, dit Mia, qui pensait manifestement elle aussi à leurs visiteurs.

Il regarda ostensiblement son ventre encore plat.

— Je doute que ce soit une surprise pour qui que ce soit que nous ayons déjà fait l'amour…

Elle lui sourit, regardant son ventre à son tour.

— Ton débardeur est à l'envers, ajouta-t-il.

Elle plaqua une main sur sa poitrine, puis s'empressa d'enfiler son cache-cœur par-dessus son petit haut. Il ne put s'empêcher de rire de son embarras et, à son grand étonnement, elle rit avec lui. Enfin, elle s'approcha de lui et essaya de redresser les pans de sa chemise mais, quand il sentit ses doigts sur sa peau, il ne put résister à l'envie de l'enlacer pour l'embrasser encore une fois.

— Ça fait déjà cinq minutes, cria Cooper de la cuisine. Nous allons entrer, que vous soyez habillés ou pas !

Kylie fut la première à surgir dans la pièce.

— J'ai envie de faire pipi depuis que nous avons passé le portail, dit-elle en courant vers les toilettes.

Maxine entra en tirant derrière elle une petite valise à roulettes, et Mia alla à sa rencontre, le dos droit et le menton légèrement levé, comme s'ils n'avaient aucune raison d'avoir honte.

Ils n'avaient d'ailleurs aucune raison d'avoir honte, puisqu'ils étaient deux adultes consentants, mais il ressentait malgré tout une certaine fierté à voir Mia pas plus gênée que cela d'avoir été prise en flagrant « délit » avec lui.

— Nous sommes désolés de faire irruption comme ça, dit Drew, toujours plein de tact. Nous apportons de quoi manger pour nous faire pardonner !

— À vrai dire, nous apportons la moitié du Duncan's Market avec nous, intervint Cooper. Nous ne savions pas combien de temps vos parents allaient mettre à reprendre leurs esprits, et nous voulions que vous ayez assez de provisions.

Kylie sortit des toilettes.

— Je meurs de faim !

— Tu as toujours faim, commenta Maxine.

— C'est parce que je mange pour trois… Et si je nous préparais un petit quelque chose en vitesse ?

— Non ! s'écrièrent plusieurs voix en même temps, dont celle de Mia.

Apparemment, l'experte-comptable n'était pas connue pour ses talents culinaires.

— Cooper s'est déjà servi du gril de Cessy… Les garçons, vous pourriez peut-être vous occuper des grillades pendant que nous préparons un accompagnement, toutes les trois.

Garrett n'était pas emballé par la suggestion de Maxine, car une fine couche de neige couvrait déjà le porche et il devait donc faire un froid glacial dehors, mais il voulait donner à Mia un peu de temps pour souffler. Et il se disait aussi qu'elle apprécierait sûrement d'être un peu seule avec ses amies. Il espérait juste qu'elles ne parleraient pas de lui.

Une demi-heure plus tard, ils étaient tous assis à l'immense table de la salle à manger. Même dans la maison de son père, il n'y avait rien d'aussi ostentatoire, songea-t-il.

— Alors, comment allons-nous faire pour persuader le Dr McCormick et son équipe de quitter la ville ? demanda justement Cooper.

— Tu pourrais peut-être arrêter toute personne se promenant dans la rue avec une caméra, suggéra Kylie.

— J'aimerais bien, mais je ne peux pas. Par ailleurs, la chambre de commerce n'est pas contre un peu de publicité gratuite, mais le maire a bien dit que si la situation dégénérait, cela risquait de nuire à notre réputation de « destination de vacances idyllique ». Inutile de dire que ce serait dans l'intérêt de tout le monde que nous les poussions à partir le plus tôt possible.

— Est-ce que cela inclut ma mère ? demanda Mia. Elle n'a pas de caméra, mais je suis sûre qu'elle serait la première à accorder une interview exclusive au père de Garrett.

— Ta mère n'a pas l'air si terrible, dit Garrett. Un peu maladroite peut-être, mais inoffensive.

— Tu ne la connais pas, ça se voit ! Sa ténacité est à toute épreuve.

Maxine le regarda et lui tendit le plat de risotto.

— Tu trouves mon ex-belle-mère indiscrète, mais Mme Palinski est encore bien pire... Sans vouloir t'offenser, Mia.

— Il n'y a pas de mal ! Maxine a raison, Garrett.

Elle le regarda brièvement avant de prendre une part généreuse de salade. Au moins, elle avait retrouvé l'appétit.

— Le seul but de ma mère a toujours été de rendre célèbre sa fille unique, par n'importe quel moyen. Quand elle veut quelque chose, elle est prête à tout pour l'obtenir.

— Il faudrait définir ce que *vous* voulez, tous les deux, dit Drew. Une fois que ce sera fait, nous pourrons mettre au point un plan.

Garrett savait que le mari de Kylie était un excellent

psychologue, et son idée était la plus rationnelle qu'il eût entendue jusque-là.

— Mon objectif dans l'immédiat est de n'apparaître ni aux informations ni dans l'émission de mon père, répondit-il. Je me débrouillais plutôt bien avant qu'une ancienne camarade de classe décide de crier sur les toits ma vie privée. Mon but à long terme est d'asseoir la réputation de mon cabinet et de mener une vie calme et paisible à Sugar Falls.

Tout le monde rit, à l'exception de Mia, comme s'il venait de dire quelque chose de cocasse.

— Quoi ?

— Tu vas avoir un enfant, répondit Drew, ta vie ne sera plus jamais *calme et paisible* !

Garrett n'avait pas une grande expérience des enfants, mais cela ne pouvait tout de même pas être aussi terrible. Pour le moment, Mia et lui semblaient être sur la même longueur d'onde au sujet de cette histoire de coparentalité, même si, après ce qui s'était passé un peu plus tôt sur le canapé du salon, il n'était plus sûr de vouloir garder ses distances vis-à-vis d'elle. Il ne croyait pas spécialement au mariage ou aux promesses d'éternité, mais ils s'entendaient bien, et si ce qu'ils venaient de partager était l'une des joies de la condition de parent, il serait heureux d'en être un.

— Et toi, Mia ? demanda Cooper en prenant un morceau de pain et en le tartinant d'une épaisse couche de beurre.

Elle haussa les épaules négligemment.

— Je veux un enfant heureux, je veux ne plus avoir mal au genou tout le temps, je veux donner mes cours de danse sans que ma mère me répète à longueur de temps que je me contente de peu, et je veux être sûre que Nick Galveston ne découvrira pas où je suis quand il sortira de prison.

*Et voilà !* C'était là la raison pour laquelle Mia et lui-

165

même ne pourraient jamais être ensemble. S'il faisait partie de sa vie, Garrett ne pourrait pas lui garantir toutes ces choses, et si la célébrité de son père et l'attention des médias mettaient Mia ou leur enfant en danger, il ne se le pardonnerait jamais.

# - 11 -

— Bon ! Voilà ce que je propose, dit Kylie après le dîner, en apportant des cookies de Maxine fourrés à la glace sur un plateau.

Elle le lui donna, mais Garrett le fit passer sans se servir. Maintenant qu'il avait pris pleinement conscience de la difficulté à réunir toutes les conditions pour que Mia et lui puissent vivre ensemble en paix, il avait l'appétit coupé.

— Mon frère Kane a dû disparaître quand il a quitté Chicago parce que les paparazzis le harcelaient pour savoir s'il ferait à nouveau du base-ball un jour, continua Kylie. Il a dit à tout le monde qu'il allait à Scottsdale, dans l'Arizona, pour se faire opérer et se reposer.

— Je préférerais ne pas avoir à déménager, dit Garrett.

Il se déplaçait constamment depuis l'âge de dix-huit ans. Il avait envie de s'enraciner quelque part.

— Je viens à peine d'ouvrir mon cabinet ici, ce n'est pas le moment de partir, pour moi...

Mia sépara ses cookies pour commencer par manger la glace qui se trouvait au milieu.

— Quant à moi, j'ai mes cours de danse, et le spectacle de Noël sur lequel je travaille... Je pourrais sans doute demander à quelqu'un de me remplacer pendant quelque temps, mais je ne peux pas abandonner mes élèves indéfiniment.

— Non, ce n'était pas ce que je sous-entendais, dit

Kylie en prenant deux cookies sur le plateau avant de le passer à son mari. Vous pourriez dire à tout le monde que vous déménagez, pour les envoyer sur une fausse piste. Les gens vous chercheraient et, pendant ce temps-là, votre vie reprendrait son cours normal.

Drew approuva d'un hochement de tête.

— Vous feriez diversion !

Même s'ils faisaient cela, ils continueraient à courir le risque d'être découverts. Garrett pensa à Kane et à la façon dont il s'était enfui en voyant le cameraman alors qu'il s'apprêtait à entrer au Cowgirl Up Café. Non, son but à lui, c'était de ne plus avoir à se cacher.

— Nous dirons aux gens que vous vous êtes enfuis pour vous marier, suggéra Cooper.

Garrett faillit s'étrangler.

— Personne ne croira que je me suis enfui pour me marier ! Même mon père me connaît mieux que ça…

— Les gens y croiront si nous leur faisons croire, dit Kylie. Je peux faire avaler n'importe quoi à n'importe qui ! D'abord, vous appellerez vos proches pour leur dire qu'avec tout ce stress vous avez décidé d'aller à Aruba, à Bali, ou dans un endroit de ce genre pour une lune de bébé.

— Une *lune de bébé* ? répéta Cooper, l'air perplexe. Qu'est-ce que c'est que ça ?

— C'est quand les futurs parents partent en vacances une dernière fois avant l'arrivée du bébé. Drew et moi allons aller à Reno pour la nôtre… C'est super romantique !

Leurs amis se mirent à parler en même temps pour déterminer l'endroit où Mia et lui pourraient aller s'ils mettaient à exécution ce plan absurde.

— Reno est l'endroit le plus romantique qu'ils aient trouvé ? demanda-t-il à voix basse à Mia.

— C'est là qu'ils se sont mariés, chuchota-t-elle, mais ils avaient tous les deux trop bu et ils ne se souviennent de rien, alors ils vont y retourner pour prononcer à nouveau leurs vœux.

Il jeta un coup d'œil au couple invraisemblable que formaient le psychologue à lunettes et la rousse impertinente qui avait un penchant pour les talons aiguilles. Ce n'était peut-être pas le mariage le plus classique qui soit, mais il semblait réussi. En dehors de Cooper et Maxine, Garrett n'avait jamais vu deux personnes aussi amoureuses l'une de l'autre que Kylie et Drew.

Ce dernier posa une main sur le ventre rond de sa femme dans un geste plein de tendresse. Garrett songea que Mia et lui seraient dans la même situation quelques mois plus tard et, même s'ils venaient de faire l'amour et qu'il se sentait plus proche d'elle que jamais, le fait était qu'ils avançaient dans l'inconnu. Par ailleurs, elle devait encore se cacher de ce Nick Galveston alors que son propre père était bien décidé à exposer sa vie privée et celle de Mia aux yeux du monde.

Leurs amis continuaient à discuter des faux indices qu'ils devraient donner à la presse, et leur plan paraissait de plus en plus insensé. Gerald McCormick avait beau avoir l'apparence d'un vieux surfeur au visage buriné par le soleil, c'était un homme intelligent et rusé. Il suivrait peut-être une fausse piste, mais il ne tarderait pas à revenir à Sugar Falls et, tant que cela risquait de se produire, Mia ne serait pas en sécurité.

— Écoutez, les gars, dit-il en levant une main pour faire taire tout le monde. C'est parce que je n'ai pas dit franchement à mon père ce que je ressens que nous nous retrouvons dans cette situation. Je ne vais pas lui mentir, ni passer ma vie à me cacher. Je le contacterai dès demain, et j'aurai une conversation honnête avec lui.

Alors même qu'il prononçait ces mots, il songea que cette conversation n'aurait pas forcément un effet durable. Il devait offrir à Mia une certaine sécurité mais, à son grand regret, il ne serait pas en mesure de préserver sa vie privée pour toujours, et il ne pouvait pas se résoudre à être la personne qui lui ferait courir le risque d'être démasquée à tout moment, l'obligeant ainsi à vivre en ermite. Elle finirait par lui en vouloir, et *lui* finirait par se détester.

*Non !* Décidément, cela ne pouvait pas marcher entre eux.

Après avoir expliqué la situation à son père et avoir écarté toute menace immédiate, il trouverait un moyen de se séparer de Mia, dans son intérêt à *elle*.

— Bonjour, maman, dit Mia quand sa mère décrocha, après le départ de ses amis.

— Ne me dis pas « bonjour, maman », comme si de rien n'était ! répliqua Rhonda. Tout Sugar Falls savait avant moi que ma fille attendait un enfant, et tu m'as laissée chercher toute seule avec ce célèbre réalisateur comment présenter les choses sous un jour favorable !

— Je suis désolée de m'être enfuie, et désolée que tu n'aies pas appris la nouvelle par moi. Tout a été si soudain, avec Garrett… J'attendais d'y voir un peu plus clair pour te l'annoncer.

— Qui est Garrett ?

*Seigneur !* Sa mère était-elle sérieuse ?

— Garrett, maman… Tu l'as rencontré au Cowgirl Up…

*Le père de ton petit-enfant à naître !* Elle n'ajouta pas ces mots, mais c'était pourtant un fait qu'elle ne pouvait pas se permettre d'oublier.

Elle jeta un coup d'œil dans sa direction ; il se tenait devant l'évier et faisait la vaisselle, terriblement séduisant alors même qu'il se chargeait de cette tâche prosaïque.

— Ah, GP, tu veux dire ? Le fils du Dr McCormick ?

— Euh… Oui, c'est le fils du Dr McCormick, mais il s'appelle Garrett, et il est aussi docteur.

— Eh bien, je me moque de son prénom, Mia ! Il est richissime, et son père a de nombreuses relations à Hollywood… Si tu te débrouilles bien, tu arriveras peut-être à obtenir une émission sur le milieu de la danse…

Tu ne pourras peut-être pas danser toi-même mais, au moins, tu feras quelque chose de ta carrière.

L'ancienne Mia aurait tressailli en entendant cette remarque blessante, mais la nouvelle Mia, plus forte, n'allait pas se laisser faire.

— Ma carrière actuelle me convient très bien, maman. Tu sais que le show-business ne m'intéresse pas.

— Eh bien, c'est un tort ! As-tu la moindre idée du nombre d'emplois que j'ai perdus pour te traîner d'audition en audition ? Du nombre de profs de danse prétentieux auxquels j'ai dû passer de la pommade pour pouvoir t'inscrire à leurs cours ? Et tout ça pour quoi ? Pour que tu t'abîmes le genou et que tu tombes enceinte ? Je n'ai pas sacrifié ma vie entière pour que tu t'enterres dans un trou paumé de l'Idaho !

Mia écouta la diatribe habituelle, une main posée sur son ventre comme pour empêcher son bébé d'entendre les injustes reproches de sa mère. Elle ne lui avait jamais demandé de faire les choix qu'elle avait faits !

— Au moins, cette fois, tu as trouvé un beau parti, et tu vas pouvoir en tirer profit !

— Tu as raison, maman, je me suis toujours accommodée de toutes les situations, j'ai toujours fait contre mauvaise fortune bon cœur, même si tu m'as forcée à faire tout ce que tu attendais de moi, et je *vais* effectivement tirer profit de la situation : je me réjouis d'attendre un enfant, et je vais être une très bonne mère.

Il y eut un long silence, et elle finit par se demander si sa mère l'avait seulement entendue. Elle l'imaginait en train de se pincer l'arête du nez, essayant de trouver le moyen d'arriver à ses fins.

— Ah là là ! Je n'arrive pas à croire que je suis sur le point d'être grand-mère… Tu vas probablement perdre ta ligne, tu sais.

— Probablement.

— Eh bien, au moins, avec ton beau-père, tu pourras

faire de la plastie abdominale et te faire refaire les seins, après l'accouchement... Attends un peu ! GP et toi allez bien vous marier, n'est-ce pas ?

Mia en doutait, mais elle ne voulait pas aborder le sujet alors qu'elle essayait justement de convaincre sa mère qu'elle avait la situation bien en main.

— C'est *Garrett*, maman, et nous n'en avons pas encore discuté.

— Tu prends bien tes vitamines ?

Mia eut un pincement au cœur en entendant la question. Sa mère l'aimait à sa façon, même si elle était égoïste.

— Oui, maman.

Elle l'entendit soupirer.

— Je m'inquiète pour toi, tu sais ? Je n'ai toujours voulu que ton bonheur.

— Je sais...

C'était vrai. Le problème, c'était que Rhonda Palinski voulait ce qu'*elle* estimait être le mieux pour sa fille, et qu'elle refusait d'écouter l'avis de qui que ce soit d'autre sur le sujet.

Mia ferma les yeux et serra les paupières. Elle n'allait pas se laisser émouvoir maintenant.

— ... Mais il faut que tu me fasses confiance quand je te dis ce qui vaut mieux pour moi et pour mon enfant.

— Je te fais confiance, même si je n'arrêterai jamais de m'inquiéter pour toi. Quand tu seras mère, tu verras que l'on se fait toujours du souci pour son bébé, même quand il a atteint l'âge adulte. Au fait, est-ce que tu sais si c'est une fille ou un garçon ?

— Pas encore.

— D'accord... Mais n'oublie pas qu'il y a de plus en plus de garçons qui font de la danse, de nos jours, alors ne t'inquiète pas si ce n'est pas une fille ! Nous pourrons quand même lui faire prendre des cours de danse classique et de claquettes, mais il faudra sûrement lui faire faire de la gymnastique dès son plus jeune âge... Heureusement, la famille de GP a certainement les moyens de payer des cours particuliers.

— Tu sais, c'est une excellente idée ! Tu devrais en parler au père de Garrett si tu le vois avant qu'il ne quitte Sugar Falls…

Garrett la regarda, haussant les sourcils d'un air interrogateur, et elle se demanda s'il entendait ce que disait sa mère de là où il était. Elle espérait que non.

Elle s'en voulait un peu de charger délibérément sa mère, bien intentionnée mais implacable, d'une telle mission auprès du père de Garrett, mais s'ils voulaient tous les deux s'immiscer dans la vie de leur petite-fille ou de leur petit-fils, Rhonda et Gerald devraient d'abord s'arranger entre eux. Avec un peu de chance, cela les occuperait suffisamment pour qu'ils la laissent un peu tranquille.

— Enfin, bref… Je ne rentrerai pas à l'appartement ce soir, maman, je vais dormir chez une amie.

Elle se risqua à jeter un autre coup d'œil à Garrett pour voir comment il réagissait à cette formulation, mais il récurait une poêle d'un air concentré.

— Nous pourrions peut-être nous voir demain pour discuter ?

— Bien sûr. Au revoir, ma chérie.

Quand elle eut raccroché, Mia poussa un profond soupir. Parler avec sa mère était comme se faire épiler les sourcils : c'était douloureux mais, heureusement, ce n'était nécessaire qu'à quelques semaines d'intervalle.

De plus, cette conversation téléphonique n'avait pas été aussi désastreuse qu'elle s'y était attendue, et il en était ressorti quelque chose de positif : elle avait tenu tête à sa mère, et lui avait rappelé qu'elle était libre de mener sa vie comme elle l'entendait.

Il ne lui restait maintenant plus qu'à décider du comportement à adopter avec le père de son bébé.

Garrett avait dit lui-même qu'il n'était pas du genre à se

marier. Bien sûr, ils allaient élever leur enfant ensemble, mais quelles limites allaient-ils se fixer ?

Étant donné ce qu'elle avait ressenti quand ils avaient fait l'amour, un peu plus tôt, elle ne pensait pas pouvoir se contenter d'une relation épisodique. Soit ils formaient un couple, soit ce n'était pas le cas. Même si son attitude laissait à penser le contraire, elle n'accepterait pas de coucher avec lui au gré de sa fantaisie.

Ils n'étaient pas obligés de prendre une décision le soir même, mais elle devrait bientôt prendre son courage à deux mains et lui dire que leur enfant aurait besoin de stabilité, qu'ils pouvaient la lui apporter ensemble ou chacun de leur côté, mais qu'ils devraient faire un choix et s'y tenir. Elle ne changerait pas d'avis une fois que leur décision serait prise.

Et, bien sûr, cela pouvait attendre qu'il ait parlé à son père.

Elle prit un torchon et entreprit de sécher la vaisselle pour s'empêcher de le regarder fixement et de se demander à quoi il pensait.

Elle aurait voulu lui dire qu'il se sentirait beaucoup mieux après s'être expliqué avec son père, mais elle prenait à peine les rênes de sa propre existence, alors comment aurait-elle pu le conseiller ?

Cependant, ses amies l'avaient aidée à sortir de sa coquille, et peut-être avait-il besoin lui aussi d'un petit coup de pouce dans la bonne direction.

Garrett n'était pas particulièrement nerveux à l'idée de parler à son père, mais il doutait de l'utilité de leur conversation.

Il avait entendu malgré lui la conversation que Mia avait eue avec sa mère, et il était fier de la façon dont elle lui avait tenu tête, mais raisonner Rhonda Palinski était sans doute un jeu d'enfant. Remettre Gerald McCormick à sa place était une autre histoire.

Il regarda Mia ranger la vaisselle qu'elle venait d'essuyer et se demanda si elle doutait de lui autant que lui-même. Elle était restée silencieuse pendant qu'ils mettaient de l'ordre dans la cuisine, et il essayait de ne rien laisser transparaître du sentiment d'impuissance qu'il éprouvait.

En temps normal, il faisait preuve d'initiative et était efficace. Les gens lui confiaient leur vie, et il avait été officier dans l'une des unités d'élite de l'armée. Attendre sans rien faire que les caméras qui accompagnaient son père quittent la ville pour pouvoir lui parler lui donnait l'impression d'être un lâche.

C'était pourtant pour préserver la vie privée de la femme qu'il aimait qu'il le faisait.

*La femme qu'il aimait… ?* Il se frotta machinalement le front. C'était vrai : il l'aimait. Il n'aurait pas su dire depuis quand, au juste, mais l'angoisse dans laquelle il était plongé et l'effroyable décision qu'il allait devoir prendre s'expliquaient par son amour pour elle.

Regarder son père passer de femme en femme ne lui avait pas donné une belle image du mariage. À vrai dire, à l'âge de douze ans, il s'était juré de ne jamais se marier. Il s'était persuadé que le mariage n'était qu'une comédie. Si un homme comme son père, dont toutes les entreprises étaient couronnées de succès, n'arrivait pas à être heureux en ménage, comment *lui* aurait-il pu l'être ?

Cependant, il savait maintenant qu'il aurait pu être heureux en ménage avec Mia et la rendre heureuse, mais l'ironie du sort voulait que ce soit impossible, pour des raisons indépendantes de sa volonté.

Dès que le nettoyage de la cuisine fut terminé, elle fit le tour de la maison pour vérifier que toutes les portes donnant sur l'extérieur étaient fermées à clé. Il se demanda si elle se livrait souvent à ce rituel pour s'assurer qu'elle était en sécurité.

*Lui* n'avait qu'à éviter les caméras s'il ne voulait pas être vu, mais il n'avait jamais été en danger. Comment pouvait-on vivre en ayant peur pour sa vie chaque fois que l'on oubliait de verrouiller une porte ?

Peut-être ne craignait-elle vraiment plus rien maintenant que son agresseur était en prison. Hélas, même s'il ne pouvait pas vivre sans elle, Garrett ne pouvait pas non plus prendre le risque de l'exposer en l'épousant, et encore moins exposer leur enfant à une attention inopportune.

Il était furieux contre son égoïste de père parce qu'il l'avait mis dans cette position délicate, mais il s'en voulait aussi de ne pas lui avoir bien fait comprendre qu'il ne voulait plus entendre parler de ses émissions de téléréalité.

Quand son père avait fait irruption au Cowgirl Up Café, le matin même, il avait fait ce qu'il faisait tout le temps : il s'était enfui. Cependant, si cette technique fonctionnait quand il était adolescent, il ne pouvait plus y avoir recours maintenant qu'il avait tant à perdre.

Mia se dirigea vers l'escalier en bâillant.

— Je suis épuisée, dit-elle, esquissant un geste pour prendre sa valise.

— Attends, je vais t'aider !

Il se précipita vers elle. Il avait besoin de se sentir ne serait-ce qu'un peu utile.

— Tu sais combien il y a de chambres, là-haut ?

— Je, euh… Eh bien…

Ses joues prirent une jolie teinte rosée. Elle n'avait pas été aussi timide lorsqu'ils avaient fait l'amour sur le canapé. Ce soir, il s'était posé de nombreuses questions au sujet de la tournure que leur relation devait prendre, et il était persuadé qu'elle s'était posée plus ou moins les mêmes.

Au fond, il savait qu'ils allaient devoir mettre un terme à cette relation au bout du compte, mais peut-être pouvaient-ils faire durer la magie le temps d'une nuit encore.

Il l'enlaça et l'embrassa passionnément. Quand elle

lui rendit son baiser, il sut qu'elle était arrivée à la même conclusion que lui.

— Il y a une chambre d'amis au bout du couloir, dit-elle dans un souffle en détachant ses lèvres des siennes.

Il n'eut pas besoin d'en entendre davantage. Il la souleva dans ses bras et se rappela qu'il devait prendre le temps de savourer chaque seconde, chaque détail de cette nuit, car, au petit matin, il devrait la laisser partir.

Ils montèrent l'escalier, passèrent devant la chambre principale, puis devant une chambre décorée pour accueillir un adolescent. Quand ils arrivèrent dans la chambre d'amis, il ne se souciait plus de savoir qui dormait habituellement dans cette maison.

Quand ils eurent fait l'amour et qu'ils s'endormirent dans les bras l'un de l'autre, il ne se souciait plus que de Mia et de l'enfant qu'elle portait.

Hélas, le soleil qui les réveilla, inondant la chambre de lumière, lui rappela cruellement que cette parenthèse enchantée était terminée.

Son portable vibra, sur la table de chevet. C'était un message de Cooper.

Je viens de voir ton père entrer au Cowgirl Up Café. Il est descendu d'une voiture de location. J'ai appelé le Snow Creek Lodge, et on m'a confirmé que son équipe avait réglé sa note et était partie ce matin. Je présume qu'il quittera la ville après le petit déjeuner. Je te tiens au courant.

Garrett aurait dû être ravi. Il avait enfin l'occasion de discuter seul à seul avec son père, sans qu'on ne le filme ni n'enregistre ce qu'il avait à dire.

Cependant, que se passerait-il la prochaine fois que son père viendrait à Sugar Falls ? Et le connaissant comme il le connaissait, Garrett était sûr qu'il y aurait une prochaine fois.

— Bonjour, dit Mia, s'étirant comme un chat au soleil.

*Bon sang !* Elle prenait vraiment les positions les plus séduisantes.

Son sourire mourut sur ses lèvres quand elle vit son expression.

— Qu'est-ce qui ne va pas ?

Pour toute réponse, il lui tendit son portable pour qu'elle puisse lire le message de Cooper. Elle s'assit, parfaitement droite.

— C'est une bonne nouvelle, non ?

— Tu trouves ?

— Ne voulais-tu pas avoir l'occasion de lui parler seul à seul ?

— Honnêtement, je ne sais pas ce que je veux.

Elle tira le drap plus haut sur sa poitrine.

— Est-ce que tu me veux, *moi* ?

*Voilà.* C'était le moment de prétendre qu'il ne voulait *pas* d'elle, le moment de lui rendre sa liberté, pour la protéger.

Elle ne méritait pas qu'on lui mente, mais elle ne méritait pas non plus de continuer à vivre dans la peur.

— Tu sais quoi ? reprit-elle. Ce n'est pas la peine que tu répondes à cette question.

Elle se leva, laissa le drap tomber à ses pieds et se dirigea vers la porte.

Il s'apprêtait à lui dire à quel point il la désirait dans sa vie, mais peut-être était-ce mieux ainsi. Pourquoi lui donner de faux espoirs ?

Il résista à l'envie de s'élancer à sa suite, de l'empêcher de prendre la valise qu'ils avaient laissée en bas. Elle l'avait déjà quitté sans prévenir par le passé, et il l'avait supporté ; et ce n'était pas ce qu'elle faisait cette fois.

*Bon sang !*

Il regarda avec colère l'écran de télévision accroché au mur. La télévision et les émissions stupides de son père avaient façonné sa vie, mais il ne pouvait pas les laisser façonner celle de Mia. Elle méritait de réaliser ses rêves, même si cela condamnait les siens.

Il remonta le couloir, mais s'immobilisa en entendant le bruit des roulettes d'une valise sur le parquet du salon.

Mia partait. Elle partait, et il devait la laisser faire, dans son intérêt à *elle*, pour sa sécurité et sa tranquillité d'esprit.

Quelques instants plus tard, il entendit une voiture démarrer. Ses oreilles se mirent à bourdonner, et il n'aurait pas su dire si c'était à cause du bruit du moteur ou à cause de la colère que lui inspirait son père.

Mia avait beau être partie, il devait encore empêcher son père d'aggraver les choses.

Mia n'était pas sûre que prendre la voiture de Cessy ait été une bonne idée. Elle n'arrivait pas à se servir du lecteur de CD, ni à couper le GPS, tandis qu'elle prenait la direction du centre-ville de Sugar Falls.

Elle n'avait pourtant pas eu le choix. Quand un silence assourdissant avait suivi la question qu'elle avait posée à Garrett, elle avait senti son ventre se nouer, puis elle avait vu son expression douloureuse, et son cœur avait fait un bond dans sa poitrine.

Elle avait deviné sa réponse, et elle savait ce qu'elle avait à faire. Du moins, elle l'espérait.

Elle continua d'ignorer les instructions du GPS et se dirigea vers le Cowgirl Up Café. Elle appréhendait la discussion qu'elle allait avoir, mais elle ne voulait plus vivre dans la peur, et elle refusait qu'on se sacrifie pour elle.

Elle s'engagea sur Snowflake Boulevard et prit une profonde inspiration tandis que Barry Manilow chantait à tue-tête qu'il était prêt à se risquer à aimer à nouveau.

Elle repensa à ce stupide message que ses amies lui avaient envoyé quand elle était au bar de l'hôtel, à Boise. Elle n'avait absolument pas eu l'intention de relever le défi qu'elles lui avaient lancé, mais la confiance en elle qu'elles lui avaient inspirée avait changé le cours de sa vie.

Et maintenant, c'était une chanson d'amour sur un CD appartenant à Cessy Walker qui l'enjoignait de se lancer de nouveau.

Garrett n'allait peut-être pas apprécier qu'elle se batte à sa place mais, si elle en croyait ce qu'elle avait lu dans ses yeux, dans la chambre d'amis, chez Cessy, il en aurait fait autant pour elle si leurs rôles avaient été inversés.

Elle espérait simplement que cet homme têtu reviendrait à la raison et suivrait son exemple.

Il y avait un peu plus de circulation que d'habitude en ville, et elle fit deux fois le tour du pâté de maisons avant de finir par se garer à un endroit qui n'était même pas une place de stationnement.

Au moment où elle arrivait devant le petit restaurant, une place se libéra justement et le pick-up de Garrett s'y gara.

Il descendit de voiture et eut l'air très étonné en la voyant approcher.

— Que fais-tu ici ?

Elle redressa un peu les épaules. Elle espérait que son instinct ne l'avait pas trompée.

— Quand je t'ai demandé si tu me voulais, *moi*, j'ai lu ta réponse dans tes yeux. Je sais reconnaître l'expression d'une personne qui se sacrifie pour autrui. Alors j'ai décidé d'aller à ta rescousse avant que tu fasses l'erreur d'essayer d'aller à la mienne.

Il la regarda d'un air perplexe.

— J'avais l'intention de venir voir ton père avant qu'il ne s'en aille.

— Tu venais voir mon père ? lui demanda-t-il, s'avançant vers elle.

Elle s'efforça de faire abstraction du fait qu'ils avaient une conversation très personnelle dans un lieu public, ce qui semblait d'ailleurs être une habitude, chez eux.

— Oui. Je craignais que votre conversation ne se termine en dispute, et je me suis dit que je pourrais peut-être lui parler d'abord et le convaincre de t'écouter jusqu'au bout, cette fois.

— Je ne suis pas sûr que cela suffise, Mia… J'ai bien réfléchi, mais je ne vois pas quoi lui dire pour lui faire comprendre que je ne veux pas que ma vie, que *notre* vie soit exposée aux yeux de tous à la télévision.

— C'est pour ça que tu étais si triste, hier soir ?

— Tu as soupiré en prononçant mon prénom plusieurs fois… Je ne peux pas dire que ça m'ait rendu particulièrement *triste* !

Elle rougit, craignant qu'un passant n'ait entendu Garrett, mais il n'y avait personne à portée de voix.

— Je voulais dire, est-ce que c'est pour ça que tu étais silencieux dans la cuisine, hier soir ?

— En partie, oui. J'étais en colère parce que je ne devrais même pas avoir à expliquer quoi que ce soit à mon père, mais j'étais aussi désemparé, parce que je savais que quoi que je puisse faire, ce ne serait qu'une solution provisoire, puisque je ne peux pas rester définitivement avec toi.

Ses jambes se mirent à flageoler et sa gorge se serra, mais elle refusait de céder à la peur.

— Pourquoi ? se risqua-t-elle à lui demander.

Y avait-il quelque chose qui les empêchait d'être ensemble ? S'était-elle trompée quand elle avait cru lire son affection dans son regard.

— À cause de mon père.

— Il ne veut pas que tu sois avec moi ?

— Je doute qu'il s'en soucie… du moment que les indices d'écoute remontent, et c'est précisément le fait que ces indices d'écoute soient sa seule préoccupation qui pose un problème.

Son raisonnement lui échappait, et elle ne voyait pas où il voulait en venir. Il s'était rebellé contre son père de nombreuses fois ; en quoi cette fois-ci était-elle différente des fois précédentes ?

— Veux-tu être avec moi, Garrett ?

— Bien sûr que oui ! J'étais déjà à moitié amoureux de toi après la nuit où nous nous sommes connus, à Boise… Et je le suis complètement depuis le jour où tu es entrée dans mon cabinet en boitillant.

Son cœur fit un bond dans sa poitrine. Enfin, il lui avouait ses sentiments !

— Alors que vient faire Gerald McCormick là-dedans ?

— Tu ne comprends donc pas, Mia ? Si tu te maries avec moi, tu ne seras jamais vraiment à l'abri des projecteurs ! Tu as fait tant d'efforts et sacrifié tant de choses pour échapper à Nick Galveston… Et il suffirait d'une caméra pour que le cauchemar recommence.

— Tu as raison : je me suis *échappée*. S'il devait resurgir dans ma vie, je m'en sortirais de nouveau, mais pas en fuyant. Je m'attaquerais de front au problème.

Il n'avait pas l'air convaincu.

— Écoute, Garrett… Hier, après t'avoir raconté mon histoire, j'ai ressenti quelque chose de très fort : j'ai pris conscience que personne d'autre que moi ne pouvait diriger le cours de mon existence. Les intentions de ma mère sont bonnes, mais elle a fait l'erreur d'essayer de faire de moi ce qu'elle rêvait que je sois, et cette histoire avec Nick m'a abattue, alors j'ai pris la fuite et je me suis cachée. Mais maintenant que je t'ai rencontré et que je me suis confiée à toi, non seulement dans cet hôtel, à Boise, mais aussi chez l'obstétricienne, quand nous avons entendu battre le cœur de notre bébé, et hier, chez Cessy, je ne veux plus vivre dans la peur.

— Et notre bébé ? Comment allons-nous faire pour le protéger ?

— Nous ferons comme tous les parents avec leurs enfants ! Nous ferons des erreurs, mais nous ferons de notre mieux, nous l'aimerons inconditionnellement, et nous le laisserons aussi faire ses propres expériences. Hier, ma mère m'a rappelé tous les sacrifices qu'elle avait faits pour moi, mais je ne lui avais jamais demandé de les faire. Elle a fait peser le poids de cette responsabilité écrasante sur mes épaules dès mon plus jeune âge… Son bonheur dépendait de moi. Je n'exercerai jamais une telle pression sur mon enfant. Alors, même si je n'ai pas envie de vivre comme un producteur de télévision, nous ne pourrons pas garder non plus notre bébé dans une bulle.

Il jeta un coup d'œil en direction du jardin public, où deux jeunes enfants faisaient du toboggan.

— J'ai toujours détesté que ma vie soit exposée aux yeux de tous à cause des choix de vie de mon père. Tu as raison : forcer notre enfant à se cacher à cause de nos expériences personnelles reviendrait au même.

Elle fit un pas vers lui et lui passa les bras autour de la taille.

— Tu vois ces enfants, qui jouent sans le moindre souci, là-bas ? Je veux que notre enfant ait la même insouciance, la même liberté, et je veux aussi que *nous* ayons, toi et moi, la liberté dont nous avons besoin. C'est pour cette raison que nous devons aller trouver ton père et lui expliquer la situation…

— Holà ! l'interrompit Garrett. Si quelqu'un doit expliquer quelque chose à mon père, c'est moi. Dieu sait que j'ai essayé de nombreuses fois de lui faire envisager les choses de mon point de vue, au cours de ces vingt dernières années… Mais je me suis souvent contenté de fuir pour éviter le conflit. Aujourd'hui, je ne veux plus me contenter de parler. Il faut que je tienne bon et que je veille à ce qu'il écoute ce que j'ai à dire.

— Si tu me redis comment tu es tombé amoureux de moi, j'écouterai tout ce que tu as à dire, *moi*…

Il l'enlaça et, quand il posa les lèvres sur les siennes, elle perçut toute sa détermination, sa promesse d'une vie dont ni lui ni elle n'avaient osé rêver.


Garrett prit la main de Mia dans la sienne pour passer la porte du Cowgirl Up Café.

Il vit tout de suite son père, assis tout seul à l'une des tables dans un coin du restaurant, au fond de la salle. Avant qu'il n'ait pu se diriger vers lui, Cooper, qui était assis au comptoir avec les amies de Mia, l'interpella.

— Je me doutais que tu viendrais ! dit-il.

Cooper avait un don pour deviner les intentions des gens. Mia aussi semblait savoir ce qu'il avait en tête.

— Je savais que c'était la première chose que tu ferais ce matin… On ne peut pas fuir éternellement, ajouta Cooper.

Garrett repensa à l'attentat qui avait mis un terme à la carrière militaire de Cooper. À l'époque, avant de trouver refuge à Sugar Falls, ce dernier n'avait nulle part où aller. Il y avait des gens encore bien moins lotis que lui, se dit Garrett : Gerald McCormick n'avait jamais été ni démissionnaire ni violent. Il était simplement un peu pénible.

— Je sais bien… Et je suis content de voir que tu es venu me… nous soutenir.

— Vous avez plein d'amis dans votre camp, intervint Kylie. Drew savait aussi que tu viendrais… Il devait aller travailler, mais je lui ai dit que je viendrais pour te soutenir moralement.

— Moi, je suis seulement venue pour les gaufres, plaisanta Maxine, et pour assister au spectacle…

— Merci, les amis, dit Mia en serrant tendrement la main de Garrett dans la sienne.

C'était bon de l'avoir à ses côtés. Sa présence lui rappelait pourquoi il se battait.

Il prit une profonde inspiration, redressa les épaules, et il s'approcha avec Mia de la table de son père.

— Papa, il faut qu'on parle, dit-il sans préambule.

Son père s'essuya la bouche avec sa serviette en papier.

— GP… J'espérais que tu viendrais, maintenant que les caméras sont parties. Au moins, cette fois, tu n'as pas éprouvé le besoin de partir à l'autre bout du monde pour me fuir.

Garrett laissa Mia s'asseoir la première sur la banquette en face de son père. Il espéra ne pas baisser dans son estime s'il perdait son calme.

— J'étais prêt à aller jusque-là pour te faire comprendre que je ne voulais prendre part à aucune de tes émissions, répondit-il.

— Tes nouveaux amis et toi avez été très clairs sur ce point hier, fiston.

— Oui, mais j'aurais dû t'expliquer pourquoi. Toute ma vie, j'ai préféré te fuir pour éviter le conflit mais, maintenant, je veux que tu comprennes qu'il ne s'agit plus seulement de moi.

Il regarda Mia.

— Je peux lui dire ?

Il attendit qu'elle acquiesce d'un hochement de tête, puis il parla à son père de Nick Galveston et du danger potentiel qu'il représentait pour Mia en tant que fils d'un producteur de télévision. Gerald l'écouta attentivement, et il s'enquit même du genou de Mia, évoquant la possibilité d'une autre opération. Il avait beau avoir le sens de la mise en scène et s'être reconverti, il était avant tout médecin.

— Vous savez, conclut son père, c'est juste une idée, et il faudrait que j'aie l'accord de la chaîne, mais nous pourrions peut-être faire une émission sur ce sale type de Nick Galveston... Les violences familiales détruisent bien des vies, et si nous faisions un documentaire sur le sujet, si nous dénoncions les gens comme lui, nous pourrions aider de nombreuses victimes.

— Ce serait une très bonne chose, dit Mia, mais pas pour moi. J'ai mis longtemps à tourner la page, et je ne voudrais pas revivre ce qui s'est passé, surtout pas à la télévision.

Son père inclina légèrement la tête sur le côté, comme s'il avait du mal à admettre son point de vue.

— Écoute, papa, je sais que tu adores passer à la télévision, c'est ta vie, et j'en ai parfaitement conscience, mais tu n'as jamais réussi à comprendre que je n'étais pas fait pour ça.

— Oh ! fiston, je savais depuis longtemps que tu

n'étais pas fait pour ça, mais je croyais que tu finirais par abandonner ton style de vie nomade et que tu verrais les opportunités que je t'offrais. Nous n'avons pas beaucoup de choses en commun… Tu as toujours été tellement studieux, tellement respectueux des convenances ! Quand tu étais plus jeune, tu avais des opinions très arrêtées, et tu me traitais avec mépris chaque fois que l'un de mes mariages ratait.

Garrett se sentit soudain un peu honteux. Il n'avait même pas pensé que son père aussi pouvait être affecté par ses échecs amoureux.

— Je ne voulais pas te traiter avec mépris…

— Je sais que ce n'était pas ton intention, mais tu étais un jeune garçon tellement sérieux ! Tu ressembles beaucoup à ton grand-père, tu sais… Il m'a toujours trouvé trop frivole. Il me répétait souvent qu'il n'y avait pas que le surf, dans la vie. J'aurais pu devenir surfeur professionnel, et au lieu de cela, je suis devenu chirurgien, mais cela ne lui a pas encore suffi. Alors, je me suis dit : pourquoi ne pas lui prouver que je peux mener une carrière brillante tout en m'amusant ? Quand tu as décidé de faire médecine, j'ai pensé que nous avions peut-être plus de choses en commun que je ne le croyais, que tu allais suivre mes traces… Après tout, si tu me détestais vraiment, pourquoi aurais-tu décidé de devenir chirurgien, toi aussi ? Je crois que je me disais que tu finirais peut-être par changer d'avis si je te laissais suffisamment de temps.

— J'ai trente-six ans, papa, et je peux t'assurer que je ne changerai pas d'avis… Du moins, pas en ce qui concerne la téléréalité, mais il faut que tu comprennes que je ne t'ai jamais détesté, *toi* : je détestais être constamment dans la ligne de mire des paparazzis. Et je détestais aussi le cameraman avec lequel tu travaillais il y a quelques années, ce type envahissant qui avait essayé d'entrer dans l'hôpital de la base où je travaillais.

— Oui, je suis vraiment désolé, pour ça… Je ne lui

avais absolument pas donné l'autorisation de le faire. J'espère que tu sais que je ne ferais jamais rien qui puisse te mettre, qui puisse *vous* mettre, en danger.

Garrett éprouva un immense soulagement en entendant ces paroles.

— Je l'espérais. Je t'aime, et je sais qu'au fond tu ne veux que mon bonheur, mais tout comme tu n'es pas papi, je ne suis pas toi, et je ne peux pas vivre ma vie devant les caméras. Cela me donnerait l'impression d'être un phénomène de foire.

Son père but une gorgée de café.

— Je ne vais pas m'excuser pour mes choix de carrière, j'aime ce que je fais et j'aime mon mode de vie, mais je suis navré si je t'ai donné le sentiment de ne pas pouvoir être toi-même. Quand ton grand-père a essayé de me forcer à rejoindre le cabinet familial, je me suis promis de ne jamais faire à mes enfants ce que *lui* me faisait. Les boutons de manchette que je t'ai offerts étaient un gage de réconciliation, je voulais te faire comprendre que si tu revenais dans ma vie, tu pourrais porter tous les vêtements classiques que tu voulais.

Garrett pensa à ce cadeau, à la signification qu'il avait eue pour son père, et au fait qu'il avait failli oublier le petit écrin de velours dans le bar de l'hôtel, à Boise. Heureusement, Mia lui avait tendu les boutons de manchette et, le lendemain, elle avait retrouvé celui qu'il avait perdu dans l'ascenseur.

— C'est gentil, papa. Merci…

Il passa un bras autour des épaules de Mia.

— Nous avons fait la même promesse à notre enfant, tout à l'heure.

Ils échangèrent un regard complice.

— J'espère que vous arriverez à tenir cette promesse, dit son père, les yeux brillants. Je regrette de ne pas avoir réussi, quand tu étais plus jeune… et j'espère aussi que vous donnerez au vieil homme vaniteux que je suis la possibilité de connaître son petit-fils ou sa petite-fille.

— Bien sûr ! répondit Mia en souriant. Et quand notre enfant aura grandi, si elle ou il veut participer à l'une de vos émissions, nous en discuterons à ce moment-là !

Son père eut un petit rire.

— C'est d'accord. Tu sais, fiston, j'ai toujours voulu ce qu'il y avait de mieux pour toi. Quand tu t'es engagé dans l'armée, j'ai été très fier de toi. Je sais que mon univers ne t'intéressait pas, à l'époque, et je me rends compte maintenant qu'il ne t'intéressera probablement jamais… Je ne comprends pas, mais je suppose que mon propre père ne comprenait pas non plus mes choix de vie. Si jamais tu changeais d'avis, pourrais-tu au moins envisager de faire une apparition sur le plateau en tant qu'invité d'honneur ?

— Non.

— Et si nous filmions le mariage ? Si ce désaxé de Nick Galveston apprenait que Mia est mariée, il abandonnerait sûrement. Dans le cas contraire, j'appellerais Neville Galveston moi-même et je le menacerais de proclamer à la face du monde que son fils est un grand malade… Je n'ai pas passé des années à entretenir mes relations dans les médias pour rien !

Garrett regarda Mia.

— Ce n'est pas une mauvaise idée… Pas de filmer le mariage, mais d'en prendre des photos. Tu pourras choisir celles que nous déciderons de donner à la presse.

Elle leva une main pour l'interrompre.

— Attends un peu ! Je suis désolée d'enfoncer une porte ouverte, mais tu ne m'as même pas encore demandé de t'épouser… Qui a dit que j'accepterais ?

Il n'avait pas envisagé qu'elle dise non, ni qu'elle n'ait pas envie de se marier.

Il jeta un coup d'œil autour de lui et s'aperçut que tous les regards étaient tournés vers eux et que tout le monde semblait tendre l'oreille pour suivre leur conversation.

*Bon sang !* Toute sa vie, il avait évité de se donner en spectacle, et maintenant il occupait malgré lui le devant de la scène.

*Eh bien !* Puisque c'était ainsi, il allait les satisfaire.

Il se glissa hors de la banquette et mit un genou à terre, il prit la main de Mia dans la sienne et parla d'une voix assez forte pour que tous les clients du petit restaurant l'entendent.

— Je t'aime, Mia Palinski. Je ne peux pas vivre sans toi, et je ne veux pas vivre sans toi. Je sais que je ne suis pas parfait et que partager ta vie avec moi n'est peut-être pas ce dont tu rêvais depuis toujours, mais je te promets que si tu acceptes de m'épouser, je ferai tout ce qui est en mon pouvoir pour te rendre heureuse, et nous réaliserons ensemble de nouveaux rêves.

— Ce n'est pas une demande en bonne et due forme, commenta son père, secouant la tête.

*Sérieusement ?* Garrett mettait son cœur à nu pour la première fois de sa vie, devant tout le monde, et on le critiquait ?

— Tu plaisantes ?

— Non. Cela manquait de style, et ce n'était pas à la hauteur du talent de Mia... Cette jeune femme est une artiste, elle mérite un geste grandiose, quelque chose de marquant dont elle se souviendra toute sa vie.

Garrett regarda son père d'un air incrédule.

— Oui, eh bien, c'est ma première demande en mariage... Tu as déjà fait ta demande, quoi ? Six fois, c'est ça ?

— Donne-lui au moins une bague.

— Je n'ai pas de bague.

Il tapota ses poches, puis regarda les gens rassemblés autour de lui.

— Tiens, tu peux avoir celle-là ! s'écria Freckles, essayant de retirer la monstrueuse bague rose incrustée de pierres violettes qu'elle portait. Un ancien amant me l'avait offerte, mais il m'a quittée pour une hippie qui habitait dans une communauté près de Billings.

Mia le regardait en secouant discrètement la tête, mais il n'aurait pas su dire si elle le repoussait ou si elle refusait la bague. Elle se mordait l'intérieur des joues comme si elle se retenait de rire, et ses yeux pétillaient, alors il présumait que c'était à la bague qu'elle disait non.

— Tiens, fiston, dit son père en retirant l'anneau de platine qu'il portait à l'auriculaire.

Garrett ne l'avait jamais vu sans cet anneau, à part lors de ses opérations chirurgicales filmées.

— C'est l'alliance que ta mère m'a donnée quand nous nous sommes mariés. C'était une femme bien, et je n'ai jamais trouvé personne qui puisse la remplacer.

Garrett se sentit très ému. Même s'il n'avait quasiment aucun souvenir de sa mère ni de l'amour qu'elle portait à son père, le geste le touchait profondément et l'anneau lui semblait parfait.

Il le tint entre son pouce et son index et le présenta à Mia.

— Mia, veux-tu m'épouser ?

Elle sourit, et l'éclat de ses beaux yeux bleus illumina tout le restaurant.

— Je t'aime plus que tout au monde. Je croyais ne plus avoir de rêves, mais te rencontrer les a fait renaître… Alors, oui, Garrett McCormick, je veux t'épouser !

Le sourire aux lèvres, il lui passa l'anneau au doigt.

— Et j'affirme que c'était la plus belle demande en mariage que je pouvais imaginer, ajouta-t-elle, et j'espère que tu n'en feras jamais d'autre !

Elle se glissa sur la banquette pour s'approcher de lui et, quand elle lui passa les bras autour du cou, il l'embrassa devant tout le monde.

Il y eut des applaudissements et des cris de joie, et Maxine et Kylie furent les premières à se ruer sur Mia pour la féliciter.

Il se releva et, tandis que plusieurs personnes venaient lui serrer la main et lui donner de grandes tapes amicales dans le dos, il entendit Freckles s'adresser à son père, derrière lui :

— Je suis bien contente que vous vous soyez réconciliés… Mais ne vous avisez pas de revenir ici avec une caméra pour filmer nos tourtereaux !

— C'est d'accord, miss Freckles… Maintenant, avez-vous quant à vous déjà songé à passer à la télévision ? Votre personnalité plairait beaucoup aux téléspectateurs !

— Pourquoi pas, mon chou ? À condition que ce ne soit pas dans l'une de vos émissions sur la chirurgie esthétique… Après tout, pourquoi changer quelque chose qui est déjà parfait ?

Tout le monde rit de bon cœur, et Garrett ne fut pas le dernier à le faire.

— Que ferez-vous si les paparazzis vous retrouvent ? lui demanda Cooper.

— Ne vous inquiétez pas pour eux, intervint Gerald. Je rédigerai un communiqué de presse dans lequel je dirai que vous êtes partis à Bali, par exemple, pour les envoyer sur une fausse piste.

Kylie écarquilla les yeux, l'air abasourdie.

— Hé ! C'était mon idée !

Garrett attira Mia vers lui et lui déposa un baiser sur la joue.

— À ce propos, lui murmura-t-il à l'oreille, je pensais à cette histoire de lune de bébé… Je sais que nous allons devoir réfléchir à l'endroit où nous allons vivre ensemble, mais puisque Cessy Walker ne rentre que dans deux ou trois jours… Qu'en dis-tu ?

Sa future épouse et mère de son enfant eut un sourire éclatant.

— J'en dis que c'est une excellente idée !

# Épilogue

On était jeudi soir, et Mia était assise avec Maxine et Kylie à leur table habituelle, chez Patrelli. Kylie avait dû prendre une chaise et l'approcher du bord de la table, car elle arrivait presque à terme et son ventre l'empêchait de s'asseoir sur l'une des banquettes.

Maintenant que Mia en était à son deuxième trimestre de grossesse, les nausées matinales étaient loin derrière elle, et elle avait terriblement envie de nourriture italienne. Elle avait l'intention de commander une double portion de pain à l'ail.

Soudain, son portable vibra ; c'était un message de Garrett. Elle le lut, et sentit le rouge le monter aux joues. Il lui disait qu'il avait l'intention de la déshabiller dès qu'elle rentrerait.

— Alors, Mia, que devons-nous organiser en premier ? lui demanda Maxine, la rappelant à la réalité. La fête prénatale, ou l'enterrement de vie de jeune fille ?

— Je vote pour la fête prénatale ! dit Kylie. L'enterrement de vie de jeune fille attendra que j'aie accouché… Je me rappelle à peine le tien, Maxine, je n'ai pas envie d'en rater un autre !

— Je ne crois pas que nous aurons le temps d'organiser un enterrement de vie de jeune fille. Garrett et moi aimerions nous marier avant que je sois énorme, pour que je ne remonte pas l'allée en me dandinant…

Elle regarda Kylie.

— … Mais je ne dis pas que tu te dandines, bien sûr.

— Oh ! si, je me dandine, mais ne t'inquiète pas : j'assume ! J'ai hâte de mettre au monde mes petites filles… Même si cela signifie que je ne serai plus disponible pour nos folles soirées.

Mia sourit, impatiente, elle aussi.

— À ce propos, nous pensions organiser un petit mariage tout simple, à la mairie.

Ses amies écarquillèrent les yeux d'un air abasourdi et regardèrent autour d'elles comme si elles craignaient que quelqu'un ne l'ait entendue.

— Qu'est-ce qui vous inquiète ? Ma mère est en Floride, et le père de Garrett en Californie. Ils ne risquent pas de m'entendre !

— Ce ne sont pas eux qui m'inquiètent, dit Maxine. À ta place, je ferais attention à ce que Cessy Walker ne m'entende pas parler d'un « petit mariage tout simple à la mairie ».

Kylie approuva d'un hochement de tête.

— Cette femme estime que rien ne devrait être simple.

Mia rit.

— Je sais ! Garrett m'a dit qu'elle continuait à se présenter au cabinet une fois par semaine pour jouer les réceptionnistes. Je devrais peut-être avoir pitié de lui et confier à Cessy une partie des préparatifs du mariage pour qu'elle le laisse tranquille.

Ses amies la regardèrent comme si elle avait perdu la tête mais, avant qu'elles n'aient eu le temps de protester, Mme Patrelli apparut avec deux verres d'eau et un verre de cabernet pour Maxine.

— C'est gentil, madame Patrelli, dit celle-ci, mais je vais me contenter d'un soda au gingembre, ce soir.

— Mais vous prenez toujours un verre de vin avec…

La restauratrice laissa sa phrase en suspens, regarda le ventre de Kylie, puis celui de Mia, avant de reporter son attention sur Maxine. Kylie poussa un cri aigu et Mia battit des mains lorsqu'elles comprirent pourquoi leur amie ne voulait pas d'alcool.

— Bon ! Eh bien, je vous garde ça pour quand vous aurez mis vos enfants au monde, mesdames, dit Mme Patrelli, en remettant le vin sur son plateau. Croyez-moi : avec des enfants en bas âge, vous en aurez besoin !

Elles rirent toutes les trois de bon cœur, et Mia songea au chemin qu'elles avaient parcouru depuis qu'elles s'étaient rencontrées. Elles s'étaient lancées dans de nombreuses aventures ensemble, mais celle qu'elles vivaient maintenant était de loin la plus belle de toutes : elles avaient trouvé l'amour, et l'avenir leur promettait encore plein de belles choses.

Pour l'heure, cependant, Mia se réjouissait simplement de la soirée qu'elle allait passer avec ses amies, avant de rentrer chez elle et d'avoir le plaisir de retrouver son futur mari.

Si vous avez aimé *Toi dont j'ignorais le nom*,
ne manquez pas la suite de la série
« Coup de foudre à Sugar Falls »,
disponible dès le mois prochain
dans votre collection Passions !

# KAREN BOOTH

# Une maman pour Lila

*Traduction française de*
ROSA BACHIR

HARLEQUIN

*Titre original :*
THE CEO DADDY NEXT DOOR

© 2016, Karen Booth.
© 2017, HarperCollins France pour la traduction française.

# - 1 -

Quand elle sortit de chez elle et découvrit Marcus Chambers sur le palier, Ashley George poussa un soupir exaspéré.

— Vous aimeriez que je retienne l'ascenseur, je suppose, dit-il.

Prononcé avec l'accent britannique et le ton austère qui caractérisaient cet homme, le commentaire n'en était que plus agaçant. Marcus savait pertinemment qu'elle allait prendre l'ascenseur : elle n'allait tout de même pas descendre à pied les onze étages de leur immeuble de Manhattan avec sa jupe crayon et ses talons de douze centimètres !

Elle inspira et passa devant lui pour entrer dans la cabine. Pour faire bonne mesure, elle rejeta ses longues boucles blondes en arrière.

— Rez-de-chaussée ? demanda-t-il.

Elle enfonça les ongles dans ses paumes. Cela faisait à peine deux secondes qu'elle côtoyait Marcus et il lui tapait déjà sur les nerfs.

— Vous savez très bien que nous allons au même endroit. N'essayez pas d'être charmant, cela ne fonctionne pas.

Il ajusta la veste de son costume anthracite et joignit les mains devant lui, fixant les portes de l'ascenseur.

— Un gentleman n'essaie jamais d'être charmant.

« Charmant » était en effet un euphémisme pour qualifier Marcus Chambers. Cet homme était fabuleusement séduisant. Malheureusement, c'était aussi un casse-pieds de premier ordre. Peut-être à cause de ses gènes, ou de son passé. En apparence, Marcus avait tout pour être heureux : de l'argent, un appartement luxueux dans le prestigieux quartier de l'Upper West Side, une plastique de rêve et, même si Ashley n'avait aperçu Lila qu'une ou deux fois, une magnifique petite fille.

— Je ne serais pas dans cet ascenseur si vous cessiez de vous plaindre auprès du comité de résidents, lâcha-t-elle.

— Et je n'aurais pas à me plaindre si vous engagiez un entrepreneur compétent pour finir vos travaux. Je suis fatigué de vivre dans le chaos.

Il lui décocha un regard perçant.

— Le chaos semble vous suivre où que vous alliez.

Ashley grimaça. Marcus n'avait pas tout à fait tort. Elle était toujours pressée et débordée. Bien sûr, il y avait eu des problèmes avec la rénovation de son appartement. Parfois, les choses ne se passaient pas comme on le souhaitait. Elle faisait de son mieux pour que le chantier avance, mais Marcus ne se montrait guère compréhensif.

Elle soupira et risqua un nouveau regard vers lui. S'il subissait une transplantation de personnalité, ou s'il apprenait au moins à se détendre, il pourrait être parfait. Elle admira son menton carré, ombré par une barbe naissante, ses fascinants yeux émeraude, son épaisse chevelure brune. Puis son regard dériva plus bas, et elle frissonna lorsque des images de son torse magnifique et de ses abdominaux stupéfiants jaillirent dans son esprit. Elle n'avait pas eu la chance de voir son corps nu en vrai, mais elle avait trouvé des photos sur Internet. Marcus était l'un des célibataires les plus convoités du Royaume-Uni, et avait même figuré dans un calendrier plein de beaux garçons. C'était un père célibataire — le divorce était une chose terrible.

Quelque part dans le monde, il y avait une femme faite pour cet homme si séduisant et si pénible. Ashley croyait sincèrement que chacun pouvait trouver l'amour.

Ce n'était pas un rôle qu'elle jouait dans son émission de téléréalité *La Marieuse de Manhattan*. L'amour vrai, les âmes sœurs étaient réelles, tout aussi réelles que les choses de la vie que tout le monde redoutait, comme les peines de cœur ou la maladie.

Ashley espérait trouver sa propre âme sœur un jour mais, après avoir été abandonnée juste avant Thanksgiving par l'homme qu'elle avait cru être « l'élu », elle avait décidé de faire une pause sentimentale durant un an. Elle n'avait cependant pas tenu très longtemps. Marcus avait emménagé en janvier, l'avait invitée à dîner une semaine plus tard et, bêtement, elle avait accepté. Cette soirée, trois mois plus tôt, n'avait fait que confirmer sa théorie : elle devait oublier les hommes pour l'instant. Son instinct n'était pas fiable quand il s'agissait d'amour, du moins pas pour elle-même. Et sa vie était en effet en plein chaos.

Marcus tourna la tête comme pour s'assouplir le cou. Le parfum de son après-rasage se répandit dans la cabine d'ascenseur. *Mince*. Il sentait bon — une fragrance chaude et masculine, comme le meilleur des bourbons. Ce qui était approprié, puisque Marcus était P-DG de la distillerie de gin familiale.

Les portes de l'ascenseur s'ouvrirent enfin.

— Après vous, dit-il.

Sa voix de velours résonna en elle. Si seulement il s'en était servi pour dire quelque chose comme : « Je vous trouve formidable. Je suis désolé d'avoir été si désagréable ces trois derniers mois. »

Elle emprunta le couloir et entra dans la salle de réunion en arborant un air guindé et déterminé, espérant de tout cœur sortir indemne de cette entrevue. Les cinq membres du comité de résidents étaient assis autour d'une longue table. Ashley eut l'estomac noué en voyant la présidente du comité, Tabitha Townsend. Cette dernière la regarda comme si elle avait aperçu une tache de vin rouge sur un tapis blanc. Ashley ne l'inviterait certainement pas pour un verre ou pour une soirée entre filles. Mais elle devait les amadouer, elle et le reste du comité, même si elle avait eu une journée épuisante. En ce moment, elle était en pleine promotion de la nouvelle saison de *La Marieuse de Manhattan*.

— Bonjour à tous, dit-elle.

Elle serra la main de sa seule alliée, Mme White, résidente de longue date de l'immeuble. L'élégante vieille dame était une mordue de téléréalité. Et l'émission qu'Ashley présentait était l'une de ses préférées.

— Vous voulez bien le dire pour moi ? Juste une fois ? demanda Mme White.

Ashley n'avait pas le choix. Elle devait contenter au moins *une personne* dans cette pièce.

— « Je suis Ashley George, et je trouve l'amour vrai dans la ville qui ne dort jamais. »

Mme White applaudit joyeusement.

— J'adore. Je me vante auprès de toutes mes amies.

— Tout le plaisir est pour moi, répondit Ashley.

— Je regrette que cette réunion n'ait pas lieu en de meilleures circonstances, poursuivit Mme White. Nous devrions parler de la nouvelle saison de votre émission, et non de querelles de voisinage.

— Je vous assure que ce ne sont pas de simples querelles, intervint Marcus avec la chaleur d'un iceberg.

Mme White secoua la tête.

— C'est dommage, vous savez. Vous deux, vous faites un joli couple. Avez-vous déjà songé à dîner ensemble, pour résoudre vos différends ?

Ashley entendit Marcus soupirer. Oh ! ils avaient déjà dîné une fois ensemble, et cela s'était très mal passé. Nerveuse à l'extrême, elle avait bu trop de vin avant même que leurs entrées n'arrivent. Apparemment, elle n'avait pas totalement digéré sa rupture avec James, car elle n'avait cessé de radoter, expliquant que ce dernier l'avait abandonnée parce qu'elle se souciait trop de sa carrière, qu'elle n'était pas prête à s'engager ni à avoir des enfants. La liste des raisons pour lesquelles James l'avait quittée était longue. Marcus avait si peu apprécié que la soirée s'était achevée par une poignée de main. Une grande déception… Ashley ne s'était pas attendue à ce qu'ils tombent amoureux, mais elle l'avait trouvé très séduisant. Et elle avait espéré un baiser.

Son projet de rénovation avait débuté le lendemain. Et par la même occasion, le combat qui l'opposait à Marcus avait commencé. Ashley espérait que cette lutte allait prendre fin.

— Attention, ou les gens vont penser que c'est vous, l'entremetteuse de Manhattan, plaisanta Ashley.

Elle s'accrocha un instant à la main de Mme White, puis se résolut à avancer jusqu'à Tabitha, qui ne lui tendit pas la main et lui lança un regard noir. Heureusement, la présidente du comité reporta son attention sur Marcus.

— Monsieur Chambers. Contente de vous voir.

La jeune femme passa sa main manucurée sur le col de son chemisier, manifestement sous le charme de Marcus, elle aussi. Mais celui-ci semblait insensible à sa tentative de séduction.

— Prenez place, mademoiselle George, assena Tabitha.

Ashley fit la moue mais obtempéra, s'asseyant sur l'une des deux chaises face à la table. Ou plutôt, face au peloton d'exécution. Marcus prit place à côté d'elle.

— Mademoiselle George, commença Tabitha, il est clair pour le comité que les travaux de rénovation de votre appartement sont hors de contrôle.

*Quel bon début !* songea Ashley, s'agitant sur sa chaise.

Tabitha ouvrit un épais dossier. Apparemment, Marcus avait été exhaustif dans ses plaintes.

— Vos ouvriers, et en particulier le maître d'œuvre, ont peu de considération pour le seul autre résident présent à votre étage, M. Chambers. Des scies circulaires ont été utilisées à 7 heures du matin…

— J'étais absente, intervint Ashley. Je suis navrée pour cet incident.

— Mademoiselle George, veuillez lever la main avant de parler.

Tabitha passa à la page suivante.

— La musique trop forte a gêné…

Ashley leva la main.

— Les charpentiers adorent. Si vous me laissez m'expliquer…

— Je n'ai pas fini, mademoiselle George. Je vous prie de garder le silence.

Ashley se recroquevilla sur sa chaise.

— Pardon.

Tabitha s'éclaircit la voix avant de poursuivre :

— Comme je le disais, les ouvriers ont à plusieurs reprises laissé du plâtre et de la poussière sur le palier que vous partagez avec M. Chambers. Ils ne nettoient pas derrière eux et, pire, ils ont fumé dans le bâtiment, ce qui constitue un risque d'incendie et est strictement interdit.

Ashley sentit son ventre se soulever. L'événement le plus tragique de sa vie avait été un incendie.

— Ils savent qu'ils ne doivent pas le faire. Je le leur ai répété et le ferai de nouveau.

— Franchement, je suis tentée de vous dire tout de suite que vous devez engager un autre entrepreneur.

Ashley était au bord du malaise. Elle avait été sur la liste d'attente de cet entrepreneur durant un an, et il avait été son second choix. L'attente pour son premier choix était de près de dix-huit mois, et ce délai lui avait été donné *après* qu'elle avait joué la carte de la célébrité. La société qu'elle avait engagée effectuait du gros œuvre pour un prix abordable. Or le prix était une donnée capitale, car Ashley était le soutien financier de sa famille.

Si elle congédiait son entrepreneur, elle perdrait jusqu'au dernier cent versé d'avance. Il lui faudrait des mois pour s'en remettre financièrement, et elle serait obligée de vivre dans un appartement en chantier, alors qu'elle n'aspirait qu'à la stabilité. Entre son emploi du temps surchargé et la santé déclinante de son père, l'appartement de rêve qu'elle avait imaginé était parfois la seule chose qui lui donnait envie de se lever le matin. Elle était partie de rien et avait travaillé très dur pour acquérir ce logement. Elle n'allait pas laisser le fruit de son labeur lui filer entre les doigts !

— Je suis vraiment désolée si les travaux ont causé des désagréments à M. Chambers. Je parlerai à l'entrepreneur. Nous réglerons cela une fois pour toutes.

Tabitha secoua la tête.

— Après avoir parcouru le dossier, le comité a décidé que c'était votre dernière chance, mademoiselle George. Si votre projet de rénovation ne peut être achevé d'une manière que M. Chambers juge acceptable, nous vous retirerons votre autorisation. Une plainte de plus de sa part, et vous devrez tout arrêter.

Ashley se tourna vers Marcus et vit les coins de sa bouche frémir. Allait-il oser sourire ?

— Une seule autre plainte ? Vous voulez rire ?

Elle désigna Marcus d'un geste de la main.

— Il est impossible de lui plaire. Il a sûrement quelque chose à redire sur la façon dont je suis assise. C'est totalement injuste !


« Totalement injuste. » Des termes appropriés, étant donné la volonté de Mlle George d'ignorer les perturbations dues à ses travaux. Marcus et sa fille de onze mois, Lila, tentaient de se construire une nouvelle vie à New York. Il était normal qu'il donne le coup de grâce si la pagaille perdurait.

— Monsieur Chambers, intervint Mme White, vous devez comprendre la gravité de la situation. Nous ne voulons pas être obligés d'arrêter le projet de Mlle George pour un souci mineur.

— Merci, dit Ashley d'une voix teintée de désespoir. La balance ne peut pas pencher totalement en sa faveur. Si vous lui laissez le contrôle de la situation, mon projet sera annulé avant même que nous ayons rejoint nos appartements respectifs.

Marcus rejeta la tête en arrière. Pourquoi Ashley agissait-elle comme si c'était lui qui était déraisonnable ? C'était *elle*, la responsable de ce chaos.

— Vous vous comportez comme si mes plaintes étaient injustifiées, se défendit-il.

— Je vous ai dit que j'étais navrée.

Tabitha se massa le front.

— Le comité ne reviendra pas sur sa décision. Une plainte de plus de M. Chambers, et Mlle George devra engager un autre entrepreneur.

— Mais…, commença Ashley.

— Pas un mot de plus, mademoiselle George.

Tabitha lui adressa un regard si sévère que même Marcus fut gêné.

Un silence lourd et pesant s'abattit sur la pièce. Ashley s'agita, et Marcus reporta son regard sur sa jambe. Plus précisément, sur son mollet galbé et sur sa cheville délicate, ponctuée par un escarpin noir verni. Il n'avait pas beaucoup de faiblesses, mais les femmes portant des chaussures sexy le faisaient craquer. Et le fait qu'Ashley porte ces escarpins vertigineux le rendait fou… S'il y avait quelque chose d'injuste, c'était peut-être cela. Il se força à détourner les yeux. La beauté d'Ashley, l'attraction qu'elle exerçait sur lui l'obligeaient à la maintenir à distance. C'était la seule façon de garder la tête froide.

— J'aimerais ajouter une clause, intervint Mme White. M. Chambers devra présenter toute plainte à Mlle George d'abord. Essayez de régler les choses entre vous.

Marcus cligna des yeux à plusieurs reprises. *Traiter directement avec Mlle George ?* Ah non ! Cela ne lui convenait pas du tout.

— Vous n'êtes pas sérieuse ! Elle vient de démontrer qu'elle pouvait contester n'importe quelle plainte indéfiniment. Comment suis-je censé régler quoi que ce soit avec elle ?

— Je sais me montrer raisonnable, affirma Ashley.

— Votre comportement prouve le contraire, rétorqua Marcus tandis que son pouls s'emballait.

Tabitha les fit taire en agitant les mains.

— Mme White a raison. Réglez ça entre vous.

Marcus et Ashley quittèrent la pièce comme deux enfants renvoyés dans leur chambre et privés de dîner. Aucun d'eux ne pouvait revendiquer une vraie victoire mais, au moins, Marcus avait eu le dessus. Et il s'en réjouissait. Quand les portes de l'ascenseur s'ouvrirent, il s'effaça pour laisser passer Ashley.

— Je dois m'assurer que vous avez tous mes numéros de téléphone, dit-elle sèchement. Personnels et professionnels. Au cas où il y aurait un problème.

Il sortit son portable et ravala les mots qu'il était sur le point de prononcer. Il y avait déjà un problème. Après leur unique rendez-vous, il s'était promis de rester aussi loin d'elle que possible. Ashley incarnait ses tendances les plus égoïstes. Une part de lui rêvait d'une belle femme indomptable et débordante de vie, sexy et un peu extravagante. Mais sa priorité était de trouver une mère pour Lila, c'est-à-dire une femme intelligente et calme, qui agirait de manière totalement prévisible. Il pourrait s'y faire, pour le bien de Lila.

Ashley appuya son énorme sac sur son genou et se pencha pour chercher son téléphone. Marcus tenta de détourner les yeux de son décolleté, en vain. Son souffle se bloqua dans sa gorge. La peau d'Ashley était d'une délicate teinte de pêche. Une mèche blond doré tomba de son épaule vers le magnifique creux entre ses seins ronds. Il ferma les yeux pour échapper à la tentation. Ashley était une épine, même si elle ressemblait à une rose.

Les portes de l'ascenseur s'ouvrirent, et ils se retrouvèrent face à la seule personne capable d'améliorer son humeur. Lila.

Catherine, la nourrice de la petite fille, tenait sa poussette.

— Monsieur Chambers ! J'allais emmener Lila faire une petite promenade avant le coucher.

Catherine riva son regard à Ashley.

— Mademoiselle George, j'ai adoré le dernier épisode de *La Marieuse de Manhattan* hier soir.

— Je vous en prie, appelez-moi Ashley. Et c'était une rediffusion, non ? dit-elle en sortant de l'ascenseur.

Catherine semblait au comble de l'excitation. Elle adorait Ashley et son émission. Elle et Martha, l'employée de maison, ne parlaient que de cela, ce qui avait le don de l'exaspérer. Marcus comprenait que les gens puissent être sous le charme d'Ashley, mais l'émission en elle-même était idiote. Et mensongère. L'amour vrai, les âmes sœurs ? De la pure fiction !

— Mais j'adore cet épisode, dit Catherine. C'était celui avec le médecin et la boulangère. Il n'y a que vous qui pouviez réunir ces deux personnes. Ils sont tombés follement amoureux.

— C'est très gentil à vous, dit Ashley en souriant. Merci.

Marcus retint l'ascenseur pendant que Catherine faisait entrer la poussette dans la cabine. Il déposa un baiser sur le front de Lila, respirant le doux parfum de son duvet blond, et caressa sa joue rose. Le petit rire qu'elle lui offrit était un baume pour son âme. Sans conteste, Lila était l'être le plus précieux de sa vie, et elle méritait bien plus que ce qu'il pourrait lui offrir seul. C'était précisément la raison pour laquelle il devait éviter Ashley et trouver une maman digne de ce nom à Lila.

— Amuse-toi bien, ma chérie. Papa te lira une histoire quand tu rentreras.

Il relâcha les portes de l'ascenseur, qui se refermèrent.

— Votre fille est adorable, commenta Ashley. Vous

savez, ce n'est que la seconde fois que je la vois. Elle n'était pas là le soir où…

Elle leva les yeux un instant.

— … vous savez. Le soir de notre rendez-vous. Vous avez réussi à la tenir éloignée de moi.

*Je réussis à tenir Lila éloignée de tous.* Protéger Lila était plus qu'une responsabilité, c'était une nécessité. Elle avait reçu de mauvaises cartes, et c'était lui, le fautif. Il n'avait pas choisi l'épouse qu'il fallait, et quand leur couple avait battu de l'aile, il l'avait convaincue qu'avoir un bébé arrangerait tout. Si Lila n'avait pas de mère pour l'élever, c'était à cause de lui.

— Vous vouliez me donner vos numéros de téléphone, je crois, rappela-t-il pour changer de sujet.

— Je vous envoie un message tout de suite, dit-elle, tapant sur son clavier. Comme ça, vous aurez mon numéro de portable.

Marcus vit son écran de téléphone s'éclairer quelques secondes plus tard.

Je ne suis pas méchante. Simple précision.

— Je n'ai jamais dit que vous étiez méchante, mademoiselle George.

— Ne m'appelez pas « Mlle George ». Nous avons dîné ensemble, et cela nous faciliterait la vie si nous laissions tomber les formalités.

— Très peu de choses sont aisées dans la vie mais, si cela vous fait plaisir, je vous appellerai Ashley.

Elle plissa les yeux. L'espace d'un instant, il eut l'impression qu'elle sondait son âme. Ce qui n'était guère plaisant.

— Vous êtes un vieux grincheux avant l'heure, Chambers. Ce que je ne comprends pas, car vous n'étiez pas comme ça lors de notre rendez-vous. Qu'est-ce qui vous a transformé en rabat-joie ?

— Je doute que ce soit un sujet de conversation approprié.

Il se dirigea vers sa porte, mais Ashley le retint par le

bras. La chaleur de sa main traversa la laine de son costume. Il regarda ses doigts fins enroulés autour de son biceps.

— On ne peut échapper aux faits, dit-elle. Et vous ne pourrez rien me cacher. Je suis très perspicace. Je vois des choses chez les gens qu'ils ne voient pas eux-mêmes.

Il reporta son attention sur son visage, luttant contre les sensations qui l'assaillaient. Ashley l'attirait inexorablement. Il brûlait de plonger la main dans sa chevelure soyeuse, de prendre le baiser dont il s'était privé lors de leur seul et unique rendez-vous galant. Ses grands yeux noisette étaient si sincères. Céder à la tentation serait si facile... Mais il devait songer à Lila.

— Bonsoir, mademoiselle George.

Elle secoua la tête et lui donna une tape sur l'épaule.

— C'est Ashley, Chambers. Vous finirez par y arriver.

# - 2 -

Ashley avait affublé Marcus d'un tas de surnoms secrets : Tour de Londres, pour sa stature ; le Comte de la Beauté, pour des raisons évidentes ; et le Casse-pieds britannique, réservé à des moments comme la réunion d'hier soir. Elle n'avait aucun problème à cerner la plupart des gens. Mais avec Marcus, c'était une autre paire de manches. Pourquoi la détestait-il tant ? Après la réunion du comité de résidents, elle avait passé le plus clair de la soirée à tenter de trouver une réponse. Tout comme ce matin, durant le trajet jusqu'à son bureau. Marcus avait tout pour être heureux. Alors pourquoi était-il si austère ? Si renfermé ?

On frappa à la porte de son bureau. Grace, qui travaillait au service publicitaire de la chaîne, passa la tête par l'embrasure. Ses cheveux acajou étaient relevés en un chignon décoiffé que seule une personne vraiment sûre d'elle pouvait oser associer à un tailleur strict et des escarpins.

— Prête à me recevoir ?

Grace n'attendit pas la réponse pour entrer.

Ashley chassa Marcus de son esprit.

— Oui, assieds-toi.

Elle rassembla les papiers sur son bureau, puis saisit son bloc-notes et un stylo. Il leur restait quelques détails à régler avant la soirée donnée pour le premier épisode de la nouvelle saison de *La Marieuse de Manhattan*.

— Alors ? Oserais-je te demander comment s'est passée la réunion du comité de ton immeuble hier soir ?

Grace s'assit sur une chaise en face d'elle, et posa son ordinateur portable sur ses genoux. La publicitaire l'avait toujours soutenue et, en trois ans, elles étaient devenues bonnes amies.

— Verdict : une seule plainte de plus de Tour de Londres, et je devrai engager un nouvel entrepreneur.

— Aïe, fit Grace en grimaçant. C'est rude.

— Tu l'as dit.

Ashley sentit revenir le malaise qu'elle avait éprouvé la veille.

— Marcus me déteste. C'est assez clair maintenant, mais j'ai le sentiment que ce n'est pas seulement à cause des travaux.

— Je ne peux imaginer que quiconque te déteste, Ash. Pour moi, c'est juste un type coincé. Il t'a serré la main après un rendez-vous galant. Qui fait ça ?

— Évite de me le rappeler.

C'était pourtant une preuve supplémentaire que Marcus ne l'aimait pas, tout simplement.

— Mettons-nous au travail, décréta-t-elle. J'ai un million de choses à faire avant la soirée de jeudi. Les employés de Peter Richie vont m'étrangler si je ne vais pas à mon essayage cet après-midi.

Grace secoua la tête, consternée.

— Peter Richie est l'un des créateurs les plus en vogue de la planète. Il t'offre une robe pour ta soirée, et tu n'es toujours pas allée à ton essayage ? La fête a lieu dans deux jours !

— Je sais. Je n'ai pas d'excuse.

La vérité, c'était qu'elle avait évité d'y aller. Peter s'était montré très généreux, mais elle était bien consciente que c'était à la Marieuse de Manhattan que ce luxe avait été offert, pas à la vraie Ashley George. Un styliste renommé créant une robe haute couture pour elle ? Ridicule. La vraie Ashley avait grandi avec des robes confectionnées par sa mère.

Grace ouvrit son ordinateur portable.

— Si tu ne t'es pas occupée de ta robe, je n'ose même pas imaginer ce qu'il en est de ton cavalier.

Ashley pinça les lèvres. Elle avait espéré que la chaîne oublierait cette requête.

— Ils tiennent vraiment à ce que je sois accompagnée ?

— Oui. Cette réception est destinée à promouvoir ton émission. Et n'oublie pas qu'ils ne t'ont toujours pas donné de réponse pour le nouveau programme que tu leur as proposé. En attendant, tu dois dire oui à tout.

— Ils font une fixette là-dessus à cause de ces stupides photos volées.

— Ces clichés de toi en train d'acheter de la crème glacée et une barre chocolatée un samedi soir ne sont pas bons pour ton image. Et cela affecte les audiences.

— J'étais angoissée. Cela n'a rien à voir avec le fait de ne pas avoir de petit ami.

Mais si elle avait eu un petit ami, elle aurait pu l'envoyer chercher la crème glacée.

— Cela m'horripile que l'on puisse s'intéresser à ça, maugréa-t-elle.

— Les gens s'y intéressent beaucoup. C'est le sujet le plus populaire sur le forum de l'émission. Tes fans veulent te voir heureuse. Ils veulent savoir que la femme qui « trouve l'amour vrai » pour les autres peut le trouver pour elle-même. Et à ce que je sache, Ash, tu as besoin que les fans s'intéressent à toi.

C'était même grâce à eux qu'elle gagnait bien sa vie. Après avoir vu ses parents travailler sans relâche durant des années et ne jamais avoir d'argent de côté, c'était bon de savoir qu'elle avait abandonné cette tradition familiale.

Elle prit une profonde inspiration.

— Tu vas devoir me trouver quelqu'un ou appeler un service d'escorte. Je n'ai personne à inviter.

— Hors de question. Ça se saura si j'essaie d'arranger quelque chose. Je vois déjà les titres dans les journaux. « *La Marieuse de Manhattan n'arrive pas à se trouver un cavalier elle-même* », dit-elle avec un grand geste des mains.

— Hé, ce n'est pas juste. Tu sais que je fais volontairement une pause avec les hommes.

— Et ma grand-mère dirait que quand on tombe de cheval, on doit remonter tout de suite en selle.

— Oui, eh bien, ma selle est cassée. Je n'ai pas eu de vrai rendez-vous galant depuis que James a rompu avec moi.

— Et Tour de Londres ? Tu as bien eu un rendez-vous avec lui.

Ashley sentit sa poitrine se serrer.

— Ce n'était pas un rendez-vous. C'était un désastre.

— Il t'a invitée à dîner. Ça compte comme un rendez-vous galant.

Grace se pencha sur son siège, l'air un peu trop enthousiaste.

— Réfléchis. Si tu le convaincs de venir à la fête, ce sera bien plus difficile pour lui de se plaindre de tes travaux.

— Et quid de « La familiarité engendre le mépris » ?

— Tu te cherches des excuses. Quel est son vrai nom, déjà ? Marcus…

Grace se mit à taper sur son ordinateur.

— « Chambers », marmonna Ashley. Je ne vois pas comment ça pourrait fonctionner. Marcus me dira non, et ensuite ce sera un supplice de le croiser dans le couloir.

— Le voilà, dit Grace, parcourant l'écran du regard. Chambers Gin… Famille britannique renommée… Divorcé.

Elle leva les yeux.

— Divorcé ?

— Oui, je te l'ai dit, tu te souviens ? Il a un bébé, Lila. Je ne sais pas grand-chose en dehors du fait que sa femme venait d'une famille fortunée, elle aussi. J'ignore ce qui s'est passé entre eux deux, mais elle est partie six semaines après la naissance de leur fille. Tout est en ligne si on prend le temps de lire.

— Je suppose que tu as tout lu.

— À peu près, oui. Que veux-tu, j'étais curieuse. Quand un apollon vit sur le même palier que toi, tu fais des recherches sur lui.

— Sa femme les a abandonnés, le bébé et lui, six semaines après la naissance ? Quelle que soit la cause de leur rupture, ça a dû être terrible.

— Ou alors, ça couvait depuis longtemps. Le motif du divorce était une « rupture irrémédiable ». J'imagine que c'est l'équivalent britannique de nos « différends irréconciliables ».

— Peut-être, mais quel genre de mère abandonne son enfant ?

— Je sais. C'est horrible.

Grace reporta son regard sur l'écran.

— Marchés financiers… université de Cambridge…

— Tu veux bien laisser tomber ? Il n'acceptera jamais d'être mon cavalier, de toute façon.

— Chut, je lis. Équipe d'aviron… Oh. Mon Dieu.

Grace plaqua la main contre sa bouche, les yeux écarquillés. *Elle l'a trouvée*, se dit Ashley.

— Il est dans un calendrier. Celui des plus beaux partis d'Angleterre.

— Ah, oui, ça. C'est drôle, non ? Monsieur Novembre. Je me moquerais de lui tous les jours si je ne devais pas éviter de l'énerver.

— Donc, tu as vu les photos ?

Ashley haussa les épaules, faisant mine d'écrire quelque chose sur son bloc.

— Ce n'est pas comme si j'avais acheté un exemplaire de ce calendrier.

Impossible, il était épuisé.

— Et tu ne m'en as même pas parlé !? Je crois qu'on vient de décrocher le jackpot. C'est parfait. Tu invites le

Britannique sexy qui fabrique du gin, et je peux rédiger le communiqué de presse le plus épatant du monde. Ce pourrait être le sommet de ma carrière.

— Oh ! je t'en prie ! C'est un calendrier destiné à collecter de l'argent pour un hôpital d'enfants. Ils le font chaque année. Je doute que ça nous soit très utile.

— Cette photo de lui torse nu ? Je peux te garantir que d'autres gens vont s'y intéresser. Beaucoup de gens.

Grace se leva, posa son ordinateur sur le bureau et le tourna vers elle. Ashley se retrouva face à l'un des célibataires les plus séduisants d'Angleterre.

— Tu m'avais dit qu'il était beau, mais pas à ce point-là. Regarde ces abdominaux. Et ces épaules !

Ashley secoua la tête, souhaitant pouvoir effacer l'image de Marcus torse nu de son esprit. Mais elle y était gravée, et depuis un bon moment.

*L'air n'est-il pas étouffant, tout d'un coup ?*

— Tu en fais toute une histoire. Cette photo est sans doute retouchée à l'extrême.

Mais Ashley ne pouvait détacher son regard du cliché. Un Marcus souriant au bord de la Tamise, torse nu et en sueur après une course d'aviron.

— Il a peut-être *l'air* sexy, mais ce n'est qu'une image. Il est vraiment insupportable quand il le veut.

— Je pourrais supporter beaucoup de choses venant d'un homme si bien bâti.

Grace retourna s'asseoir, reprenant heureusement son ordinateur avec elle.

— La chaîne va être sur un petit nuage quand je leur dirai que tu amènes l'un des plus beaux partis d'Angleterre à la soirée.

— Mais je ne lui ai encore rien demandé. Je te l'ai dit, il me déteste.

Grace ne releva pas, et reporta son attention sur son ordinateur.

— Il lance une nouvelle marque de gin aux États-

Unis, produite par la distillerie de sa famille. Cela coûte de l'argent. Nous pourrions l'aider à faire sa promotion. Tous les entrepreneurs aiment la publicité gratuite.

Mais Ashley devrait en payer le prix. Celui de sa fierté. Oui, la marieuse n'avait pas trouvé sa moitié. Quand James lui avait brisé le cœur, elle avait choisi de suspendre temporairement sa quête de l'âme sœur. Pour autant, elle avait toujours l'espoir de trouver l'homme parfait. Et voilà qu'elle devait soudoyer un homme loin de l'être, juste pour contenter la chaîne et sauver la face !

— Allez, vas-y ! Appelle-le. J'attendrai que tu l'aies fait avant de rédiger le communiqué de presse.

La dernière fois qu'Ashley avait invité un garçon, c'était au lycée, et cela s'était mal passé. Soudain, elle avait les mains moites. Elle n'avait pas peur de Marcus. Mais elle avait peur qu'il dise non.


— Je n'ai pas besoin de t'expliquer la gravité de la situation.

La voix de son père était inhabituellement froide. La communication depuis l'Angleterre était peut-être mauvaise, espérait Marcus. Il ne pouvait supporter l'idée que son père, d'ordinaire si joyeux, soit si triste.

— Si tes efforts ne portent pas leurs fruits, les conséquences seront immenses. Il ne s'agit pas seulement du manque à gagner. Mais aussi de l'argent que nous avons investi. Il faut que cela fonctionne.

*Oui, en effet.* Marcus regarda sa sœur, de l'autre côté de la table de réunion. Joanna était la directrice du marketing de Chambers Gin. L'inquiétude se lisait si clairement sur son visage que Marcus sentit son cœur se serrer.

— Nous allons franchir une étape, assura-t-il. Quand nous aurons donné cette soirée d'inauguration à la nouvelle distillerie, nous remonterons la pente.

— Je ne voudrais pas que tu penses que je doute de

toi, Marcus, continua son père. Je te fais confiance. Mais les revenus de toute la famille sont en jeu. Je ne veux pas que nous allions trop loin et que nous nous retrouvions sans rien. Ce n'est pas l'héritage que j'espérais laisser, et ce n'est certainement pas l'avenir que je souhaite pour mes enfants ou mes petits-enfants.

— Je vais réussir, papa. Je ne veux pas que tu t'inquiètes.

*Laisse-moi m'inquiéter pour deux.*

Un silence lourd de sens emplit la pièce.

— D'accord, mon fils. Je te fais confiance, je te le répète. Je dois vous laisser, mais je vous rappelle Jo et toi vendredi, d'accord ?

— Oui. À vendredi, alors.

— Au revoir, papa, dit Joanna.

Elle raccrocha le téléphone.

— Il est si inquiet, dit-elle. Il ne l'a jamais été à ce point.

Marcus posa son stylo sur la trop mince pile de commandes de gin américain : le Chambers n° 9.

— Nous ne pouvons pas lui en vouloir. Nous sommes très loin d'atteindre nos prévisions.

Marcus se passa la main dans les cheveux et regarda par la vitre New York qui s'étendait devant lui. Dire qu'il avait été tellement sûr de séduire les consommateurs de ce pays ! Mais il était loin d'avoir réussi. Il possédait les compétences nécessaires pour relancer l'entreprise familiale et, s'il le fallait, il piocherait dans ses propres deniers, mais ses ressources avaient leurs limites. Cela signifiait que le temps leur était compté. Le Chambers n° 9 avait besoin d'un gros coup de pouce, le plus vite possible.

Quand le père qu'il adorait avait ravalé sa fierté et avoué qu'il avait besoin d'aide pour sauver Chambers Gin, Marcus n'avait pas hésité. Laissant derrière lui un métier très lucratif de négociant en valeurs mobilières, il avait accepté ce nouveau défi, sans se poser de questions. Il avait seulement demandé à son père de lui faire confiance sur un point : ils devaient se développer sur le marché américain et lancer un nouveau gin artisanal, le Chambers n° 9. Les cocktails représentaient un gros marché, et il y avait une place à prendre pour les spiritueux soigneusement élaborés. Leur audace finirait par payer.

— Le démarrage est un peu lent, voilà tout, dit-il.

Ils s'en sortiraient. Et il ne décevrait personne, songea Marcus.

— Le nombre de points de vente croît de jour en jour, ajouta-t-il. Simplement, cela prendra plus de temps que nous ne l'avions espéré. Les gens ne changent pas leurs habitudes en un soir.

— Si, s'ils ont une raison de le faire. Après une vidéo virale ou le soutien d'une vedette. Quelque chose qui pourrait faire exploser notre marque.

— Notre plan médiatique est solide et très agressif. Nous venons d'avoir la confirmation que *Spiritueux International* veut m'interviewer et nous mettre en couverture. C'est énorme.

Joanna ferma les yeux et fit mine de ronfler.

— Je suis désolée. Tu disais quelque chose ? *Spiritueux International* me paraît si barbant que je me suis endormie.

— C'est un grand coup, protesta-t-il. Le magazine est un acteur important de notre industrie. Oscar Pruitt est un journaliste très influent, et papa le courtise depuis des années.

— Mais ça ne fera pas de miracles. Nous devons trouver quelque chose qui enthousiasme les gens. Quelque chose d'inattendu. De sexy.

Marcus s'adossa à sa chaise. Des vidéos virales ou des célébrités, ce n'était pas du tout ce qu'il avait imaginé pour le Chambers n° 9, mais du sexy et de l'inattendu, pourquoi pas ?

— Tu as raison. Faisons un brainstorming avec l'équipe marketing demain. Nous devons peut-être nous montrer un peu plus créatifs.

Un bip de son téléphone l'avertit qu'il avait reçu un message. Il était d'Ashley.

Occupé ? Je dois vous demander quelque chose.

Il tapa une réponse.

Laquelle ?

Ce qui lui faisait peur, c'était qu'Ashley lui réserve une mauvaise surprise, comme lui demander si les ouvriers pouvaient faire marcher les scies sauteuses dès 5 heures du matin demain.

Une invitation. Puis-je vous téléphoner ?

— À qui écris-tu ? demanda Joanna.

À vingt-huit ans, sa sœur avait peut-être trois ans de moins que lui, mais elle pouvait être une vraie mère poule. Une tendance qui s'était renforcée depuis qu'il avait divorcé.

— Ma voisine. Mlle George. Quelque chose à propos d'une invitation.

— Une invitation ? D'Ashley George ? Vous vous êtes réconciliés ? Dans tous les cas, tu devrais dire oui.

Joanna semblait bien trop optimiste. Et trop insistante. Elle n'avait jamais caché son espoir de voir son frère retrouver l'amour. Et elle avait été ravie qu'il invite Ashley à dîner. Après tout, c'était une femme splendide, célèbre, et avantage non négligeable, elle vivait juste à côté de chez lui.

Mais Ashley n'était pas la femme qu'il lui fallait. Il avait pu le constater lors de leur rendez-vous. Leur conversation n'avait été qu'une suite de signaux d'alarme. Quand elle avait expliqué que son ex et elle avaient rompu car elle n'était pas prête à avoir des enfants, Marcus avait décidé d'arrêter les frais. Il avait demandé l'addition et s'était contenté de lui serrer la main à la fin de la soirée. Il n'avait pas de temps à perdre avec une femme qui ne partageait pas sa vision de la vie à deux. Lila et lui étaient un tout. C'était ainsi.

Sa fille serait bientôt assez grande pour comprendre que sa maman n'était pas là. Sa propre mère était l'une des personnes les plus importantes de sa vie, aussi ne voulait-il pas laisser Lila grandir sans figure maternelle. Si cela arrivait, ce serait pire que de voir Chambers Gin faire faillite.

— Pas de réconciliation entre Mlle George et moi. Nous faisons de notre mieux pour nous tolérer.

Il regarda son téléphone. Comme il méprisait les SMS ! Composant le numéro d'Ashley, il fit signe à Joanna de sortir, mais elle secoua la tête : visiblement, elle comptait bien rester.

— Y a-t-il un problème, mademoiselle George ? demanda-t-il quand Ashley eut décroché.

— Non. Et, je vous en prie, appelez-moi Ashley.

Il se cala dans son siège, évitant le regard de sa sœur.

— Que puis-je faire pour vous ?

Jo sortit un bloc de papier et écrivit rageusement quelques mots. Elle le fit glisser vers lui. « Sois courtois ! », lut-il.

— J'appelle pour vous faire une proposition commerciale.

Il s'était attendu à de mauvaises nouvelles concernant les travaux. Jamais il n'aurait imaginé qu'elle voudrait parler affaires.

— Je vous écoute.

— Avant, vous devez me promettre que vous ne direz mot de tout cela à personne.

À présent, elle avait vraiment piqué sa curiosité.

— Je n'aime pas faire des promesses que je ne suis pas certain de pouvoir tenir.

Il l'entendit soupirer.

— Vous prenez plaisir à me compliquer la tâche, n'est-ce pas ? Quoi qu'il en soit, je crois savoir que vous développez Chambers Gin aux États-Unis. La chaîne pour laquelle je travaille organise une grande fête pour le premier épisode de ma nouvelle saison. Ils aimeraient vous proposer d'être l'un des sponsors. Ce sera gratuit pour votre entreprise, en dehors des bouteilles que vous devrez fournir pour les invités. Votre marque s'affichera partout. La liste d'invités est pleine de célébrités, et ils boiront tous votre gin. Les publicitaires de la chaîne peuvent faire des miracles.

— Pourquoi feraient-ils ça pour moi ? Et pourquoi cela devrait-il être un secret ?

— J'y viens. J'ai besoin que vous veniez à cette fête. Avec moi. En tant que mon cavalier.

Pendant un instant, Marcus crut avoir mal entendu.

— Je ne fréquente que des femmes avec lesquelles je peux avoir une relation sérieuse. À cause de Lila.

— C'est parfait, parce que je ne cherche rien de tel en ce moment. Tout ce que je vous demande, c'est de m'accompagner à la soirée et de faire comme si je vous plaisais. La chaîne veut me voir au bras d'un bel homme, je n'ai personne, et vous êtes littéralement le dernier homme avec lequel j'ai eu un rendez-vous galant.

Il eut envie d'ironiser en disant qu'il était sa seule option, mais la situation lui paraissait plutôt triste, en fait.

— Je ne suis pas certain que *La Marieuse de Manhattan* et Chambers Gin aillent bien ensemble. Je ne vois pas la corrélation entre les deux marques.

— Vous voulez plaire aux jeunes clients branchés ? Mes téléspectateurs sont jeunes et branchés.

— Et Mme White ?

— Elle est bien plus branchée que vous.

— Ça se discute.

Il irritait Ashley, et il devait admettre qu'il y prenait un certain plaisir. Rien de tel qu'une bonne joute verbale avec une jolie femme pour se sentir vivant.

— Alors ? Vous acceptez ? Pensez à ce que tout cela apporterait à vos affaires.

Elle avait peut-être raison sur ce point. Joanna et lui venaient précisément d'aborder ce sujet. Et, à en juger par l'expression de sa sœur, celle-ci serait furieuse s'il refusait cette offre.

— D'accord. J'accepte.

— C'est vrai ?

— Oui. Ne me dites pas que vous m'en voulez d'avoir dit oui ?

— Non. Je suis surprise, simplement. Vous êtes rarement d'accord avec moi.

*Parce que, ainsi, il est plus facile de me convaincre que je ne suis pas si fichtrement attiré par vous.*

— Je ne vais pas mentir, Chambers Gin aurait bien besoin de ce coup de pouce. Le marché américain est difficile à conquérir.

— Alors c'est entendu. Jeudi soir, 20 heures. Une voiture viendra nous chercher à 19 h 30.

— Je passerai vous prendre à 19 h 15.

— On peut se retrouver devant l'ascenseur, vous savez.

— Ashley, je suis un gentleman. Un gentleman passe toujours prendre une femme pour un rendez-vous.

# - 3 -

Ashley avait du mal à se reconnaître dans le miroir. Debout sur un piédestal, elle se tournait d'un côté à l'autre, admirant les lignes sublimes de la robe créée pour elle par Peter Richie. *Créée pour elle*. Depuis que l'aventure *La Marieuse de Manhattan* avait commencé, elle s'était souvent demandé si elle n'était pas en train de rêver. Comme en cet instant.

Peter secouait lentement la tête, comme s'il n'en croyait pas ses yeux.

— Absolument étourdissant.

Posant les mains sur sa taille, il l'étudia tandis qu'une couturière, la bouche pleine d'épingles, était agenouillée à ses pieds et ajustait l'ourlet de la robe.

Ashley réprima l'envie innée de détourner l'attention de sa personne.

— La robe est splendide, en effet. Je vous remercie infiniment. Je ne saurais vous dire à quel point je vous suis reconnaissante.

Elle baissa les yeux et surprit la couturière à lever les yeux au ciel. Avait-elle dit quelque chose de stupide ? Était-ce mal d'être reconnaissante ? Qu'était-elle censée dire dans cette situation, à part « merci » ? Sa mère lui avait toujours répété : « Personne ne te reprochera jamais d'avoir de bonnes manières. »

Peter eut un rire sonore.

— Non, trésor. Pas la robe. Vous. C'est *vous* qui êtes

magnifique. Tout le monde vous dévorera des yeux à cette soirée.

La gorge nouée, Ashley déglutit, ou du moins tenta de le faire. L'idée d'attirer tous les regards décuplait sa nervosité. Ce type d'événements était une épreuve pour elle. Tout le monde se battait pour lui parler. Il y avait beaucoup de compliments et de louanges, mais peu de vrais échanges. Un jour, le monde se lasserait de la Marieuse de Manhattan. Les goûts changeaient, les modes passaient. Ashley ne voulait pas devenir une ancienne gloire, mais ce serait le cas un jour. À certains égards, ce serait un grand soulagement, mais cela signifierait aussi que sa fabuleuse aventure était terminée.

Les gens supposaient que, puisqu'elle passait à la télévision, elle aimait être sous le feu des projecteurs. Il n'en était rien. Sa confiance en son travail et ses compétences étaient inébranlables, mais la notoriété lui causait des problèmes. Elle ne voulait pas voir son visage affiché sur les bus. Elle voulait former des couples. Elle voulait que les gens croient en l'amour vrai. Dans un monde où il y avait tant de mauvaises choses, elle voulait que les gens se souviennent qu'il y avait aussi des événements heureux.

— Je ne manquerai pas de dire à tout le monde que c'est vous qui avez créé cette robe exceptionnelle, dit-elle.

— Continuez de parler comme ça, et je vous ferai des robes de soirée éternellement.

Il lui fit un clin d'œil puis l'aida à descendre du piédestal.

— C'est fini, ma belle. Les couturières auront terminé la robe ce soir. Nous la ferons porter à votre appartement.

— Envoyez-la plutôt à mon bureau, s'il vous plaît. Je suis en pleins travaux chez moi, et c'est une vraie pagaille.

Ashley quitta le studio de Peter Richie, situé dans Garment District, et choisit de marcher le long de la Huitième Avenue jusqu'à son immeuble, situé dans l'Upper West Side. Elle ne pourrait sans doute pas faire tout le chemin à pied avec ses escarpins, mais elle essaierait. Cette journée printanière était trop belle pour ne pas profiter de la splendeur de la ville. Munie d'immenses lunettes de soleil et d'un chapeau pour éviter d'être repérée, elle se mit en route.

En cette fin d'après-midi, le soleil filtrait entre les bâtiments. L'air de la fin d'avril était si chaud qu'elle retira son cardigan. La Caroline du Sud serait toujours son chez-elle, mais elle ne se voyait plus vivre ailleurs qu'à New York. Cette ville était si divertissante, si belle ! Bien sûr, on pouvait s'y sentir très seul, mais elle prenait à cœur de changer cela. On pouvait trouver l'amour dans « la ville qui ne dort jamais ». Et elle était là pour donner un coup de pouce au destin.

Au bout de quelques rues, ses pieds crièrent grâce, aussi héla-t-elle un taxi. Bientôt, elle se retrouva coincée dans la circulation des heures de pointe et saisit l'occasion de téléphoner à sa mère.

— Bonjour, mon chou.

Aussi agréable que le soleil qui l'avait accompagnée pendant sa promenade, l'accent du sud de Vivian George suffit à dissiper ses dernières tensions.

— Bonjour, maman, dit-elle d'une voix émue.

Si elle fermait les yeux, elle pourrait sentir les arômes de la cuisine de sa mère. Elle avait grandi dans une maison où l'argent manquait, mais où l'amour avait semblé combler tous les besoins.

— Tu seras heureuse d'apprendre que nous recevrons près de trente personnes pour regarder le premier épisode de ta nouvelle saison. J'aimerais que tu sois avec nous, chérie, mais je sais que tu es occupée.

Sa dernière visite à sa famille remontait à deux mois, et elle n'avait pu rester que quelques jours. Son travail étant très prenant, il lui était difficile de se libérer. Mais cela ne l'empêchait pas de se sentir coupable.

— J'ai besoin de revenir à la maison. Et je reviendrai. Ou peut-être que toi et papa viendrez me voir. Je peux vous réserver des billets de première classe, et vous pourrez dormir dans ma chambre d'amis. L'appartement sera splendide quand les travaux seront finis. Je veux vraiment que vous le voyiez tous les deux.

— Je sais, ma chérie. Cela dépendra de l'état de ton père. Un tel voyage serait très éprouvant pour lui.

— Je pourrais engager une infirmière pour voyager avec vous. Vous n'auriez rien à faire. Je t'assure que ce ne serait pas un problème.

— C'est très généreux de ta part. Mais je ne peux rien te promettre, Ashley. Il a même du mal à aller jusqu'à l'épicerie. New York, c'est un long voyage. Nous en reparlerons.

Par la vitre du taxi, Ashley vit qu'elle était presque arrivée.

— J'aimerais vraiment que vous voyiez mon appartement.

Elle savait bien que ses parents mesuraient son succès. Cependant, elle voulait qu'ils en voient la manifestation concrète. Elle tenait à leur montrer qu'elle avait réussi, pour elle-même et pour sa famille.

Le rocking-chair ancien qu'il avait installé dans la chambre de Lila était parfait pour un « sommet » père-fille.

— Écoute, Lila, papa a un rendez-vous ce soir, mais sache que tu seras toujours la femme la plus importante de ma vie.

Lila le regarda d'un air interrogateur.

— Hé.

Elle posa la main sur sa joue et sourit, frottant ses petits doigts contre sa barbe naissante.

Il rit. « Hé » était son nouveau mot, et elle adorait s'en servir.

— Hé, ma belle.

— Hé, répondit Lila.

Joanna, venue jouer les baby-sitters, les écoutait, appuyée contre le cadre de la porte.

— Tu veux que je la prenne ? proposa-t-elle. Tu ne devrais pas porter un bébé alors que tu es en smoking. Tu cherches les ennuis, elle va baver sur toi.

*Chercher les ennuis.* Une description appropriée de la situation.

— Je l'embrasse une dernière fois avant d'aller à cette maudite soirée.

Évidemment, un peu de bave s'échappa de la bouche de Lila et tomba sur sa veste noire.

— Tu vois ? dit Joanna, prenant une lingette sur la table à langer.

228

Elle s'agenouilla près d'eux et essuya la bouche de Lila ainsi que son costume.

— Papa a besoin que tes petites quenottes sortent pour qu'il puisse dormir un peu et se changer moins souvent, dit-elle.

Marcus haussa les épaules.

— Ça ne m'ennuie pas du tout. Ça veut dire que c'est encore un bébé. Je ne suis pas pressé qu'elle grandisse.

Non, vraiment pas. Il vivrait volontiers des millions de moments comme celui-ci. S'il le pouvait, il figerait le temps et se mettrait en quête de la seule femme sur terre capable d'endosser le rôle d'épouse et de mère de Lila.

— Je suis très contente que tu sortes ce soir, Marcus. Et j'espère que tu l'es aussi.

— Je suis content pour notre entreprise. Ce n'est rien d'autre qu'un accord professionnel, tu le sais. J'espère qu'il portera ses fruits. Tu voulais quelque chose qui sorte de l'ordinaire, eh bien, tu l'as !

— Il me semble avoir dit que je voulais quelque chose de sexy et d'inattendu. Ça pourrait être cela aussi.

Il avait pensé à cette éventualité. Mais il n'y était pas préparé.

Joanna se releva et prit Lila dans ses bras.

— Maintenant, va chercher ta cavalière, sinon je te mets dehors à coups de pied. Reste aussi longtemps que tu en as envie. Je ne veux pas te voir rentrer avant minuit.

— Pourquoi ?

— Parce que cela voudrait dire que tu ne t'es pas amusé, et Dieu sait que tu as bien besoin de te distraire, Marcus. De te détendre et de profiter un peu de la vie, pour une fois.

Il déposa un dernier baiser sur la joue de Lila.

— Bonne nuit, trésor. Dis à tatie Jo que je serai rentré avant minuit.

Il sortit de l'appartement et se dirigea vers la porte d'Ashley, et ne fut pas surpris qu'elle ne réponde pas tout de suite. Des notes sourdes de musique pop provenaient de son appartement — un autre point sur lequel ils étaient diamétralement opposés. Il préférait la soul des années 1960.

Il tira sur les manches de sa chemise et redressa son col, qui l'étouffait un peu. Que portait une présentatrice de téléréalité pour une fête donnée en son honneur ? Sans doute une monstruosité ostentatoire — il pariait sur du rose — recouverte de sequins. Dieu lui vienne en aide ! Il lui faudrait plusieurs verres ce soir. Heureusement, il y aurait de nombreuses bouteilles de Chambers n° 9 à disposition.

Il frappa de nouveau à la porte. La musique s'arrêta.

Quelques secondes plus tard, la porte s'ouvrit à la volée.

— Ne me le dites pas, lança Ashley de but en blanc.

Elle avait les joues rouges, et son regard était aussi vif que d'habitude.

— Je suis en retard, je sais.

Marcus ne parla pas. Ne cligna pas des yeux. Ashley était coiffée et maquillée. Mais son corps était paré… d'un épais drap de bain blanc.

— Il me faut une minute pour m'habiller. La coiffeuse et la maquilleuse viennent de partir, et mon téléphone n'arrête pas de sonner.

D'un geste de la main, elle l'invita à entrer.

Marcus ferma la porte derrière lui, les yeux aussi secs qu'un parchemin. Car il n'avait toujours pas cligné des yeux. Et ce n'était pas parce que Ashley était en retard à sa propre soirée. C'était à cause de cette fichue serviette. Cela faisait bien longtemps qu'il n'avait pas été près d'une belle femme à moitié nue. Et ce n'était pas n'importe quelle femme. C'était la femme qu'il avait essayé, à toute force, de tenir à distance. Elle laissa un parfum de pluie d'été et de vanille dans son sillage. La douce fragrance lui enjoignait de la suivre.

Il s'éclaircit la voix.

— Pas de problème, dit-il, mais elle avait déjà disparu dans sa chambre.

Pour reprendre ses esprits, il jeta un regard circulaire dans l'appartement. Celui-ci présentait la même disposition que le sien, mais il était en désordre. Des draps recouvraient les meubles, et des matériaux occupaient chaque espace libre. Un patchwork de papiers de couleur jonchait le sol, et un immense lustre emballé dans du plastique était suspendu au-dessus de la table de la salle à manger. Comment Ashley pouvait-elle vivre dans une telle pagaille ? Lui n'aurait pas tenu cinq minutes. La pièce sentait la peinture fraîche, mais le parfum d'Ashley le taquinait toujours. Le tentait. Lui rappelait que la femme qu'il *désirait* et la femme qu'il *lui fallait* étaient deux personnes totalement différentes.

— Je vous avais dit que ça ne prendrait qu'une minute, entendit-il Ashley dire derrière lui.

Il se retourna, sans se douter de ce qui l'attendait. Sa tenue n'était pas une monstruosité rose. Oh ! non, cela lui aurait rendu les choses trop faciles ! Ashley portait une splendide robe gris argent, d'un goût impeccable. Des bretelles de soie délicates ornaient ses épaules. Le décolleté était sublime, juste assez plongeant à son goût… Au point de provoquer une réaction malvenue dans son aine. Ses cheveux blond doré étaient coiffés en une élégante torsade sur le côté. Quand elle avança vers lui, il eut l'impression qu'elle flottait.

Ashley était la grâce incarnée, hélas. Tout comme l'autre soir, quand elle avait saisi son bras, il tenta de comprendre pourquoi sa libido et sa raison n'avaient pas du tout la même opinion sur elle.

— Quoi ? demanda-t-elle en pivotant sur elle-même pour regarder sa robe.

De nouveau, son parfum enivrant taquina ses sens.

— C'est trop ? demanda-t-elle. Trop élégant ?

*C'est parfait. Vous êtes parfaite.* Pourtant, elle était

loin d'être la femme idéale pour lui. Il devait oublier les sentiments qu'elle provoquait en lui à cet instant, et se souvenir de ce qu'elle lui inspirait chaque fois qu'elle faisait ou disait quelque chose qui semblait hurler : « je ne suis pas celle qu'il vous faut ». Il secoua la tête, l'esprit embrumé.

— Non. Vous êtes très bien.

Elle haussa les sourcils, et ses yeux noisette brillants parurent encore plus grands.

— Au moins, je ne risque pas d'être étouffée par vos compliments.

Pourquoi son esprit ne cessait-il d'imaginer un baiser ardent pour conclure cet échange de bons procédés ? Il fallait qu'il se reprenne.

— Rappelez-vous, ce soir, nous faisons des affaires. Prête ?

— Oui.

Une limousine les attendait dans le parking souterrain car, comme le lui expliqua Ashley, des fans avaient été repérés devant l'immeuble. Marcus ajouta cela à la liste des raisons pour lesquelles Ashley était tout à fait contre-indiquée pour lui — l'intrusion de son public. Il n'aimait pas l'idée de faire le compte des points négatifs d'Ashley mais, la plupart du temps, cette liste l'aidait à ignorer son attirance pour elle.

Ashley s'agita sur son siège, ouvrant et refermant son miroir de poche pour vérifier son maquillage.

— Tout va bien ? demanda-t-il.

— Oui, bien sûr. Je suis seulement un peu nerveuse.

Lui aussi. Il prit une grande inspiration. Ce soir, il s'agissait de sauver l'entreprise familiale. Rien d'autre. Demain, Ashley et lui retourneraient à leurs querelles habituelles. Un domaine où il se sentait bien plus à l'aise.

— Nous devrions sans doute accorder nos violons, suggéra-t-elle. Les gens voudront savoir comment nous

nous sommes rencontrés. Et à quel point c'est sérieux entre nous.

Inventer une histoire lui semblait malvenu. Mais Ashley était habituée à cela. Son travail était d'orchestrer l'amour ou, du moins, l'apparence de l'amour.

— Si nous faisions simple, et que nous restions proches de la vérité ? Nous nous sommes rencontrés parce que nous sommes voisins, et nous avançons au jour le jour. C'est suffisant, non ?

— Et si les gens nous questionnent sur notre premier rendez-vous ? Si nous sommes sincères là-dessus, tout le monde saura que nous ne sommes pas un vrai couple.

Marcus s'éclaircit la voix.

— Ça les regarde ?

— Les journalistes diront que oui. Ils nous embrocheront si nous ne leur donnons pas quelque chose.

Elle s'adossa à la banquette, ouvrant et refermant nerveusement sa pochette argentée.

— Nous dirons aux gens que nous sommes allés dîner ensemble et que l'alchimie a été immédiate. Nous éviterons de préciser que vous m'avez serré la main à la fin de la soirée et que, le lendemain, vous avez lancé la guerre des Roses.

Eh bien, Ashley n'avait pas peur de mettre les pieds dans le plat !

— J'ai agi en gentleman ce soir-là. Je ne voulais pas vous mener en bateau.

— Mais vous ne m'avez pas laissé m'expliquer. J'avais bu un peu trop de vin, et j'étais nerveuse. Je dis des choses stupides quand je suis nerveuse.

Des éclairs de lumière filtrèrent par les vitres de la limousine sombre quand ils approchèrent du trottoir, interrompant heureusement cette conversation gênante. À l'extérieur, les photographes les bombardaient avec leurs appareils.

— Faites comme moi, conseilla-t-elle. Je me suis

entraînée à leur donner exactement ce qu'ils veulent. C'est assez indolore, je vous assure.

Elle lui tapota le genou.

— Et s'il vous plaît, détendez-vous. Je sais que vous pouvez être délicieux, je vous ai vu à l'œuvre. C'est le Marcus charmant dont j'ai besoin à cette fête, pas le Marcus rabat-joie habituel.

Pourquoi continuait-elle à utiliser ce terme ? songea-t-il, agacé. Elle n'avait aucune idée de ce qu'il avait traversé, des épreuves qui l'obligeaient à être sérieux. Il n'allait pas se lancer dans une explication maintenant.

— Je sais comment me comporter dans une soirée, rassurez-vous, dit-il.

— Bien. Voyons comment vous vous en sortez.

Le chauffeur ouvrit la portière. Aussitôt, une vague d'enthousiasme émana de la foule, les fans et les photographes criant le nom d'Ashley. Elle posa le pied sur le tapis rouge et se tourna vers lui, prenant sa main et lui offrant un sourire enchanteur. Il fut subjugué par son expression, qui semblait sincère et chaleureuse. Le fait de sentir sa peau sous ses doigts rendait ce moment encore plus irréel. Puisqu'ils étaient en public, il n'eut pas d'autre choix que de sourire, et de suivre Ashley dans la fosse aux lions.

Plus les flashs crépitaient autour d'eux, plus Ashley serrait sa main et l'attirait vers elle. Elle semblait rechercher une épaule protectrice. Marcus avait envie de la satisfaire, mais il savait qu'il ne devait pas suivre son impulsion.

Elle afficha un grand sourire tandis que les photographes prenaient leurs photos, charmant la foule comme si elle était née pour ça. « Un peu nerveuse », *mon œil !* Comme tout le monde, il était captivé par la Marieuse de Manhattan, mais il n'y pouvait rien. Il était ici pour jouer le rôle du beau garçon épris de sa cavalière. Ce qui signifiait admirer Ashley, afin que les photographes puissent prendre leurs clichés. Et tant pis si, à chaque seconde, il était un peu plus sous le charme de la jeune femme. Il reprendrait ses esprits plus tard, même s'il savait que cela lui demanderait de gros efforts.

Un photographe demanda à voir le dos de la robe d'Ashley. Elle lâcha sa main un instant et se retourna, lui envoyant un regard sensuel qui faillit le mettre K-O sur le tapis rouge. Il était déjà dépassé, et ce n'était pas bon signe. Durant des heures, il devrait faire semblant d'être un cavalier charmant et énamouré. Il lui fallait un mantra, qu'il pourrait répéter jusqu'à cela devienne instinctif.

*Ne tombe pas amoureux d'elle, Marcus. Ne tombe pas amoureux d'elle.*

# - 5 -

Ashley s'était promis d'entrer dans cette salle de bal luxueuse en étant détendue et souriante. Comme si elle était chez elle. Après tout, c'était *sa* soirée.

Ce qui était précisément le problème. Une fois devant tous ces gens, elle sut à quel point ses résolutions étaient vaines. En public, elle finissait toujours par dire la mauvaise chose ou par se crisper lorsque quelqu'un lui posait trop de questions personnelles. Elle n'était pas faite pour affronter des centaines de personnes en même temps. Un dîner en tête à tête, sans médias, lui aurait beaucoup mieux convenu.

La foule se rapprocha en les apercevant, Marcus et elle. Des personnes enthousiastes qui avançaient pour prendre une photo, la saluer, la toucher ou l'interroger. Les questions concernant Marcus fusèrent très vite.

— Parlez-nous de votre cavalier.

— Où avez-vous trouvé ce bel Anglais ?

— Comment avez-vous fait pour garder le secret sur votre relation ?

— Vous allez si bien ensemble ! La Marieuse de Manhattan aurait-elle trouvé sa moitié ?

Ashley sentit son pouls s'accélérer. Si elle avait déjà envie de fuir, la soirée allait être très longue. Elle passa la salle en revue en quête de Grace, mais ne là vit nulle part. Elle n'eut d'autre choix que de sourire poliment et de hocher la tête quand quelqu'un la félicitait, et de rire nerveusement aux mauvaises plaisanteries. La musique pulsait bruyamment, et le brouhaha des voix était presque insupportable.

La pression de la foule était telle que Marcus et elle étaient collés l'un contre l'autre. Marcus se débrouillait très bien, constata-t-elle. Il était assez précis dans ses réponses, et savait esquiver les questions pièges quand c'était nécessaire. Lorsque l'assaut verbal devint trop pénible, il posa son regard émeraude sur elle. Un regard réconfortant, de la part d'un homme qui la détestait tant.

Elle se mit sur la pointe des pieds et agrippa ses épaules pour lui chuchoter à l'oreille :

— J'ai soif. Pouvons-nous aller prendre un verre ?

— Bonne idée. Cela nous fera du bien à tous les deux.

Elle serra sa main en guise de réponse. Il ne tressaillit pas, comme s'il pouvait supporter la pression de ses doigts indéfiniment. Elle aimait cette sensation. C'était comme si elle pouvait mettre Marcus à l'épreuve, en sachant qu'il n'échouerait jamais. Il était précisément ce dont elle avait besoin à cet instant. Un roc, au charme tout britannique.

Il leur fraya un chemin dans la foule. Elle évita tous ceux à qui elle ne voulait pas vraiment parler, haussant les épaules et désignant Marcus en disant : « il veut un verre ». Jusqu'ici, il était le cavalier parfait. Bien sûr, c'était un faux cavalier. Pas un cavalier qui aimerait l'emmener n'importe où ailleurs qu'à une déplaisante réunion du comité de résidents. Ni un homme qui voudrait finir un rendez-vous galant par autre chose qu'une poignée de main froide et détachée.

Pour l'heure, elle ferait comme s'il avait vraiment envie d'être avec elle, et qu'elle n'avait pas été assez stupide pour parler comme elle l'avait fait lors de leur premier rendez-vous — en divaguant sans fin sur son dernier petit ami qui l'avait quittée parce que son travail était trop prenant et qu'elle n'était pas faite pour avoir des enfants. Elle n'avait jamais eu l'occasion d'expliquer à Marcus que

James avait onze ans de plus qu'elle et qu'il était à un stade de sa vie totalement différent du sien. De plus, il avait été un vrai mufle chaque fois qu'elle avait osé exprimer le moindre doute sur leur avenir ensemble.

Dans son intérêt comme dans celui de Marcus, il était temps de jouer le rôle de la Marieuse de Manhattan, la femme avec qui toutes les personnes présentes voulaient passer un moment.

— Gin tonic ? demanda Marcus quand ils atteignirent enfin le bar.

— Oui, ça me semble parfait.

Alan, l'un des comptables de la chaîne, tapa sur l'épaule de Marcus et se présenta.

— J'en suis à mon deuxième verre de votre Chambers n° 9, et je dois dire que je suis très impressionné, dit-il.

Lorsque le barman les eut servis, Ashley prit une gorgée de son verre.

— Ce gin est vraiment le plus délicieux que j'aie jamais goûté, dit-elle, même si c'était la première fois qu'elle en buvait.

Si Marcus et elle devaient convaincre tout le monde qu'ils étaient un vrai couple, autant se familiariser tout de suite avec le Chambers n° 9. Elle prit une seconde gorgée, plus lente cette fois. C'était vraiment délicieux. Elle appréciait le goût, et le fait que le breuvage la détende. Quand elle aurait fini son verre, elle serait bien plus à même d'entretenir des conversations sans fin.

— Merci à vous deux, dit Marcus, buvant son verre et poursuivant sa conversation avec Alan.

Un défilé incessant de gens s'approcha d'elle, la plupart pour lui demander des informations sur les nouveaux épisodes à venir.

— Quel est le couple le plus improbable que vous ayez formé cette saison ? demanda un journaliste.

— Sans doute deux avocats travaillant pour des cabinets rivaux. Je n'avais jamais vu deux personnes se disputer autant qu'eux. L'équipe de production était sûre que je m'étais trompée, mais je voyais bien qu'ils étaient attirés l'un par l'autre. Une fois qu'ils ont mis de côté leurs ego et leurs problèmes, ils sont tombés follement amoureux l'un de l'autre. C'est l'un de mes épisodes préférés.

— Elle sait quand deux personnes devraient être ensemble, renchérit Marcus.

— Et vous, monsieur Chambers ? Parlez-moi de votre gin.

Ashley l'écouta parler de son père et de son grand-père, et de l'histoire de Chambers Gin. Elle-même ne venait pas d'une famille fortunée, mais cela ne la dérangeait pas. Ce qu'elle n'aimait pas, c'étaient ces airs compatissants quand quelqu'un la questionnait sur sa famille et qu'elle disait la vérité : elle avait deux frères, et leurs parents s'aimaient beaucoup. En dehors de cela, l'argent avait longtemps manqué, et elle ne savait même pas comment ils s'en étaient sortis.

À l'inverse, Marcus était né avec une cuillère d'argent dans la bouche. Mais il travaillait dur. Apparemment, il ne se contentait pas de se reposer sur ses lauriers. Les siens ou ceux de sa famille.

— Le gin est la passion de ma famille, et c'est tout un art. J'ai commencé ma vie professionnelle comme négociant en valeurs mobilières, mais je suis heureux de diriger aujourd'hui l'entreprise familiale et de promouvoir notre nouvelle marque aux États-Unis.

Grace arriva juste après cette conversation. Marcus commanda d'autres verres, et Ashley fit les présentations.

— Il est incroyablement sexy, lui murmura Grace à l'oreille.

— Je sais, j'ai lu ton mémo.

— Tout s'est bien passé jusqu'ici ?

— Oui, chuchota-t-elle. Le trajet de retour jusqu'à notre immeuble risque d'être intéressant. Car il n'aura plus à être gentil avec moi.

Plusieurs personnes de la chaîne et d'autres journalistes approchèrent.

— Mais je te raconterai tout ça demain, conclut Ashley.

Grace sortit un téléphone de son sac et le consulta.

— Il y a un problème avec la liste d'invités. Je te vois plus tard.

Elle serra son amie dans ses bras.

— Tu te débrouilles très bien. Et n'oublie pas de sourire.

Grace disparut dans la foule au moment où Marcus apportait leurs verres.

— Ashley George, je veux savoir quand exactement vous avez trouvé un petit ami, dit une femme derrière eux.

Ashley se retourna et se retrouva face à Maryann, la rédactrice en chef du site de ragots en ligne qui avait publié les photos embarrassantes d'elle achetant un pot de glace un samedi soir. Physiquement, Maryann était une créature presque parfaite, avec de longues jambes et un petit nez mais, sur le plan de la personnalité, elle ressemblait plutôt à une fouine.

Ashley chuchota à l'oreille de Marcus :

— Attention à elle. Elle est mauvaise.

Marcus tendit la main à Maryann.

— Marcus Chambers. Enchanté. À qui ai-je l'honneur ?

— Maryann Powell. De *Celebrity Tchat*. Nous sommes le premier site de potins de la côte Est.

Marcus hocha la tête avec sa distinction purement anglaise.

— Ah, je n'ai pas encore eu l'occasion de surfer sur votre site, mais je suis sûr qu'il est de grande qualité.

Ashley ricana et prit une autre gorgée de son verre.

— Je vous surveille de près, Ashley, dit Maryann. C'est mon travail de savoir si vous avez un petit ami. Il est impossible que vous m'ayez caché ça.

Ashley lutta contre l'envie de lever les yeux au ciel. Les gens comme Maryann étaient exactement la raison pour laquelle elle détestait parfois le statut de vedette.

— Marcus et moi sommes voisins, Maryann. C'est comme cela que nous nous sommes rencontrés, et c'est comme cela que nous avons pu faire en sorte que notre relation demeure secrète.

— Nous vivons sur le même palier, un joli tour du destin, ajouta Marcus.

Il avait enchaîné si vite que c'était comme s'il avait fini sa phrase à sa place. Étrangement, cela avait paru parfaitement naturel.

— Et ? insista Maryann. Je veux des détails croustillants. C'est une chance en or, vous savez. Je pourrai vous faire figurer sur notre page d'accueil de demain matin. Notre site est excellent pour les affaires.

À cet instant, un photographe surgit derrière Maryann et prit quelques clichés. La chaîne avait autorisé la présence de nouveaux médias à cette fête. Comme l'affligeant site web de Maryann, apparemment.

— C'est assez simple, dit Marcus, posant le bras autour des épaules de sa cavalière. Nous avons eu un rendez-vous, et la magie de l'amour a opéré.

Ashley aurait dû se réjouir de sa réponse, mais elle était trop troublée par le contact de la peau de Marcus contre la sienne. Il l'attira plus près de lui, comme un vrai petit ami l'aurait fait. Il traça même des cercles sur son bras nu avec ses doigts. Elle dut faire un effort pour ne pas vaciller. Soit le gin lui montait à la tête, soit c'était cette douce caresse qui l'enivrait.

— Je trouve étrange de ne vous avoir vus nulle part ensemble, tous les deux. Ce n'est pas une sorte de coup publicitaire, dites-moi ? Nous avons un milliard de commentaires sur ces photos de vous en train d'acheter de la glace, et cela remonte à peu de temps. Le timing semble un peu trop parfait. Je connais Grace, c'est une brillante publicitaire. Il est impossible qu'elle n'ait pas concocté un plan d'action pour contrer ces clichés.

Si Ashley avait pu choisir un super pouvoir en cet instant, elle aurait pris la capacité à rendre Maryann invisible. À la faire disparaître, pour être précise. Marcus et elle devaient s'éloigner d'elle, ne serait-ce que pour leur santé mentale. Elle enlaça la taille de Marcus et appuya la tête contre son épaule. Elle donna aussi un petit coup contre la chaussure de Marcus, aussi discret que possible.

— Désolée. Il n'y a pas de grande conspiration.

*Juste une petite.*

Marcus s'éclaircit la voix et reporta son attention sur elle. À en juger par son expression, il avait senti son petit coup de pied.

— Si nous nous mêlions un peu aux gens, mon amour ? Je suis sûr qu'il y a encore de nombreuses personnes à qui tu dois parler ce soir.

Avant que Marcus ne l'entraîne avec lui, Maryann la retint par le bras.

— Qui plus est, un magnat anglais du gin, modèle d'un calendrier ? ajouta-t-elle. Un peu gros, vous ne trouvez pas ?

Marcus se retourna vers Maryann.

— Pardonnez-moi, mais il s'agit d'un calendrier caritatif, qui paraît depuis plus de vingt ans. Et mon travail est ce qu'il est. Ma famille fait du gin depuis plus d'un siècle. Quant au reste des choses que vous insinuez, c'est la soirée d'Ashley, et je pense qu'il est temps pour nous de, euh…

Il passa la salle en revue.

— Il est temps pour nous de partager notre première danse.

Il la prit par la main et la conduisit vers la piste, qu'ils atteignirent rapidement. Il mit une main dans la sienne, posa l'autre sur sa taille et les dirigea vers le centre, loin de Maryann.

— Je suis désolé, mais nous devions fuir cette horrible femme. Vous savez danser, non ?

— Bien sûr.

242

Petite fille, Ashley avait passé beaucoup de soirées d'été sur la terrasse, à écouter de la musique avec ses parents et à apprendre à danser comme une dame. La musique de ce soir n'était pas tout à fait la même. Elle était bien plus lente et, à son grand désarroi, bien plus romantique.

— Je ne veux pas être vieux jeu, dit Marcus, mais on considère en général que c'est à un homme de mener la danse.

Même à l'âge de sept ans, on l'avait déjà accusée de voler ce rôle.

— Après ce que Maryann vient de me faire subir, vous allez m'embêter si je mène la danse ?

Il l'attira tout contre lui, et un frisson de surprise la parcourut de part en part.

— Détendez-vous.

— Hé ! Vous me volez ma réplique.

Elle prit une grande inspiration, bien trop consciente qu'elle était pressée contre le torse ferme et divin de Marcus. Quelques couches de vêtements en moins, et cette danse prendrait une tout autre signification. Il la fit tournoyer sur la piste, parmi les autres couples de danseurs, avec tant d'élégance qu'ils attirèrent l'attention.

— Désolé si ce que j'ai dit était gênant pour vous. Je ne pouvais pas supporter un mot de plus de la bouche de cette horrible femme.

Ashley l'observa. Son expression était aussi sévère qu'à l'accoutumée. Pourtant, pour la première fois, elle avait presque l'impression qu'ils étaient du même côté.

— Je suis sûre qu'elle me le fera payer, mais je suis contente que vous l'ayez fait. Elle l'avait bien cherché.

— Je devrais sans doute vous expliquer pourquoi j'ai posé pour ce calendrier. C'est bête, vraiment.

— Je suis déjà au courant. Je l'ai vu sur Internet.

Il eut un sourire narquois.

— Donc vous vous êtes renseignée sur mon compte.

— Quand on est une femme, mieux vaut être prudente.

Il y a beaucoup d'hommes bizarres dans cette ville. Je devais m'assurer que vous n'aviez pas quitté l'Angleterre pour échapper à des accusations de meurtre.

Marcus secoua la tête.

— Échapper à ce calendrier était une raison suffisante pour quitter l'Angleterre. C'est ma sœur qui m'a convaincu de faire ces photos, mais je pense que ses motifs n'étaient pas uniquement caritatifs. Je n'étais divorcé que depuis quelques mois, et elle s'est dit que cela m'aiderait à trouver quelqu'un.

Ashley mourait d'envie de le questionner sur son ex-femme, mais elle ne voulait pas risquer de le perturber et de devoir quitter la sécurité de ses bras.

— On dirait que votre sœur pourrait me voler mon travail !

Sa réplique le fit rire. Pour une fois, elle ne le mettait pas en colère, et c'était bien agréable.

— Vous n'appréciez pas vraiment tout cela, n'est-ce pas ? dit-il. Être le centre de l'attention.

En temps normal, son premier réflexe aurait été de nier, surtout face à Marcus.

— Eh bien, je sais que cela fait partie de mon travail, mais je suis parfois dépassée. Ma première envie, quand je me rends à une soirée, c'est de tourner les talons et de fuir.

— Donc, vous êtes plus douée pour les tête-à-tête.

Était-il en train de flirter avec elle ? Dans tous les cas, il avait réussi à la faire chanceler.

— Je préfère être le centre de l'attention d'une seule personne, oui.

— Comme maintenant.

— Exactement comme maintenant.

L'orchestre joua un autre air, mais Marcus n'avait aucune intention de la lâcher, apparemment.

— Les gens commencent à nous regarder, vous savez, murmura Marcus.

Qu'y avait-il dans sa voix qui lui faisait tant d'effet ?

— J'avais remarqué.

— Je me demande ce qu'ils pensent.

Elle déglutit, mais ne put retenir les mots qui suivirent :

— Ils se demandent si nous sommes amoureux.

— Ah, c'est juste. Amoureux.

Il secoua la tête.

— Votre public sera bien plus fasciné par vous s'ils pensent que l'entremetteuse est amoureuse.

— C'est ce qu'on m'a dit.

— Et vous croyez vraiment qu'il y a une âme sœur pour chacun ? Ou est-ce juste pour l'émission ?

Étrange, jamais personne ne lui avait posé cette question.

— J'y crois vraiment.

Marcus parcourut la piste du regard. Tous les yeux étaient braqués sur eux.

— Je suis tenté de leur offrir un spectacle, vous savez. Au moins, nous pourrions faire taire cette horrible Maryann.

De nouveau, son accent anglais la captiva. Il aurait pu lire les ingrédients d'une boîte de céréales qu'elle aurait été tout aussi fascinée.

— Qu'avez-vous en tête ?

— Si nous le faisons, je pense que nous devrions commencer lentement, et leur donner un simple avant-goût.

Son esprit s'emballa en entendant les mots « si nous le faisons ». Elle savait pourtant qu'il ne parlait pas de sexe, mais d'un simple baiser. Elle devait rester concentrée si elle voulait garder le contrôle de ses pensées.

— Bien sûr. Il ne faudrait pas aller trop vite.

Sauf qu'elle ne pensait qu'à une chose : aller très vite et fuir cette fête, avec lui.

— Je pourrais commencer par déposer un baiser sur votre joue, et vous murmurer à l'oreille que vous êtes magnifique ce soir.

Il fit exactement ce qu'il venait de dire, ses lèvres se

posant sur son visage, son souffle chaud effleurant son oreille, la courbe de son cou.

Elle était déjà enivrée, mais une impulsion la saisit. Une envie d'utiliser cette mascarade comme excuse pour repousser les limites, ainsi que Marcus venait de le faire. Elle plongea la main dans sa chevelure épaisse, effleura son oreille de son pouce. Ce seul contact suffit à la plonger dans un océan de félicité, surtout quand il entrouvrit la bouche.

— Magnifique, hein ? répéta-t-elle. Tout à l'heure, vous avez dit que j'étais juste « très bien ».

Elle vit son regard intense s'assombrir quand il l'étudia, dans la douce lumière de la salle de bal. Les sons s'évanouirent. Le monde autour d'eux ralentit.

— J'ai menti. Vous êtes spectaculaire.

Elle se sentit rougir.

— Et vous êtes peut-être le plus bel homme que j'aie jamais vu.

Posant la main sur son visage, il la regarda comme s'il avait prévu cela depuis le début. Il n'y avait pas d'hésitation dans ses yeux, uniquement de la détermination. Elle sentit son cœur battre à coups redoublés. Le regard de Marcus faisait tomber chacune de ses défenses. Elle avait l'impression d'être nue sur cette piste de danse. Il la serra encore plus fort. Ferma les yeux. Elle fit de même. Avant qu'elle puisse prendre une inspiration, il prit possession de ses lèvres.

Des palpitations frénétiques secouèrent sa poitrine. La sensation de ses lèvres généreuses sur les siennes et la chaleur de son corps se répandirent dans son ventre, ses épaules, ses jambes, montèrent jusqu'à ses joues. Elle se mit sur la pointe des pieds et se cambra contre lui. *Enfin. Un baiser.* Son étreinte était tout en assurance et en fermeté. Jamais elle n'avait été embrassée avec autant de maîtrise. Puis vint sa langue, douce et sensuelle. Tendre. Enivrante.

Quand ils reprirent leur souffle, elle avait perdu tout repère. Des éclairs de lumière les entouraient. On aurait dit des feux d'artifice. Jamais elle n'avait été embrassée ainsi. Aucun autre homme n'avait fait preuve d'une telle intensité dans ses baisers. Pas même James, qui embrassait pourtant très bien.

— J'espère que nous leur avons donné ce qu'ils voulaient, murmura-t-il, les paupières toujours closes.

Elle hocha la tête, ne sachant que répondre, hypnotisée par ses lèvres, se demandant ce qu'elle devait faire pour qu'il les pose partout sur elle — sur son cou, sa poitrine, tout son corps. Puisqu'elle se sentait déjà nue, et que Marcus avait eu le cran de l'embrasser, il pourrait aussi bien lui faire l'amour. Elle se retourna, plissa les yeux. Un déluge de flashs s'abattit sur eux.

— En ce qui me concerne, j'ai eu ce que je voulais, conclut-il.

## 6

— Nous devrions partir, suggéra Ashley.

Elle leva les yeux vers Marcus. Son charme débordant l'empêchait presque de penser. Alors, elle écouta les conseils de son corps. Son seul désir à cet instant était d'être seule avec Marcus. Soit il agirait comme si le baiser avait été une erreur et, dans cette hypothèse, elle ne tenait vraiment pas à ce que les gens soient témoins de son revirement. Soit il voudrait poursuivre leur étreinte. Auquel cas elle tenait à être dans un endroit où ils pourraient s'allonger. L'occasion ne se représenterait peut-être pas.

— Vous n'êtes pas obligée de rester ? s'étonna-t-il.

Elle secoua la tête. Elle savait qu'elle s'attirerait les foudres de la chaîne pour s'être éclipsée trop tôt, mais elle s'en moquait. Marcus la troublait tant qu'elle était incapable de mesurer les conséquences de ses actes.

— Non. Je ne veux pas répondre aux questions sur ce baiser. C'est ma fête et j'ai envie de rentrer, déclara-t-elle, enroulant le bras autour du sien.

— Dans ce cas, allons-y.

Ils s'éclipsèrent discrètement. Ashley n'avait pas été aussi nerveuse depuis bien longtemps, mais elle adorait l'idée de s'enfuir avec Marcus. En tant qu'invitée d'honneur, elle avait gagné le droit d'avoir une limousine qui l'attendait devant l'hôtel. Ils furent emportés dans la nuit new-yorkaise, où la véritable obscurité n'existait pas.

Assise tout près de Marcus sur la banquette, ses lèvres la picotant encore après leur baiser, elle attendit, le souffle court, un signe de lui, pour savoir ce qu'il pensait.

Il lui offrit un petit sourire.

— Quelle soirée, n'est-ce pas ?

Elle voulut répondre par une réplique sensuelle, mais son esprit n'en trouva pas.

— Cela s'est mieux terminé que je ne le pensais, dit-elle.

Il rit, mais elle n'avait pas cherché à faire de l'humour. Délibérément, elle posa sa main sur la banquette, paume vers le haut, afin de solliciter un contact sans avoir à prononcer un mot. Elle aurait aimé qu'il la regarde dans les yeux, mais il fixait sa main. Avait-elle raison d'agir ainsi ? Il lui semblait que oui, mais peut-être le baiser influait-il sur son esprit. Son cœur, ignorant comment Marcus allait réagir, choisit de s'emballer.

Après plusieurs instants qui lui parurent interminables, Marcus tendit la main vers la sienne. Mais il se contenta de caresser sa paume.

— C'est la ligne de vie, dit-il, suivant la marque qui commençait près de son pouce et descendait vers le talon de sa main.

Ce contact la captiva, et attisa le feu qui la consumait déjà. Elle se tourna vers lui. Où que cela mène, elle était partante, mais ils avaient encore quelques rues à parcourir avant d'arriver à leur immeuble. L'idée d'attendre lui était pénible, mais elle savait qu'il valait mieux ne rien commencer dans la limousine. *Reste habillée, Ashley.*

— Si je ne m'abuse, la vôtre dit que vous êtes quelqu'un sur qui les gens peuvent compter dans les moments difficiles.

Cette interprétation lui convenait. Elle voulait que les gens puissent se reposer sur elle, surtout ses parents, même quand elle avait l'impression que sa propre vie était en pleine pagaille. Mais ces mots venaient-ils vraiment de la bouche de Marcus ?

— Vous savez lire dans les lignes de la main ?

— Cela s'appelle la chiromancie, et c'est un art populaire au Royaume-Uni depuis des lustres. Mon arrière-grand-mère appartenait à la société chirologique de Grande-Bretagne.

Il prit un air faussement sévère.

— Ses membres voulaient préserver l'art de la chiromancie et empêcher les charlatans d'en abuser.

— C'est vraiment la dernière chose à laquelle je m'attendais de votre part, Marcus Chambers.

Il sourit et plongea son regard dans le sien.

— Peut-être n'êtes-vous pas aussi perspicace que vous le pensez.

— Je suis incroyablement perspicace, et je sens que vous êtes juste très doué pour le mystère.

Il suivit une autre ligne sur sa paume.

— C'est la ligne de tête. La vôtre dit que vous devinez les sentiments des autres. Vous avez de l'empathie.

— Vous voyez ? Je vous avais dit que j'étais perspicace.

— Ça veut aussi dire que vous changez souvent d'avis. Je ne suis pas sûr que ce soit la meilleure des qualités. Cela peut compliquer la vie de votre entourage.

— Tout dépend du point de vue. D'aucuns pourraient dire que je suis flexible.

— Votre ligne de cœur est coupée en deux, observat-il, passant au creux profond près de ses doigts.

— Donc, vous pouvez voir que j'ai eu le cœur brisé ?

Sa respiration s'accéléra. Pouvait-il voir qu'elle souffrait ? Qu'elle se sentait seule ? Qu'elle avait besoin d'amour ?

— En fait, cela veut dire que vous avez l'habitude de faire passer les sentiments des autres en premier. Vous devriez vous concentrer sur ce que vous voulez, Ash.

C'était la première fois qu'il l'appelait par son diminutif, et, fichtre, elle adorait cela. Lorsqu'il se mit à tracer de doux cercles dans sa paume, elle retint son souffle.

— Votre peau est si douce, murmura-t-il, la voix rauque et excitante. Je pourrais la caresser éternellement.

— Je pourrais vous laisser faire éternellement.

Et elle disait vrai.

Il s'agita sur son siège, et les pans de sa veste s'écartèrent, juste assez pour qu'elle constate qu'il était aussi excité qu'elle par la situation. Pour la première fois depuis le début de cette soirée, elle eut l'impression qu'elle pouvait enfin se détendre. Aucun homme ne changeait d'avis dans cet état particulier. Du moins, d'après son expérience.

Enfin, la voiture s'engouffra dans le parking souterrain de leur immeuble. C'était comme si elle avait été arrachée à un rêve fabuleux et qu'en se réveillant elle découvrait que la vie réelle était encore plus belle. Elle s'éclaircit la voix, remit ses cheveux en place, puis remercia le chauffeur. Jamais elle n'était sortie aussi vite d'une voiture. Marcus et elle se précipitèrent à l'intérieur de l'immeuble. Elle se réjouit que l'ascenseur soit vide.

À présent que les choses allaient dans le sens qu'elle espérait, elle voulait que tout soit parfait.

— Cela vous dirait de, eh bien, venir chez moi ? demanda-t-elle.

— J'ai cru que vous ne me le proposeriez jamais, répondit-il.

Il saisit sa main et lui offrit un sourire plein de promesses.

— Vous devez peut-être aller voir la baby-sitter ? s'enquit-elle.

— C'est ma sœur qui surveille Lila. Pas d'inquiétude.

Lorsque l'ascenseur s'ouvrit, Ashley entraîna Marcus vers son appartement sans attendre une seconde. Une fois à l'intérieur, elle posa son sac sur la console de l'entrée. Marcus ôta rapidement sa veste.

Elle lui prit la main et la posa sur son épaule, se servant du pouce de Marcus pour repousser la bretelle de sa robe.

— D'accord, dit-il avec un petit sourire satisfait en faisant glisser la deuxième bretelle de son autre main.

251

— Vous m'avez dit dans la limousine de me concentrer sur ce que je voulais. Je ne fais que suivre vos conseils.

Les lumières de la ville brillaient à travers les fenêtres derrière Marcus, soulignant sa carrure, projetant des ombres sur sa mâchoire puissante et sur son cou.

— Tu es si belle, dit-il, caressant sa joue. Je suis impatient de découvrir le reste de ta personne.

— Moi aussi. Je veux savoir si ce calendrier est une publicité mensongère, ou si tu es vraiment aussi musclé en vrai.

— Alors, tu as regardé ces photos ? demanda-t-il d'un ton amusé.

— Oui, Marcus. Je les ai regardées de très près.


Ashley se mit sur la pointe des pieds pour s'accrocher à ses épaules. Elle l'embrassa avec une fougue surprenante. Elle était débordante d'excitation et d'enthousiasme, chose que Marcus appréciait. Elle lui rappelait qu'il était en vie. Il n'aurait pas pu cesser d'absorber sa force vitale même s'il l'avait voulu. Dans la limousine, il s'était demandé si ce qui allait suivre était une bonne idée, mais il était fatigué de se poser cette question. Ashley le désirait. Il la désirait. Ils étaient deux adultes, capables de prendre leurs propres décisions. Ils réfléchiraient plus tard aux conséquences.

Leurs lèvres se rencontrèrent et leurs langues se mêlèrent dans une spirale sans fin. Marcus pressa Ashley contre lui, pour qu'elle puisse sentir à quel point il était excité, à quel point il avait envie d'elle. Il descendit la fermeture Éclair au dos de sa robe. Elle haleta quand il fit des allers-retours le long de sa colonne vertébrale, descendant plus bas à chaque passage, jusqu'à ce qu'il atteigne la dentelle de ce qui ressemblait à un slip minuscule. Il devait vérifier cela par lui-même.

— Pouvons-nous aller dans ta chambre ? demanda-t-il, le souffle court.

— Volontiers.

Tenant sa robe d'une main, elle l'emmena dans le couloir, celui qu'elle avait traversé en ne portant qu'un drap de bain au début de la soirée. *Le drap de bain.* Pourrait-il la convaincre de prendre une douche, un peu plus tard ? Les possibilités se bousculèrent dans son esprit. Il y avait tant de choses qu'il voulait lui faire, et qu'il voulait qu'elle lui fasse !

Dans la chambre, même s'il ne distinguait pas grand-chose avec le faible éclairage, il vit un grand lit, et c'était tout ce qui importait.

Ashley se tourna vers lui, laissant tomber sa robe au sol. Aussitôt, il contempla son corps magnifique. Ses jambes fines. La courbe voluptueuse de ses hanches. Ses seins magnifiques, fermes… et nus.

— Pas de soutien-gorge ?

Il prit ses seins entre ses mains, observant sa réaction tandis qu'il passait les pouces sur ses tétons, qui se raidirent à leur contact. Lui-même sentit une nouvelle onde de désir affluer dans son entrejambe.

— Pas avec cette robe, dit-elle. Je n'en ai pas vraiment besoin.

Elle gémit de plaisir pendant qu'il continuait de la caresser de ses mains.

— Il faut que l'on t'enlève ces vêtements, décida-t-elle.

Il avait été si absorbé par la beauté de son corps nu qu'il ne s'était même pas rendu compte qu'il était encore habillé. Il retira sa cravate et déboutonna sa chemise, tout en regardant les doigts agiles d'Ashley déboucler sa ceinture et faire glisser son pantalon le long de ses jambes. À présent ne restaient plus que son caleçon et le slip d'Ashley.

Il la regarda plaquer les mains contre son torse, et y déposer des baisers délicats. Mais l'horloge sur la table de chevet attira son attention. Il avait promis de rentrer avant minuit, et le délai était presque écoulé. Même si Joanna lui avait dit qu'il pouvait rentrer aussi tard qu'il le souhaitait, la culpabilité commençait à le ronger.

Ashley grimpa sur le lit et, de son index, lui fit signe de le rejoindre, un sourire malicieux aux lèvres.

— Par ici, Chambers.

L'étincelle dans son regard suffirait déjà à l'embrasser. Il s'étendit à côté d'elle et caressa son ventre plat. Il embrassa son sein, puis suçota son téton avec douceur. Ashley se cambra.

— C'est si bon.

Il taquina son sein de sa langue, tout en glissant la main à l'intérieur de son minuscule slip.

Elle souleva ses fesses.

— Caresse-moi, Marcus. S'il te plaît. Je n'en peux plus.

Lorsqu'il glissa les doigts entre les replis de son sexe et trouva son clitoris, elle s'agita.

— Oui, dit-elle. Juste là.

Elle l'embrassa avec frénésie tandis qu'il la caressait. Il sentit la tension monter rapidement en elle, ponctuée par de courtes respirations râpeuses. Il avait oublié ce que c'était que d'avoir une femme à sa merci et de pouvoir lui donner du plaisir.

— C'est ce que tu veux, Ashley ? C'est ce que tu aimes ?

— Oui, dit-elle, pantelante. Parle-moi, Marcus. J'aime quand un homme me parle pendant l'amour.

Ce n'était pas une requête, mais une exigence. Et cela renforça sa détermination à lui offrir un orgasme comme elle n'en avait peut-être jamais connu. Il allégea la pression de sa main.

— Je te parlerai tant que tu me parleras aussi.

— Tout est une négociation avec toi ?

Elle se décala, appuyant sa cuisse entre ses jambes, créant une sublime friction entre eux.

— Parce que, en cet instant, je serais prête à céder beaucoup.

Son esprit vif fit courir une nouvelle onde de désir en lui. Il devait se concentrer sur le plaisir d'Ashley, sinon il allait s'atomiser en un rien de temps.

— Pas de négociation. Dis-moi simplement ce que tu veux.

— Des cercles. Avec ta main. Et ne sois pas tendre.

Il obtempéra, augmentant la cadence et la force de ses caresses.

Elle rejeta la tête en arrière, tout en plaquant son pelvis contre sa main.

— Oui. C'est ça, dit-elle dans un souffle.

Ses respirations se murent en gémissements de plus en plus forts. Soudain, elle se cambra et se figea dans un cri, saisissant sa main et la plaquant avec insistance contre son sexe.

Dès qu'elle eut repris son souffle, elle chercha ses lèvres et l'embrassa avec ardeur. Puis elle le fit étendre sur le dos et grimpa sur lui. C'était une bonne chose qu'il ait encore son caleçon. Sinon, leurs ébats seraient peut-être déjà terminés.

— Dis-moi que tu as un préservatif, dit-elle.

— Tu n'en as pas ?

— Non. Je faisais une pause avec les hommes, tu te souviens ? Je te l'ai dit lors de notre premier rendez-vous.

— Je croyais que c'était une pause métaphorique. Pas une vraie pause.

Elle secoua la tête et l'embrassa de nouveau.

— Crois-moi, c'était une vraie pause. Je n'ai pas couché avec un homme depuis des mois. Alors, s'il te plaît, dis-moi que tu as un préservatif, sinon l'un de nous devra courir en acheter.

— Non, j'en ai…

Sa voix s'éteignit. Il avait en effet acheté une boîte à son arrivée à New York, quand Joanna lui avait rappelé qu'il devait ouvrir son cœur et prendre des risques en amour.

— … mais ils sont de l'autre côté du palier.

De l'autre côté du palier. Toute sa vie était de l'autre côté du palier. Sa conscience lui disait que c'était là-bas qu'était sa place, et non dans le lit d'une femme qui n'était pas celle qu'il lui fallait.

*Arrête*. Il se força à prendre une profonde inspiration. Il devait rassembler ses esprits. Il avait une femme splendide dans les bras, qu'il désirait depuis des mois. Une femme très passionnée, qui lui donnait le sentiment d'être redevenu l'homme qu'il était autrefois. Mais cet homme-là avait commis maintes erreurs. Il avait passé cinq ans à porter des œillères, ignorant ce qui n'allait pas dans son mariage défaillant, allant droit devant, avec insistance en essayant d'obtenir ce qu'il voulait grâce à sa force de persuasion.

Était-il en train de répéter ses erreurs ? De se convaincre que faire l'amour à Ashley était une bonne idée, simplement parce qu'il la désirait ? C'était une attitude si égoïste qu'il éprouva du dégoût pour lui-même. Il s'était juré qu'il n'agirait plus ainsi.

— Je ne peux pas faire ça, s'obligea-t-il à dire à voix haute.

Il avait tant envie d'elle que c'en était douloureux. Il sentait encore ses lèvres si douces sur les siennes. Et puis, il ne pouvait ignorer la vague de désir qui avait envahi la partie inférieure de son corps.

Malgré tout, il devait agir selon sa conscience.

Ashley le dévisagea, avec ses grands yeux si francs.

— Je ne comprends pas.

— Nous savons tous les deux où cela nous mènera, et je ne peux pas faire ça. Je ne peux pas avoir une simple liaison. Je suis aussi un père. Et je dois penser au bien de Lila.

— J'ignorais que nous avions une liaison.

Elle s'écarta de lui et saisit le drap, le remontant sur sa poitrine.

Il secoua la tête.

— Cela ne peut pas être une aventure d'un soir. Quel genre d'homme cela ferait-il de moi ?

— Qui a parlé d'une aventure d'un soir ? Pourquoi ne pas laisser les choses venir ? Il y a quatre heures, j'étais presque sûre que tu me détestais. Laisse-moi au moins une chance de me rattraper. Tu n'es pas le seul à sortir d'une rupture douloureuse.

Ce qu'elle venait de dire était précisément la raison pour laquelle cela ne fonctionnerait pas entre eux. Elle ne comprenait pas.

— Je ne qualifierais pas mon mariage raté de « rupture douloureuse ».

Cela avait été bien pire. Son mariage désastreux avait failli le détruire, et aurait peut-être des effets négatifs sur Lila. Il ramassa son pantalon et l'enfila à la hâte, essayant d'ignorer la douleur qui pulsait dans son aine.

— Je ne peux pas me permettre de « laisser les choses venir », Ashley. Il ne s'agit pas d'une simple nuit de sexe. Tu es une femme intelligente, belle, avec une brillante carrière, et quelque part il existe un homme parfait pour toi. Mais ce n'est pas moi.

Il enfila sa chemise, ne la boutonnant qu'à moitié.

— Nous pouvons apprendre à nous connaître, insista-t-elle. Je t'apprécie, malgré la façon dont tu te comportes parfois. Et je pense que tu m'apprécies, mais que tu as des idées trop arrêtées sur ce qui est bon ou non, et sur ce que je suis censée vouloir.

— Je n'ai pas sorti ces idées de nulle part. Tu m'as dit pendant notre premier rendez-vous que ton dernier petit ami t'avait quittée parce que tu ne voulais pas te marier ni devenir mère. Je me rends compte que c'est un sujet sérieux à aborder dès le début d'une relation, car ma situation de père célibataire l'exige.

— Tu ne m'as même pas laissée te raconter toute l'histoire ce soir-là. Je me marierais si la situation était favorable, mais n'oublions pas que tu as passé l'essentiel de ces derniers mois à agir comme si tu ne m'appréciais pas.

Marcus savait que son comportement n'avait pas été exemplaire, mais il n'avait jamais rien fait qui ne soit pas totalement justifié.

— Ashley, nous sommes attirés l'un par l'autre mais, en dehors de cela, nous sommes diamétralement opposés. Je veux du sérieux. Toi, non.

— Du sérieux ? Ma vie entière tourne autour du sérieux.

— Vraiment ? Tu animes une émission télé où l'on forme des couples, et tu fermes les yeux sur le comportement déplorable des ouvriers qui rénovent ton appartement. Nous n'avons pas la même définition du mot « sérieux ».

Même dans la faible lumière de la pièce, il vit que ses paroles l'avaient blessée. Il n'aimait pas faire de la peine à une femme, mais peut-être cela valait-il mieux. Ainsi, il lui serait plus facile de rester loin d'elle.

Enroulant le drap autour d'elle, elle descendit du lit.

— Soit. Tu as raison, Marcus. Nous ne sommes pas faits l'un pour l'autre. Tu n'as qu'à partir.

— Bien. Nous sommes d'accord, alors.

— Pour une fois, oui.

## 7

Ashley posa son sac sur son bureau et se retrouva face aux preuves en noir et blanc du moment de faiblesse de Marcus. Le premier d'une longue liste de moments de faiblesse.

Près d'une douzaine de journaux à sensation étaient disposés devant elle. Le baiser s'étalait à la une de chacun d'eux. Si seulement les journalistes connaissaient la vraie histoire ! songea-t-elle, amère. Elle devrait chérir le souvenir de ce baiser, se rappeler la surprise et la nouveauté de ce moment. Ce moment où elle avait osé penser que Marcus ne la trouvait pas ridicule.

Elle se laissa tomber sur sa chaise et se mit à lire les articles. Non seulement ils racontaient le baiser, mais ils mentionnaient aussi de manière très peu subtile que Marcus et elle avaient quitté la soirée tôt, juste après que les choses étaient devenues torrides sur la piste de danse.

*Génial. Maintenant, le monde entier imagine ce que nous n'avons pas fait hier soir.*

Il était à peine 9 heures et elle était déjà au bord de l'épuisement. Mais elle n'osait pas fermer les yeux. Elle avait retenu la leçon hier soir, après que Marcus l'avait laissée en état de choc, seule dans son lit. Chaque moment charnel entre eux semblait désormais irréel, en plus d'être improbable. Qui eût cru qu'après leur premier rendez-vous calamiteux et les innombrables plaintes concernant son appartement ils auraient partagé des moments aussi intimes ?

Voir des photos d'eux ne rendait pas les choses plus réelles, pas même quand elle passait le doigt sur les images, admirant la façon dont Marcus la dominait de sa hauteur, l'harmonie entre leurs deux silhouettes. En fait, toute cette soirée ressemblait à un rêve, un rêve à l'issue très triste. Marcus, le Britannique des hautes sphères, avait-il vraiment embrassé la fille originaire d'une petite ville de Caroline du Sud ? Ou avait-il dupé la Marieuse de Manhattan pour son propre bénéfice et celui de son entreprise ? Pour ensuite tout arrêter quand il s'était rendu compte qu'ils étaient allés plus loin que prévu ?

Ashley avait vu tant de facettes différentes de Marcus hier soir qu'elle était un peu perdue. Il n'y avait plus de doute dans son esprit : un Marcus passionné et enflammé se cachait sous son apparence rigide, mais il avait bâti une forteresse autour de lui. Cela avait-il été une nécessité après son divorce ? C'était la supposition la plus logique, mais Ashley croyait peu aux pensées rationnelles, en tout cas aux siennes. Par exemple, la logique aurait voulu qu'un homme en état d'excitation maximale et qui avait une femme consentante et nue entre les bras n'hésite pas à lui faire l'amour. Soit elle était vraiment repoussante, soit Marcus avait une raison plus grave de garder ses distances. Elle s'était rapprochée de lui hier soir. Résultat, il l'avait renvoyée de l'autre côté des douves, avait remonté le pont-levis et s'était retiré dans ses quartiers.

— *Toc, toc.*

Grace passa la tête dans l'embrasure de la porte.

— Quelle soirée, hein ? Ou devrais-je dire, quel baiser ? s'exclama son amie.

Ashley aurait dû savoir que Grace la taquinerait à ce sujet.

— S'il te plaît, ne te moque pas de moi. Tu as demandé du romantisme. Tu en as eu.

*Du romantisme. C'est ça. Plutôt du no-mantisme.*

— Loin de moi l'idée de me moquer de toi, dit Grace en s'asseyant face à elle. Les pontes de la chaîne t'aiment plus que jamais, ce qui en dit long. Les audiences pour le premier épisode vont crever le plafond. Les patrons sont impatients de voir les chiffres lundi, pour pouvoir calculer les tarifs publicitaires. Il y a un tas d'argent à gagner, tu sais.

L'argent. C'était le seul avantage dans cette histoire. Tout le reste la rendait malade. Marcus détestait l'idée d'être avec elle, du moins sur le plan sentimental, quand le monde entier pensait le contraire. Elle aurait droit à des questions sur Marcus pendant des jours. Des semaines, peut-être. Elle connaissait bien les tabloïds. Les journaux de ce matin n'étaient qu'un début.

— Je me réjouis qu'ils soient contents. J'espère que cela aidera les affaires de Marcus, et qu'il me laissera finir mes travaux en paix. Je…

Sa voix s'évanouit tandis que son regard était de nouveau attiré vers une photo de leur baiser. Marcus était si sexy ! Le simple fait de voir ce cliché provoqua une vague d'excitation en elle. Bientôt suivie d'une vague d'humiliation, de tristesse, et même de colère. Des sentiments qui ne faisaient pas bon ménage.

— Attends une seconde, dit Grace. N'y avait-il pas une alchimie incroyable entre vous hier soir ? J'aurais juré que si.

— Disons que l'alchimie s'est dissipée.

Sa voix trembla, trahissant son émotion.

Grace se pencha en avant.

— Tout va bien ? Tu veux me raconter ce qui s'est passé ?

— Non, je n'ai pas vraiment envie d'en parler. Je suis contente que la soirée ait été bonne pour les affaires, mais il me faudra beaucoup de temps pour m'en remettre. Être éconduite par Marcus Chambers n'est guère amusant.

— Il t'a éconduite ?

— Est-ce si difficile à croire ? Tu sais qu'il me déteste. Hier soir, cela a été la goutte d'eau, je suppose. Maintenant, tout ce que je veux, c'est finir la rénovation de mon appartement et éviter Marcus jusqu'à ce qu'il reparte en Angleterre.

— Et quand repart-il ?

Elle s'éclaircit la voix.

— Je crois qu'il a un visa de travail de cinq ans.

— Ashley, c'est idiot. Je suis sûre que, quoi qu'il se soit passé entre vous, c'était un malentendu.

— Pas du tout. Entre lui et moi, rien n'est possible. Il est temps de profiter au maximum des retombées de la réception et de tourner la page.

— À ce propos… Les pontes ont été très clairs ce matin. Ils veulent te revoir avec Marcus. Ils veulent plus de ça, dit-elle en désignant les journaux.

Ashley savait qu'elle avait bien entendu. Mais il n'en était pas question. Marcus et elle devaient rester loin l'un de l'autre. Mieux valait laisser les grincheux tranquilles, surtout ceux qui n'avaient pas de scrupules à éconduire une femme après qu'elle avait retiré sa robe haute couture.

— Tu devras leur dire non. Marcus me déteste.

— Il est impossible que la chaîne croie ça. Ce baiser était si convaincant.

Grace pointa l'index sur une des photos.

— Regardez-vous. Je donnerais n'importe quoi pour qu'un homme m'embrasse comme ça, surtout si je savais à quoi il ressemble sous son costume.

— Pourquoi fais-tu une fixette sur ses abdominaux ?

Ashley ne pouvait plus supporter de regarder les photos. C'était trop douloureux. Elle ramassa les journaux, se leva et déposa la pile sur les genoux de Grace.

— Marcus Chambers et moi, c'est fini. Terminé. Point.

— Je ne voulais pas avoir à te le dire, mais la chaîne n'est pas contente que tu aies quitté la soirée prématurément. Si les journaux n'étaient pas parus ce matin, tu aurais pu être dans un sacré pétrin.

— Oh ! je t'en prie. Je voulais juste…

*Je voulais juste être seule avec lui.*

— J'avais une migraine.

— Menteuse. J'ai vu ton expression quand vous avez quitté la piste de danse tous les deux.

Grace s'adossa à sa chaise.

— Et si je te disais que mon travail est en jeu ?

— Ils ne peuvent pas te renvoyer pour ça. Je ne les laisserai pas faire.

— Je te parle d'une promotion. Ils ont pensé à moi pour le poste de chef de la publicité du réseau. Becky Jensen s'en va début juin.

— Chef de service ? Pour tout le réseau ?

Grace acquiesça.

— Tout le toutim.

Grace venait d'un milieu modeste, comme elle, et toutes deux s'étaient toujours soutenues mutuellement. Grace vivait dans un minuscule appartement avec sa sœur, et avait un énorme prêt étudiant à rembourser. Une promotion comme celle-ci serait une aubaine, d'ailleurs amplement méritée. Grace travaillait aussi dur qu'elle, se dit Ashley, peut-être même plus.

La culpabilité qu'elle éprouva n'était pas simplement écrasante, elle était étouffante. Elle ne pouvait pas prendre l'argent de la bouche de quelqu'un d'autre, encore moins de la bouche d'une amie.

— J'ignore comment je peux le convaincre de dire oui.

Grace croisa les jambes et tira sur ses longues boucles auburn, l'air songeur.

— Vous devez bien manger tous les deux, non ? Dîne avec lui. Rappelle-lui à quel point ce sera bénéfique pour Chambers Gin.

Ashley soupira, s'enfonçant dans sa chaise.

— Un seul dîner ?

Pourquoi cette tâche semblait-elle herculéenne ? Sans doute parce que Marcus avait déclaré qu'il ne voulait plus la voir.

— Après cela, tu feras comme tu veux, dit Grace. Nous laisserons le monde entier se demander ce que vous faites dans votre charmant immeuble. Vous vivez sur le même palier, après tout. Votre proximité est une pure tentation.

Étant donné son niveau de frustration sexuelle, Ashley ne pouvait pas dire le contraire, même si elle était certaine que Marcus n'était pas du même avis.

— Bien. Je lui demanderai. Mais je ne te promets rien.

Grace se leva et serra les journaux contre sa poitrine, affichant un sourire triomphal.

— Où regardes-tu le premier épisode, ce soir ? Tu veux venir chez moi ?

— Tu plaisantes ? La dernière chose que je veux, c'est me regarder à la télévision.

Marcus ne supportait plus de voir les journaux. Mais il ne pouvait pas non plus s'empêcher de les regarder. Il s'était débarrassé de tous les exemplaires sauf un, caché dans le tiroir inférieur de son bureau. À plusieurs reprises, il avait eu besoin de voir les clichés. De voir Ashley. De les voir ensemble. Les événements de la veille s'étaient réellement produits. Il avait embrassé Ashley. Il l'avait caressée. Et tout avait changé, exactement comme il l'avait craint.

Il entra dans le bureau de Joanna au moment où elle raccrochait le téléphone. Tous deux avaient eu une journée de folie. Il s'effondra sur la chaise face à son bureau. Étrangement, ce baiser entre Ashley et lui avait été très bénéfique pour les affaires. Les commandes et les demandes d'information avaient afflué, au point que tout le monde au bureau peinait à suivre la cadence.

— C'était papa, dit Joanna. Il est aux anges, Marcus. Il n'a pas été aussi enthousiaste depuis bien longtemps.

Marcus avait eu des échos, mais seule Joanna avait parlé directement à leur père. Apparemment, ce baiser avait fait le tour du monde.

— D'autres commandes ?

— Leur nombre a explosé. Et pas seulement pour le n° 9. Les commandes pour l'original sont trois fois plus importantes que l'an dernier à la même date. Et ce sont les commandes d'une seule journée. Nous allons accroître la production au Royaume-Uni et, selon moi, nous devrons envisager de faire de même aux États-Unis.

Marcus devrait parler à leur directeur de production, pour savoir s'ils pouvaient faire tourner la nouvelle distillerie à plein régime. C'était une perspective un peu risquée, puisque les machines n'étaient pas encore rodées.

— Papa m'a demandé s'il y aurait des panneaux publicitaires associant Chambers Gin et *La Marieuse de Manhattan*. J'imagine que plusieurs des distributeurs se posent la question.

*Bon sang !* L'image d'une Ashley en carton tenant une bouteille de gin Chambers se matérialisa dans sa tête. Joanna voudrait sûrement en mettre une à la réception. Comme si ce n'était pas assez difficile de vivre sur le même palier qu'Ashley ! Il n'avait pas envie de passer devant son double en carton chaque jour. De plus, cela ne correspondait pas à l'image de Chambers Gin que sa famille cultivait depuis plus d'un siècle. Joanna et lui avaient travaillé très dur pour faire de leur entreprise américaine un succès, et, même si elle avait été salutaire, la publicité générée hier devait être encadrée. Sinon, la situation pourrait devenir incontrôlable.

— Il n'y aura aucun panneau publicitaire. Cette réception était un événement isolé, rien de plus. Il n'y a aucun lien entre cette émission et nous.

Un sourire impertinent passa sur le visage de Joanna. Elle brandit l'un des journaux du matin.

— Nous pourrions toujours plastifier ça. Si j'en crois cette photo, je dirais que Chambers Gin et *La Marieuse de Manhattan* sont aussi liés que possible.

Un mélange d'embarras et d'excitation l'envahit.

— Ce baiser, c'était pour les photographes. Rien de plus. Ça ne se reproduira pas.

Excepté que les photographes avaient bon dos. Après tout, ils n'étaient pas là quand il avait déshabillé Ashley et qu'il avait été à un souffle de lui faire l'amour. Il y avait quelque chose de plus derrière leur étreinte, et Marcus le savait bien. S'il pensait à l'expression d'Ashley quand il l'avait plongée dans l'extase, il se sentait enivré. Mais s'il songeait à ce qui s'était passé ensuite — à la panique qu'elle avait affichée —, il avait l'impression d'avoir la gueule de bois. Il devait absolument éviter de côtoyer sa voisine. Car, en sa présence, il semblait incapable d'agir de manière normale ou raisonnable.

— Ne sois pas si catégorique, rétorqua Joanna. Cette réception a eu un impact énorme sur nos affaires. Et, au moins, tu as embrassé quelqu'un, dit-elle en riant.

— Je t'en prie, Joanna. Je suis un adulte. Pouvons-nous cesser de parler comme des adolescents ?

Il retira une peluche sur son pantalon.

— Ce qui s'est passé hier ne se reproduira pas. Fin de la discussion.

Joanna fit la moue.

— Aïe…

— Quoi ?

— Papa tient à ce que tu aies un autre rendez-vous avec Ashley.

— Il a dit ça ?

Marcus s'avança brusquement sur sa chaise.

— Il a dit ça de façon explicite ?

— Oui. Et je dois convenir qu'il a raison. Tu devrais

au moins l'inviter dans un grand restaurant afin de la remercier. Ce sera bon pour les affaires, et n'oublions pas que c'est toi qui as eu l'idée de développer la marque aux États-Unis.

Elle recula son ordinateur portable.

— Selon moi, le fait que tu as rencontré Ashley et que tu as eu ce rendez-vous avec elle est merveilleux. Tu ne peux pas dire le contraire, c'est la meilleure chose qui nous soit arrivée depuis que nous sommes à New York.

Elle tapota la pile de nouvelles commandes et de demandes d'information posée sur son bureau.

— Ce pourrait même être la meilleure chose qui te soit arrivée dans ta vie personnelle.

— Comment ça ?

Joanna ferma son ordinateur et croisa les bras.

— Elle est charmante, Marcus. Et même si je ne l'ai pas rencontrée, elle me paraît gentille.

— Je sais où tu veux en venir, et tu peux t'arrêter tout de suite. Tu connais ma situation, Jo. Mieux que personne.

Elle se leva et contourna son bureau pour s'asseoir à côté de lui.

— Quelle est ta situation, Marcus ? Travailler des heures et des heures pour atteindre un niveau que tu as fixé toi-même, puis rentrer chez toi et lire un livre à Lila ? Passer tes week-ends avec elle au parc, mais n'avoir aucune relation sociale avec une autre âme dans cette immense ville ? Il y a des milliers de femmes célibataires à Manhattan, Marcus. Des dizaines de milliers. L'une d'elles pourrait faire une épouse et une mère formidable, mais tu ne la trouveras jamais si tu ne la cherches pas.

Il croisa les bras.

— J'ai cherché. J'ai fréquenté trois femmes en six mois, depuis notre arrivée. Cela me paraît être un chiffre respectable.

— Trois femmes, Ashley compris. Et aucune d'elles n'a passé le cap du premier rendez-vous.

— Aucune d'elles ne convenait. Il est inutile que je perde mon temps avec une femme qui ne me conviendra pas.

Cela lui semblait parfaitement logique, mais Joanna et lui étaient en désaccord sur ce point.

— Tu sais qu'il est compliqué pour moi de faire des rencontres. Je refuse de présenter une femme à Lila tant que ce n'est pas sérieux. Et, soyons honnêtes, la plupart des femmes ne veulent pas de l'enfant d'une autre.

Son cœur se serra tandis qu'il prononçait ces mots. Sa chère et tendre Lila était l'être le plus précieux au monde à ses yeux. Il ne pouvait toujours pas comprendre comment Elle avait pu l'abandonner. Même s'il avait vu son expression désespérée quand elle lui avait avoué être tout aussi horrifiée que lui par son dégoût pour la maternité. Elle ne voulait pas être une mère, n'avait jamais voulu en être une, mais Marcus l'avait convaincue d'avoir un enfant. Étant donné leurs autres problèmes, leurs disputes, il avait été persuadé qu'un enfant les sauverait, *la* sauve-rait. C'était le contraire qui s'était produit. Elle n'avait pas pu continuer à faire semblant. Sa liberté : voilà ce dont elle avait toujours rêvé. Être loin de l'Angleterre, de son père, loin des attentes qui lui avaient été imposées très tôt. Loin de tous.

— Ashley te plaît, c'est sûr. Ce baiser est terriblement convaincant.

— Elle est très jolie, je ne vais pas le nier. Mais elle n'est pas du tout celle qu'il me faut, tout comme Elle ne l'était pas, et je ne peux pas répéter la même erreur. J'ai besoin de solidité. De fiabilité.

— Je t'en prie, promets-moi que tu ne rempliras jamais, au grand jamais, un profil en ligne disant que tu cherches une femme solide et fiable. Tu finirais avec un bûcheron incroyablement loyal.

Elle posa la main sur son bras.

— Marcus, je veux ton bonheur. Dieu sait que tu mérites d'être heureux. S'il te plaît, invite Ashley à dîner.

Remercie-la pour le gentil geste qu'elle a fait pour nous. Ce n'est pas la mer à boire.

Marcus détestait quand Joanna prenait cette voix pleine de compassion. Une part de lui voulait inviter Ashley à sortir, ne serait-ce que pour lui présenter ses excuses après ce qui s'était passé. D'un autre côté, il n'avait pas de temps à perdre avec une femme qui n'était pas faite pour lui.

Et puis, rien ne disait qu'Ashley accepterait une invitation de sa part. Elle avait tout à fait le droit d'être furieuse contre lui.

— Elle dira sans doute non.

— Il n'y a qu'un moyen de le savoir. Lui poser la question.

Il revit l'expression d'Ashley quand il était sorti de chez elle la veille au soir.

— Inutile. Je suis certain que la réponse sera non.

## 8

Ashley sortit de l'ascenseur et hésita. En temps normal, elle serait allée droit vers son appartement, à droite. La porte de Marcus était juste en face de la sienne. Les deux appartements étaient séparés par trois mètres de marbre raffiné, un vieux lustre trop chargé, et un océan d'opinions différentes.

*J'ai promis à Grace.* Si elle devait inviter Marcus à dîner, autant le faire en personne. Téléphoner ou envoyer un message alors qu'elle était si près semblait puéril. Elle était une adulte, après tout. Or, une adulte faisait ce qu'elle avait à faire, sans regrets, sans craindre d'être éconduite. Malgré tout, l'idée de retourner chez elle était tentante. Sa confiance en elle était sacrément ébranlée, après la soirée de la veille.

Elle approcha de la porte de Marcus et tendit le cou, pour tenter d'entendre ce qui se passait à l'intérieur. Tout était silencieux, bien sûr. Marcus adorait le calme. Elle leva la main pour frapper à la porte mais se ravisa. Il était plus de 19 heures. Peut-être tomberait-elle mal. Et si c'était l'heure du coucher de Lila ? Ou l'heure de son bain ? Ashley ne savait rien de la petite fille ou de ses habitudes. Car Marcus avait maintenu l'être le plus précieux de sa vie, la raison pour laquelle il ne pouvait pas ou ne voulait pas la prendre au sérieux, aussi loin d'elle que possible.

Elle tourna les talons, si brusquement que son sac vola ; tout comme sa tasse de voyage en métal, qui tomba avec fracas sur le sol de marbre et rebondit contre le mur. Ashley rattrapa le maudit objet, ramassa ses affaires, puis se précipita vers son appartement. Elle insérait sa clé dans la serrure quand elle entendit la porte de Marcus s'ouvrir.

— Ashley ?

Elle se figea. Pourquoi fallait-il que Marcus provoque un tel trouble en elle ? Pourquoi, au son de sa voix grave, se comportait-elle comme une idiote énamourée ?

— J'ai entendu du bruit.

— Marcus ! Quelle surprise.

Lorsqu'elle se retourna, la beauté de Marcus lui fit l'effet d'un raz-de-marée. Elle se sentait encore humiliée, et le voir était comme remuer le couteau dans la plaie. Le problème, c'était qu'elle avait envie de se blottir dans ses bras, et non de fuir ou de se cacher.

— Une surprise ? Nous vivons sur le même palier.

Elle secoua la tête, tentant de ne pas penser à leurs baisers. Elle avait tant envie de l'embrasser de nouveau ! Juste une fois. Pour se prouver que le premier baiser n'avait pas été si époustouflant. Un seul baiser ordinaire, et elle pourrait renoncer aisément à Marcus Chambers.

— J'ai eu une longue journée, Marcus.

Il mit les mains dans ses poches. Le geste attira son attention sur ses avant-bras musclés, dévoilés par ses manches retroussées.

— Oh. Bien sûr. Je suis désolé. Je n'étais pas sûr de t'avoir remerciée correctement pour hier soir. C'est tout.

Il ferma les yeux un instant. Était-ce donc pénible pour lui de lui accorder une seule pensée bienveillante ?

*Pour quoi me remercies-tu ? Pour la soirée ? Ou pour la partie où tu m'as expliqué à quel point ce serait une erreur de coucher ensemble, alors que nous étions nus ou presque ?* Elle faillit plaquer sa main sur sa bouche pour empêcher les mots de sortir. Même si elle se sentait toujours blessée, se montrer vindicative envers Marcus ne ferait qu'empirer la situation. Elle l'inviterait à dîner plus tard. Dans dix ans, par exemple. Pour l'instant, l'humiliation était encore trop vive.

— Pas de quoi, dit-elle.

Il hocha la tête.

— D'accord. Bonne soirée.

— Bonne soirée.

*Mufle.* Une fois entrée dans son appartement, elle s'effondra contre la porte. Une forte odeur de vernis flottait dans l'air, mais les travaux étaient le cadet de ses soucis à cet instant. Elle n'aurait jamais dû inviter Marcus à cette réception. La situation n'était plus seulement tendue, elle était ridicule.

Elle gagna sa chambre d'un pas lourd. C'était comme si elle retournait sur la scène du crime. Si le salon n'était pas dans une telle pagaille, elle aurait dormi sur le canapé, pour échapper au parfum de Marcus sur les oreillers. Elle retira ses escarpins, massa ses pieds fatigués et ses chevilles, puis ôta sa jupe et son chemisier pour enfiler un pantalon ample et un débardeur. Un peu de confort, enfin.

Son estomac gronda. Ce n'était guère étonnant, puisqu'elle n'avait avalé qu'une barre protéinée à 14 heures. Comme toujours, elle avait eu une journée très chargée, mais on ne pouvait pas arrêter le train de *La Marieuse de Manhattan*. Encore moins maintenant. Car la chaîne envisageait sérieusement de lancer *Premier rendez-vous dans les airs*, une émission dont Ashley avait eu l'idée, dans laquelle des célibataires avaient leur premier rendez-vous dans un avion. Et puis un grand site de rencontres lui avait proposé un contrat publicitaire. Elle devait battre le fer tant qu'il était chaud. Sa bonne fortune ne durait jamais longtemps, et elle n'abandonnerait pas sa famille. Pas plus qu'elle n'abandonnerait Grace. Elle devait donc trouver un moyen de convaincre Marcus de dîner avec elle.

Elle mangea un reste de nouilles chinoises froides directement dans le carton. Les travaux de la cuisine avançaient bien. Les placards blancs et les plans de travail en quartz gris étaient splendides. La crédence en verre blanc avait été installée, mais des fils électriques pendaient encore des boîtes de raccordement. Aujourd'hui au moins, le chantier avait évolué. Sans plainte de Marcus. C'étaient de petites victoires. Mais elle se devait de les apprécier.

Elle jeta le carton, sortit une bouteille d'eau du réfrigérateur et se retira dans sa chambre. Grimpant sur le lit, elle prit soin de mettre la télécommande de la télévision hors d'atteinte. Son émission commencerait dans deux minutes.

Elle prit un livre qui n'avait pas grand intérêt et son téléphone. Devrait-elle téléphoner à Marcus pour être débarrassée ? Lui envoyer un message ? À dire vrai, lui poser la question ne la dérangeait pas vraiment. C'était le dialogue qui s'ensuivrait qui l'ennuyait. Elle l'imaginait déjà. *« Je t'ai dit hier soir que c'était une très mauvaise idée. »*

L'écran de son téléphone s'éclaira. C'était un message de Marcus. Elle crut que son cœur allait s'arrêter.

Tu es réveillée ?

Elle fronça les sourcils. Que diable Marcus pouvait-il vouloir ?

Il est 20 heures. Je ne me couche pas si tôt.

Peut-on discuter ?

Si c'était pour entendre d'autres choses blessantes, certainement pas.

De quoi ?

D'une invitation.

Une invitation à quoi ? À monter sur un ring de boxe ? Moins de vingt-quatre heures plus tôt, il s'était servi de sa fierté comme d'un punching-ball.

Alors ?

Oui. Appelle-moi.

Son téléphone sonna quelques secondes plus tard.

— Bonsoir, dit-elle d'une voix si sensuelle et chaleureuse qu'elle eut envie de se gifler.

— Je sais que tu te prépares sans doute à regarder ton émission. Je ne te retiendrai pas longtemps.

— Et toi, vas-tu regarder mon émission ?

— Je ne regarde pas la télévision le soir.

— Ah. Ton excuse est plausible.

Elle chercha une position plus confortable.

— Et, non, je ne regarde pas mon émission. Je ne la regarde jamais. Je ne supporte pas de me voir. Ni de m'entendre.

— Pourquoi n'aimes-tu pas ta voix ? J'aime la mienne.

— Évidemment. Ce n'est pas très fair-play de comparer un accent du Sud et un accent anglais. Je ne peux que perdre.

Elle entendit les notes du générique de *La Marieuse de Manhattan* dans le téléphone. Une image de Marcus en train de regarder son émission se matérialisa devant elle.

— Tu regardes mon émission. Je l'entends.

Elle n'était jamais allée chez lui, aussi devait-elle faire appel à son imagination. Était-il assis dans le salon, avec les deux grandes fans de l'émission qu'étaient la nourrice et l'employée de maison ? Ou étaient-elles rentrées chez elles ? Marcus était-il, comme elle, blotti dans son lit, en pyjama ? En boxer ?

— Je viens d'allumer le téléviseur. Je comprends pourquoi tu n'aimes pas ta voix.

Elle s'assit et fit l'impensable : elle prit la télécommande et alluma le téléviseur.

— Qu'est-ce que je dois comprendre ? rétorqua-t-elle.

Elle grimaça un peu, comme chaque fois qu'elle se regardait à l'écran. Elle ne pouvait imaginer ce que ce serait si elle était actrice et que son visage s'affichait sur écran géant.

— Ce n'est pas vraiment ta voix, observa Marcus. J'aime ta voix en vrai. Mais celle de la télévision semble étrange. Comme si elle n'était pas réelle.

Elle sourit et s'enfonça davantage dans les oreillers. La voix de Marcus était vraiment magnifique. Elle ferait mieux de ne pas lui dire tout ce qu'elle serait prête à accepter, s'il le lui demandait avec le ton approprié.

— Eh bien, rien de tout cela n'est réel. La partie « marieuse » est vraie, les couples aussi, mais le reste, c'est juste du spectacle. Ce n'est même pas mon vrai bureau.

Elle désigna l'écran comme si Marcus était dans la pièce.

— Sérieusement ?

— Oui. C'est le bureau d'une vraie thérapeute. Le mien a une lumière horrible, et il est trop petit pour pouvoir y faire entrer les caméras.

— Intéressant. Mais ça ne me surprend guère. Ces émissions semblent trop artificielles. C'est sans doute pourquoi je n'ai regardé ton émission qu'en coup de vent. En revanche, ma nourrice et mon employée de maison ne manquent pas un épisode.

Elle n'avait pas vraiment envie de continuer sur ce terrain, celui où Marcus énumérait les raisons pour lesquelles son émission était idiote.

— Que veux-tu, Marcus ?

— Oh ! c'est vrai. C'est moi qui t'ai téléphoné.

— En effet, répondit-elle.


*Pose-lui la question, tout simplement*, s'intima-t-il. Soit elle répondrait non, et il devrait dire à son père et à Joanna de trouver une autre solution, soit elle dirait oui, et il passerait toute la soirée à réprimer son attirance pour elle, rien que pour faire plaisir à son père. Il s'éclaircit la voix.

— Je veux te remercier de m'avoir emmené à cette

soirée. Cela a donné un coup de pouce incroyable à nos affaires, et ça n'aurait pas pu mieux tomber.

— Donc ma stupide émission t'a aidé, en fin de compte ?

Il réprima un grondement.

— Écoute, je suis désolé si je t'ai donné l'impression que je ne prenais pas ton travail au sérieux. À l'évidence, beaucoup de gens te prennent au sérieux, et je m'en réjouis.

— Attention, Marcus. Tu as failli ne pas m'insulter.

Il l'avait bien cherché. Il méritait tout ce qu'elle avait envie de lui lancer à la figure.

— Et rappelle-moi de te montrer un jour à quel point je prends mon travail au sérieux.

Il reporta son regard sur le téléviseur quand la pause publicitaire se termina. Sur l'écran, il y avait un plan d'Ashley marchant sur un trottoir bondé, jusqu'à ce bureau qui n'était pas le sien. La version télévisée d'Ashley était agréable, mais n'égalait pas la vraie Ashley. Celle qui était de l'autre côté du couloir, seule. Étant donné la disposition de leurs appartements respectifs, Marcus songea que leurs chambres étaient probablement contiguës. *Comme si j'avais besoin d'autres tourments.* Il lutta contre le besoin de lui demander ce qu'elle portait. Il aurait aimé l'imaginer en T-shirt ample et en bas de jogging, une tenue qui rendrait cette conversation plus facile. Mais son stupide esprit ne cessait de la visualiser en débardeur trop petit et en caleçon moulant.

— Je suis désolé. Combien de fois dois-je te le dire ?

— Je ne sais pas. J'aime entendre ces mots. Je te dirai quand arrêter.

Cela aussi, il le méritait.

— Je suis désolé, d'accord ?

— D'accord.

*Pose-lui la question, tout simplement.*

— J'appelais aussi pour une autre raison. Je voulais te proposer un autre rendez-vous public, pour voir si nous pouvions en retirer d'autres bénéfices.

— Vraiment ?

Étrangement, sa voix était pleine d'espoir.

— Oui. Pourquoi as-tu répondu de cette façon ?

Elle soupira.

— Parce que la chaîne veut qu'on nous voie ensemble. J'étais censée te demander la même chose, mais j'avais peur.

— C'est pour ça que tu traînais dans le couloir tout à l'heure ?

— Peut-être...

Il sourit.

— Donc, ta réponse est oui ?

— Je pense que nous devrions dîner ensemble, oui. Mais je te poserai des questions au restaurant, et tu dois me promettre d'y répondre.

— Dans le cadre d'une conversation normale, j'espère.

— Je ne te promets rien. Si nous devons dîner dehors, je veux pouvoir discuter de certaines choses. Pour de bon. Je pense que tu me dois bien ça, après hier soir.

Certaines choses. Une fois encore, il le méritait. Ils seraient en public. Il pourrait sans doute encaisser tout ce qu'elle lui lancerait. Sa famille serait contente, et Chambers Gin renforcerait son succès naissant. Tout ce qu'il avait à faire, c'était partager un repas avec une femme qu'il ne pouvait s'empêcher de toucher, tout en comptant sur leur dynamique naturelle pour lui rappeler qu'ils n'étaient pas faits l'un pour l'autre...

— J'accepte de passer sur le gril. 20 heures demain soir ?

— Bien. Tu t'occupes du véhicule, ou je m'en charge ?

— Je prendrai ma voiture et je conduirai.

— Quoi ? Tu as une voiture ? À New York ?

— Tu as bien entendu, Ashley. Je conduirai.

## - 9 -

— Tu es fou. Tu le sais, dis-moi ?

Si Ashley n'avait pas craint d'avoir le mal des transports, elle aurait fermé les yeux. Marcus parcourait les rues de Manhattan comme s'il était sur un circuit de course.

— Je ne connais personne à New York qui possède une voiture, dit-elle. Ou alors ceux qui en ont une s'en servent pour conduire hors de la ville, pas pour aller au restaurant.

Il fit une autre manœuvre dangereuse, coupant la route à un bus. Ashley était effrayée mais aussi excitée, il fallait le reconnaître.

— Je ne suis pas fou. Pour moi, ce qui est fou, c'est de monter dans une voiture et de laisser un inconnu me conduire partout dans la ville. Au moins, j'ai le contrôle.

— J'ignore quel genre de voiture c'est, mais il me semble que le moindre choc te coûterait une fortune en réparations.

Ses doigts effleurèrent le siège de cuir. En plus d'être luxueuse, c'était une voiture rapide et onéreuse, c'était certain.

Il caressa le volant, et elle songea qu'elle adorait ses mains.

— C'est une Aston Martin et, crois-moi, elle peut supporter toutes sortes de chocs.

Des photographes les attendaient quand ils arrivèrent devant le restaurant. Grace avait bien fait son travail en informant tout le monde qu'elle et Marcus feraient une seconde apparition ensemble. Un voiturier vint les accueillir.

— Prenez bien soin de mon véhicule, dit Marcus en lui glissant discrètement un billet dans sa main.

— Embrassez-vous ! cria un photographe.

— Oui, il nous faut un baiser ! renchérit un de ses collègues.

Les autres ne tardèrent pas à les imiter.

D'une beauté indécente dans son costume noir, Marcus la regarda, l'air perplexe, et lui prit la main. Allait-il l'embrasser ? Si oui, elle devrait peut-être le gifler. Ou lui rendre son baiser.

— C'est à toi de décider, dit-il.

À elle. Elle était trop tiraillée entre ce que l'on attendait d'elle et ce qu'elle voulait — l'occasion de montrer à Marcus qu'elle n'était peut-être pas parfaite, mais qu'elle demeurait quelqu'un de bien.

Malheureusement, son corps savait précisément comment tout ceci devrait se passer.

Elle rougit devant l'insistance embarrassante des photographes et le regard pénétrant de Marcus. Les photographes voulaient ce baiser. Elle voulait ce baiser. Même Marcus semblait le vouloir.

Elle devait mettre son voisin à l'épreuve. Savoir ce qu'il pensait.

— Peut-être devrions-nous attendre, fit-elle.

Il se pencha et lui murmura à l'oreille :

— On ne peut pas tout leur donner tout de suite, non ?

L'air du soir, d'une chaleur inhabituelle, caressa ses épaules nues. La question de Marcus avait accru son excitation, même si Marcus l'avait grandement déçue.

— C'est vrai. Faisons-les attendre.

À l'intérieur du restaurant, elle eut l'impression que tous les regards étaient braqués sur eux quand ils se présentèrent à l'hôtesse. Elle aurait pourtant dû y être habituée, mais cette attention la rendait toujours mal à l'aise, même après trois ans de notoriété. Elle se rappela que cette soirée était destinée à rendre Grace et la chaîne heureuses, mais cette pensée n'était guère réconfortante. La dernière fois qu'elle avait tenté de leur plaire, elle avait pleinement réussi, mais son cœur avait fini en miettes.

L'hôtesse les conduisit à leur table, au centre de la salle. *Génial. Tout le monde va nous observer.*

— Auriez-vous une table plus en retrait ? demanda Ashley.

— Quelque chose de plus romantique ? Bien sûr, suivez-moi.

Elle les guida vers un endroit bien plus calme.

Ashley eut le cœur serré quand elle s'installa sur la banquette et vit la petite bougie sur la table. Elle consulta le menu, tout en s'admonestant. Comment pouvait-elle être aussi stupide ? Marcus pensait sans doute qu'elle nourrissait encore des pensées romantiques à son égard, ce qui était la dernière chose qu'elle souhaitait.

— Quel plat te tente ? demanda-t-elle, se contentant d'une conversation anodine puisqu'elle n'avait pas trouvé le courage de lui poser les questions qu'elle avait menacé de poser.

Il referma son menu.

— Le steak, dit-il avec un petit sourire.

Le serveur vint prendre leurs commandes, leur offrant un répit, malheureusement de courte de durée.

— Ashley, je suis navré pour l'autre soir, dit Marcus, alignant ses couverts et évitant son regard. Les choses sont allées trop loin, c'est tout ce que je peux dire. Je pense qu'il valait mieux que je nous éloigne du bord du précipice avant qu'il ne soit trop tard.

— Un vrai gentleman, comme toujours.

Pourquoi la logique de Marcus avait-elle si souvent pour effet de la frustrer terriblement ?

— C'est la seule manière de se comporter avec une femme.

*Avec une femme.*

Ashley fut soudain très curieuse d'en apprendre davantage sur la vie amoureuse de Marcus, et sur le genre de femmes qu'il avait connues. En particulier son ex-femme.

— Puisque tu soutiens que nous ne sommes pas faits pour être ensemble, j'aimerais savoir ce que tu recherches chez une femme. Je pense que tu me dois bien ça, après…

Il hocha la tête avec solennité, et prit une grande inspiration, l'air perdu dans ses pensées.

— Ce n'est pas la même chose que lorsque j'étais plus jeune. Lila a tout changé. J'ai besoin d'une femme qui veut être à la fois une épouse et une mère.

— C'est tout ? Rien d'autre ne compte ?

— D'autres choses comptent, bien sûr, mais il n'est pas si facile de les quantifier. Je sais que je veux au moins cela. Ce n'est pas facile de laisser entrer quelqu'un dans sa vie.

— Pourtant tu m'as laissée faire. Était-ce une bonne idée ?

Il prit une longue gorgée de sa boisson, l'observant avec une intensité qui la rendit nerveuse.

— Tu t'es imposée dans ma vie. Je ne pouvais pas faire autrement.

Elle sentit son cœur se serrer. Pourquoi la voyait-il comme un éléphant dans un magasin de porcelaine ?

Du coin de l'œil, Ashley vit une femme approcher de leur table, un morceau de papier et un stylo à la main.

— Je crois que quelqu'un vient me demander un autographe, murmura-t-elle.

— Vraiment ? dit-il, regardant par-dessus son épaule. Oh ! en effet.

— Ashley, je suis votre plus grande fan, dit la jeune femme, tremblante, quand elle fut près de leur table.

Marcus semblait embarrassé. Ashley en fut d'autant plus incitée à inviter la jeune femme à s'asseoir. Elle se décala sur la banquette et tapota le siège.

— Comment vous appelez-vous ?

— Michelle. Puis-je avoir votre autographe ?

Ashley griffonna sa signature sur le morceau de papier, ajoutant quelques mots disant qu'elle souhaitait une vie pleine d'amour à son admiratrice.

— J'espère que cela vous fait plaisir. J'ai été ravie de vous rencontrer, Michelle.

Les larmes coulèrent sur les joues de la jeune femme quand elle lut ce qu'Ashley avait écrit.

— Mon petit ami a rompu avec moi. J'ignore pourquoi. Je croyais qu'il était l'homme de ma vie, mais j'imagine que je me suis trompée puisqu'il est parti.

Marcus se hérissa visiblement, et Ashley lui décocha un regard noir. Cette pauvre femme souffrait tant qu'Ashley ressentait sa douleur physiquement. Les ruptures étaient la pire sorte de chagrin. Elles donnaient le sentiment d'être condamné à une souffrance éternelle.

Ashley sortit un mouchoir de son sac et le tendit à Michelle.

— Parfois, être avec les mauvaises personnes nous permet de savoir ce que nous cherchons vraiment chez un partenaire.

Michelle acquiesça, essuyant ses larmes.

— Pour l'instant, je suis désespérée. Je ne sais même pas quoi faire. Je marche dans la ville comme un zombie, et je dois sourire, travailler, et faire comme si je ne souffrais pas. Je déteste ça.

Marcus se leva.

— Si vous voulez bien m'excuser, mesdames.

Il s'éloigna. Tout dans son langage corporel indiquait qu'il était agacé. Ashley ne savait pas où il allait, mais elle n'était pas sûre de s'en soucier.

Elle songea aux mois qui avaient suivi sa rupture avec James. Au départ, il lui avait donné le sentiment d'être très importante, comme si elle appartenait réellement au monde des célébrités. Il l'avait encouragée, l'avait aidée à prendre conscience de sa propre valeur. Puis il l'avait détruite, prétendant qu'elle l'avait mené en bateau puisqu'elle n'était pas prête à se marier ni à avoir des enfants. Il n'avait pas voulu entendre qu'elle était déjà dépassée par sa vie telle qu'elle était, et que la simple idée de se marier et de fonder une famille l'angoissait. Après cela, elle s'était transformée en zombie, tout comme Michelle, se forçant à sourire et à travailler alors que son cœur était en lambeaux.

Sans hésitation, elle sortit une carte de visite de son sac et la tendit à Michelle. D'habitude, elle ne donnait pas ses coordonnées à une admiratrice, mais il était important qu'elle aide cette femme.

— Michelle, je veux que vous alliez sur le site de l'émission et que vous remplissiez le profil en ligne et le formulaire de candidature de *La Marieuse de Manhattan*.

— Vraiment ? J'ai entendu dire qu'il est pratiquement impossible d'être sélectionné.

Ashley eut un grand sourire. C'était pour de tels moments qu'elle faisait ce travail. Elle aimait vraiment aider les gens.

— Et c'est là qu'intervient ma carte de visite. Envoyez-moi un mail quand vous aurez postulé, et je demanderai aux producteurs d'étudier votre candidature en priorité.

— C'est vrai ?

— Je ne vous promets rien, mais nous mettrons toutes les chances de votre côté. S'il y a quelqu'un pour vous dans notre base de données, je le trouverai.

— Vous êtes si gentille avec moi ! Je ne sais même pas comment vous remercier.

— Vous savez, Michelle, si je vous aide, c'est parce que je sais exactement ce que vous ressentez.

Marcus observa son reflet dans le miroir des toilettes pour hommes. Pourquoi était-il si irrité ? Pourquoi l'interruption de cette groupie le dérangeait-elle tant ? Était-ce parce que ce n'était pas un comportement normal ? Ou parce que cela lui rappelait avec force à quoi la vie d'Ashley ressemblait ? À l'évidence, sa voisine aimait les choses inattendues et hors de contrôle.

Heureusement, l'admiratrice était partie quand Marcus revint à table. Leurs plats étaient arrivés. Il déplia sa serviette et se rassit.

— Eh bien, c'était intéressant, commenta-t-il.

— Quoi donc ?

Ashley enroula des pâtes autour de sa fourchette et les mit dans sa bouche.

Un petit bout de pâte dépassait, et elle l'aspira entre ses lèvres. Ses lèvres… Pourquoi lui faisaient-elles un tel effet ?

— L'interruption de notre dîner.

— Ce n'était que quelques minutes, Marcus. Ce n'est vraiment pas grand-chose.

— Je ne comprends pas comment tu supportes ça.

— Elle était en larmes. Qu'aurais-je dû faire, selon toi ?

Elle se pencha et murmura :

— Lui dire de déguerpir parce que j'étais en rendez-vous avec mon faux fiancé ?

Il hoqueta de surprise.

— Ne m'appelle pas comme ça !

— Oh ! pardon. Mon voisin grincheux.

Son voisin *assiégé*. Quand elle ramena sa chevelure sur le côté, la drapant sur son épaule, il songea qu'il n'était pas seulement assiégé mais aussi frustré.

— Je ne t'aurais pas demandé de te débarrasser d'elle, mais tu n'avais pas non plus à écouter l'histoire de sa vie. Ça semblait excessif.

— Elle avait besoin que quelqu'un l'écoute, elle est venue vers moi, je n'allais pas la chasser. C'est mon travail, Marcus. Je conseille les gens. Je les aide à trouver leur moitié. Je les aide à prendre conscience des choses qui les empêchent de trouver l'amour.

Eh bien, elle l'avait remis à sa place !

— Tu prends vraiment ça au sérieux, même quand les caméras sont éteintes ?

Elle écarquilla les yeux.

— Tu te rends bien compte que je suis qualifiée pour cela, n'est-ce pas ? J'ai fait des recherches sur toi sur Internet, et tu n'as pas pris la peine d'en faire autant ? Après tout ce temps ?

— Je ne suis pas curieux. Et ça ne me regarde pas.

Elle secoua la tête.

— Je suis une thérapeute diplômée et professionnelle, Marcus. J'ai exercé pendant des années avant que l'émission ne commence. J'ai passé des heures à écouter des gens me dire à quel point ils étaient malheureux, surtout dans leur vie amoureuse.

— Comment diable as-tu fini par présenter une émission télé ? Tu as dû faire jouer quelques relations.

Elle baissa les épaules, l'air exaspéré.

— L'émission n'était pas prévue. Deux de mes clients étaient parfaits l'un pour l'autre. Alors j'ai fait en sorte qu'ils se rencontrent dans ma salle d'attente.

— Ça semble peu éthique.

— Ça ne l'est sans doute pas. Mais ils sont mariés, ont deux enfants et sont incroyablement heureux, alors je ne le regrette pas une seconde. Ma cliente a compris ce que j'avais fait, et elle m'était extrêmement reconnaissante. Je lui ai dit que je formais des couples depuis l'enfance.

Il plissa les yeux.

— Comment ça ?

— Mon premier couple remonte au CM2 : ma meilleure amie, Elizabeth, et un garçon qui s'appelait Sam. Ils semblaient compatibles, mais ils se détestaient. Un jour, alors que j'étais désignée pour aider la maîtresse après la classe avec Sam, j'ai prétendu être malade et j'ai fait en sorte qu'Elizabeth me remplace. Le lendemain, Sam et elle sortaient ensemble.

— Ne me dis pas qu'ils sont mariés et qu'ils ont deux enfants !

— Non, mais ils ont échangé leur tout premier baiser. Et ils ont fini par être amis, alors c'était une réussite. Quand je me suis rendu compte que j'étais douée, j'ai continué.

— Et c'est comme ça que ton visage s'est retrouvé sur la moitié des bus de Manhattan ?

— Je savais que ma cliente avait une société de production spécialisée dans la téléréalité, mais je n'aurais jamais imaginé qu'elle me demanderait de tourner un pilote d'émission. Ce n'était pas mon but.

— Ton but, c'était d'aider tes clients à tomber amoureux ?

— Oui. Ça me faisait vraiment de la peine de penser qu'ils étaient parfaits l'un pour l'autre, et de savoir qu'ils pourraient ne jamais se rencontrer. Ce n'était pas juste.

Marcus déglutit. Il s'était trompé sur Ashley, sur ce point au moins. Elle prenait vraiment son travail au sérieux. Et ses buts étaient nobles. Cela ne faisait aucun doute.

— Parfois, les gens peuvent sembler parfaitement assortis et être tout le contraire en réalité.

— Laisse-moi deviner. Ton ex-femme.

*Aïe*. Il aurait dû le prévoir.

— Rappelle-toi, j'ai fait mes vérifications sur toi, dit-elle. Elle posa sa fourchette sur la table et but un peu de vin.

— Raconte-moi. Que s'est-il passé ?

Il jeta un regard circulaire dans le restaurant, sans vraiment savoir ce qu'il cherchait. À présent, il souhaitait presque que des fans d'Ashley viennent les interrompre.

— C'est une longue histoire. Rien d'intéressant, crois-moi.

— Je t'avais prévenu que je te poserais des questions. C'est la première.

— Disons que nous pensions être compatibles, et que nous avions tort.

— Et ? Quoi d'autre ? Tu as dit que c'était une longue histoire.

Ashley avait sans doute été une bonne thérapeute. Elle était douée pour soutirer des confidences.

— Elle et moi nous sommes rencontrés juste après l'université. L'une des choses qui m'a attiré vers elle, c'était qu'elle semblait avoir besoin de moi. Je n'avais jamais connu cela, et c'était un sentiment agréable. Elle était ravie de se marier, et elle s'est accrochée à moi. Ce n'est que plus tard que j'ai compris qu'elle avait espéré échapper à sa famille, surtout à son père.

— Elle était maltraitée ?

— Non, mais ses parents étaient très autoritaires. Je ne les ai pas bien connus, car elle gardait ses distances avec eux. Honnêtement, ils ont toujours été polis avec moi, alors je ne me doutais de rien. Quand elle a quitté leur maison, elle s'est rendu compte que la vie avec moi n'était pas mieux, apparemment. J'ai compris très vite que tout lui donnait le sentiment d'être emprisonnée. Toutes les obligations sociales, tout ce qu'elle devait faire et qu'on attendait d'elle. Cela lui pesait vraiment.

— Et elle s'est vengée sur toi.

Pendant un instant, tout dans le restaurant sembla se figer. Des images d'Elle jaillirent dans son esprit. Il se remémora cette dispute qui avait duré toute la nuit, juste avant son départ. C'était ce qu'elle avait toujours fait. Fuir.

— Oui.

— Quand les gens se libèrent d'une chose, souvent, ils trouvent une autre chose dont ils veulent se libérer. Cela devient un schéma répétitif. Il peut être difficile à briser quand les gens ne savent pas comment fonctionner autrement.

Il était déjà remué par ce qui viendrait ensuite. La partie la plus douloureuse.

— J'ai pensé qu'un bébé nous aiderait. Je voulais vraiment fonder une famille, et je me suis dit que l'amour maternel lui donnerait envie de rester. Si elle ne m'aimait pas, elle aimerait le bébé, au moins.

— Mais la situation a empiré.

— En effet.

Il vida son verre, espérant anesthésier la douleur.

— Elle détestait la maternité. Je pense qu'elle aime Lila, au fond d'elle, mais elle n'était pas faite pour être mère. Je suis étonné qu'elle ait pu l'admettre. Elle n'a rien édulcoré quand elle est partie. Elle a dit qu'elle ne voulait pas vivre avec moi ou avec Lila.

Ashley posa la main sur la sienne.

— Marcus, je suis navrée. Sincèrement. Cela a dû être terrible.

Ses doigts semblaient si frêles. Son pouce effleura ses phalanges, faisant naître des sentiments contradictoires en lui. Une fois de plus, il était tiraillé entre le désir et la raison.

— Tu sais, on ne peut pas toujours prédire l'évolution des choses. Il est évident que ça a été un chapitre très douloureux de ta vie mais, au moins, ta femme t'a donné Lila.

Il plissa les yeux.

— Elle a gâché ma vie. Elle a causé toutes sortes d'ennuis à ma famille, et elle a abandonné Lila.

— Elle t'a aussi brisé le cœur.

— C'est la seule concession que je refuse de faire. Je ne lui donnerai pas cette satisfaction.

La vérité, c'était qu'Elle avait fait davantage que de lui briser le cœur. Elle lui avait volé sa foi en l'amour. Il avait cru que l'amour pourrait le sauver, *les* sauver, mais ce n'était pas une force toute-puissante et infaillible. L'amour pouvait s'altérer. Et s'éteindre.

— Tu sais, je pense que tu es stoïque et austère parce que tu souffres. Tout ce que ta femme t'a fait, je ne suis pas sûre que tu l'aies encaissé. Tu as encore trop de peine en toi, je le vois dans tes yeux. Tu dois apprendre à lâcher prise, sinon ça te détruira. Je pourrais même te suggérer de faire une thérapie. De parler enfin de tes sentiments.

Il serra les lèvres, préférant ne rien répondre. Entre Ashley et Joanna, il ne manquait pas de conseils. « Exprime tes sentiments », « Trouve la femme qu'il te faut ». Pourquoi la vie devait-elle être si compliquée ?

— Je ne veux pas minimiser ce que tu as traversé, mais Lila était faite pour être ta petite fille, et elle devait arriver sur cette planète, d'une manière ou d'une autre. N'occulte pas les bons côtés de ton histoire.

Il prit une grande inspiration et fit tourner les glaçons dans son gin tonic. En effet, Lila devait arriver sur cette planète d'une manière ou d'une autre. Même si Elle lui avait pris beaucoup, elle lui avait donné Lila, qui était tout pour lui. Ashley avait raison sur ce point. Cependant, il n'avait pas envie que ce dîner s'éternise.

— Nous devrions rentrer. J'ai promis à la nourrice d'être rentré pour 23 heures.

Lorsqu'ils sortirent du restaurant, les photographes les attendaient.

— Alors, vous deux ? Peut-on avoir ce baiser maintenant ? On attend depuis des heures.

Marcus avait encore l'esprit embrumé par sa conversation avec Ashley. Ils avaient parlé d'Elle, de son mariage raté. Ashley avait peut-être raison. Mais d'un autre côté, la façon dont elle avait résumé ses sentiments le dérangeait. Ce n'était pas aussi simple qu'elle le laissait entendre.

Elle lui prit la main.

— Ils attendent, chuchota-t-elle, désignant les photographes d'un signe de tête. Nous devrions sans doute nous embrasser et en finir avec ça.

— Hé ! cria un photographe. Je travaille pour *Celebrity Tchat*. Maryann Powell pense que vous êtes un faux couple.

Avant qu'il ait une chance de répondre à l'importun, Marcus vit Ashley nouer ses mains autour de son cou et poser les lèvres sur les siennes. Désarçonné par ce baiser surprise, il sentit quelque chose céder en lui. Il enlaça Ashley et l'embrassa sans merci, mettant toute sa peine et ses frustrations dans ce baiser, tentant de rivaliser avec l'impétuosité de la jeune femme, sa témérité.

Quand, enfin, il libéra Ashley, elle était à bout de souffle.

— Rien de faux là-dedans, dit-elle.

Tous les photographes souriaient quand ils rangèrent leurs appareils. Le voiturier amena son Aston Martin devant le restaurant. Marcus s'installa derrière le volant, sans savoir s'il aurait la force de les reconduire jusqu'à leur immeuble. En effet, il n'y avait rien eu de faux dans ce baiser.

*Je dois cesser d'embrasser cette femme*, s'adjura-t-il.

# - 10 -

Tous les mercredis, Joanna dînait chez lui. Lila adorait sa tante, et Marcus appréciait ce temps passé avec sa sœur, loin de Chambers Gin. Les ventes avaient augmenté de manière exponentielle après sa seconde apparition publique avec Ashley, à peine quelques jours plus tôt, lorsqu'il avait passé sa frustration sur ses lèvres si tentantes. Il ignorait ce qui le tracassait le plus — identifier ses sentiments pour Ashley ou se préparer pour la soirée d'inauguration à la distillerie.

— C'est le seul sujet professionnel dont je parlerai ce soir, dit-il, mais il faut vraiment que nous passions en revue les derniers détails pour la soirée d'inauguration de samedi. Il ne nous reste que quelques jours.

Marcus était impatient d'y être, d'autant que les demandes d'invitation des journaux avaient augmenté après ses deux apparitions dans les tabloïds avec Ashley.

— Inquiète-toi pour ton interview avec Oscar Pruitt, dit Joanna, et laisse-moi m'inquiéter pour tout le reste.

— Papa a attendu un article sur Chambers Gin dans *Spiritueux International* pendant des années. Je ne pense pas pouvoir être plus inquiet que je ne le suis déjà.

*Si je n'éblouis pas Oscar Pruitt, nous sommes cuits.*

— Je t'en prie, Marcus. Oublions le travail ce soir.

Joanna tenait les mains de Lila et l'aidait à marcher sur le sol de la cuisine.

— Je n'en reviens pas que ma nièce soit déjà si grande.

Sa petite fille allait bientôt marcher, songea Marcus. Dans peu de temps, elle trotterait dans tout l'appartement, monterait sur les meubles, et dirait bien plus de choses que « pa » et « hé ». Les choses allaient vite, trop vite. Il devait se chercher sérieusement une mère pour Lila. Il lui fallait juste un peu de temps pour oublier Ashley.

Il sortit un *cottage pie* du four, recette qu'il tenait de sa mère et que Martha avait respectée à la lettre.

— Ça sent le brûlé, non ? s'exclama Joanna.

— Tes plaisanteries sur mes talents culinaires ne marcheront pas. Ce n'est pas moi qui ai préparé le dîner.

Elle prit Lila dans ses bras.

— Non, je t'assure. Je sens une odeur de fumée.

Marcus posa les maniques et s'écarta de la gazinière. Ce fut alors que l'odeur le frappa à son tour. La panique l'envahit peu après.

— Ça vient du couloir ! s'exclama-t-il.

Il courut vers la porte et posa la main contre le panneau. Il était froid, et il n'y avait aucun signe de fumée. Pourtant, l'odeur était bien là.

— Prends le sac à langer de Lila ! cria-t-il à sa sœur. Et ton sac !

Il ouvrit lentement la porte. Il n'y avait pas de fumée dans le couloir, mais l'odeur de brûlé était plus forte. Après un regard vers la porte de l'appartement d'Ashley, il revint en courant vers Joanna.

— Emmène Lila hors de l'immeuble. Prends l'escalier, c'est plus sûr.

Dehors, il faisait suffisamment doux pour qu'elles puissent se passer de manteaux. Il tapota ses poches. Pas de téléphone. Il l'avait laissé dans sa chambre.

— Appelle les pompiers en descendant.

Il embrassa Lila sur la joue, espérant que ce ne serait pas la dernière fois qu'il les verrait, elle et Joanna.

— Tout se passera bien, trésor. Va avec tante Jo.

Joanna semblait affolée.

— Marcus, viens avec nous.

— Pars. Maintenant. Je suis sérieux. Je dois m'assurer qu'Ashley n'est pas chez elle.

Joanna disparut dans l'escalier avec Lila.

Il bondit vers l'appartement d'Ashley et tambourina contre la porte.

— Je t'en prie, Ashley, ne sois pas chez toi, marmonna-t-il pour lui-même.

Était-elle à l'intérieur ? Sans téléphone, impossible de le savoir. Et pourquoi l'alarme incendie ne s'était-elle pas déclenchée ? Il devrait donc la déclencher lui-même. Il courut vers la boîte rouge et tira sur la manette. Sans perdre une seconde, il empoigna l'extincteur et retourna vers la porte d'Ashley. Il n'obtint aucune réponse quand il tambourina encore plus fort.

Le bruit strident de l'alarme était assourdissant, mais Marcus savait qu'il faudrait une bonne demi-heure avant que les pompiers arrivent. Ashley et lui vivaient au dernier étage, donc le feu serait plus aisément contenu, mais la question de savoir si Ashley était à l'intérieur l'obsédait. Il ne pouvait pas partir. Pas tant qu'il n'était pas certain qu'elle n'était pas chez elle.

Il toucha la poignée du bout des doigts. Elle n'était pas chaude. Peut-être le feu n'était-il pas trop étendu. Il recula et, mû par l'adrénaline, donna un grand coup de pied dans la porte. La force du coup vibra dans son talon et dans sa jambe. Cela faisait un mal de chien ! Malheureusement, la porte refusait de céder. Il donna un autre coup. Puis un autre. Et un autre. Enfin, elle s'ouvrit à la volée. La fumée avait envahi tout l'appartement, mais elle n'était pas épaisse au point qu'il ne puisse rien voir. Il sortit un mouchoir de sa poche et le plaça sur sa bouche, puis s'accroupit et s'engouffra à l'intérieur.

— Ashley ! cria-t-il à travers le mouchoir.

Le tourbillon de fumée provenait de la cuisine. Marcus approcha et vit des flammes. Il visa le feu avec la lance de l'extincteur et pulvérisa les flammes à la base. Heureusement, il parvint rapidement à l'éteindre. Le feu avait été limité à la cuisine, mais il aurait pu envahir le reste de l'appartement en peu de temps. Que serait-il arrivé si Joanna n'avait pas senti la fumée ? Marcus ne voulait même pas y penser. Après un rapide coup d'œil dans les autres pièces, il courut chez lui, prit son téléphone et se dirigea vers l'escalier.

Il appela Joanna tout en descendant les onze étages.

— Lila et toi êtes dehors ?

— Oui, nous sommes dans un taxi. Que s'est-il passé ?

— Le feu est éteint. À quelques minutes près, cela aurait pu être très grave.

— Mon Dieu, Marcus, sors de cet immeuble ! Prends un taxi et viens dormir chez moi ce soir.

— Non. Mais occupe-toi de Lila. Je serai bien plus rassuré si elle est en sécurité avec toi, jusqu'à ce que les pompiers puissent inspecter l'immeuble. Je dois téléphoner à Ashley et lui dire ce qui s'est passé.

Elle serait sûrement dévastée.

— Tu as besoin de quelque chose ? demanda-t-il.

— Non, il me reste des choses de la dernière fois où Lila a dormi chez moi. Il y a une tenue de rechange dans son sac à langer. Tout ira bien.

Joanna lui dit au revoir tandis que Marcus sortait de l'immeuble, rejoignant de nombreux autres résidents qui se demandaient ce qui s'était passé. Marcus expliqua la situation à Mme White.

— Seigneur, monsieur Chambers ! Ashley sera bouleversée. Heureusement elle va pouvoir emménager chez vous, maintenant que vous êtes en couple.

Il afficha un sourire sur son visage.

— Je dois lui téléphoner. Pouvez-vous parler avec les

pompiers s'ils arrivent pendant que je suis au téléphone ? Veuillez m'excuser.

Il se mit à l'écart du groupe de résidents, composa le numéro d'Ashley et colla l'appareil contre son oreille.

— Réponds, s'il te plaît, s'il te plaît…

— J'espère que tu n'appelles pas pour te plaindre de mon entrepreneur. J'ai eu une journée horrible.

Quand il entendit sa voix, une étonnante vague de soulagement déferla en lui. Ashley allait bien. Le feu était éteint. Lila et Joanna étaient en sécurité.

— Je suis navré de te l'apprendre, Ashley, mais il y a eu un incendie chez toi.


*Un incendie. Non. Non. Non.*
Ashley n'avait jamais hélé un taxi aussi frénétiquement de toute sa vie. Elle sortit un billet de vingt dollars de son portefeuille et le plaqua contre la vitre de séparation en plexiglas.

— C'est votre pourboire si vous me ramenez chez moi au plus vite, dit-elle au chauffeur.

— Bien, madame.

Le chauffeur appuya sur l'accélérateur, évita un autre taxi et grilla un feu rouge.

Elle s'adossa à son siège, s'enlaça la taille et se balança d'avant en arrière. Elle tenta de prendre de grandes inspirations, mais c'était peine perdue.

— Tout ira bien. Tout ira bien, se répéta-t-elle.

Par la vitre, elle regardait la ville sans la voir. Au lieu de cela, des visions de l'incendie qui avait emporté sa maison quand elle avait dix ans envahirent son esprit. Elle eut beau essayer, elle ne put les chasser. Elle se revit, enfant, debout dans le fossé près de la route poussiéreuse qui longeait la ferme familiale. Les bardeaux que son arrière-grand-père avait cloués s'étaient désintégrés tels des fétus de paille. Les flammes avaient avalé les rideaux du salon confectionnés par sa mère, comme s'ils avaient été en papier. Tout ce qu'ils possédaient — meubles, vêtements, ses livres les plus chers, le journal qu'elle tenait depuis quelques semaines seulement, l'ours en peluche qu'elle avait depuis qu'elle était bébé — avait été emporté ce soir-là. À jamais.

Cela avait été une catastrophe, et, sur bien des plans, sa famille ne s'en était vraiment remise que lorsque Ashley avait commencé à gagner de l'argent. Elle avait pu éponger les dettes, acheter une nouvelle maison à ses parents et donner un peu d'argent à ses frères. L'incendie avait conduit à plus d'une décennie de vaches maigres, à laquelle toute la famille était peu préparée, surtout elle, songea Ashley. Elle avait dû grandir du jour au lendemain. À dire vrai, avant l'incendie, elle n'avait guère pensé à la pauvreté.

La ferme avait été un endroit joyeux, au milieu de champs prospères. Elle se souvenait encore du potager plein de haricots beurre et de tomates, des poules caquetant dans la cour à côté du poulailler, des chats dormant au soleil sur la terrasse. La maison était payée depuis longtemps, son arrière-grand-père l'ayant bâtie lui-même. Avant le drame, elle avait toujours eu le sentiment qu'ils ne manquaient de rien. Après l'incendie, le poulailler était la seule chose qui était restée debout. Sa famille n'étant pas assurée, il n'y avait même pas eu assez d'argent pour se payer un motel. Ils avaient dépendu de la gentillesse des voisins.

Et aujourd'hui, une fois de plus, les choses s'écroulaient. Quand Ashley arriva devant son appartement, elle découvrit une scène étrange, où le calme le disputait à l'agitation. Quelques pompiers entraient et sortaient de l'appartement. L'odeur de fumée devint plus forte à chaque pas, jusqu'à ce qu'elle lui pique le nez et l'oblige à s'arrêter. Si elle restait dans le couloir, cela n'aurait pas à être réel, pensa-t-elle. Elle n'aurait pas à faire face à ce qui l'attendait de l'autre côté de la porte.

Marcus sortit de chez lui.

— Tu es là.

Son ton était sérieux, comme d'habitude.

Ashley secoua la tête, puis plongea le regard dans le sien.

— Alors, tu as senti la fumée ? C'est comme ça que tu as su ? demanda-t-elle d'une voix de plus en plus faible.

Marcus l'attira dans ses bras, et elle dut prendre sur elle pour ne pas s'effondrer. Il lui donnait le sentiment d'être protégée, et c'était si tentant de s'abandonner ! Comment Marcus était-il devenu son pilier ? Comment cet homme qui pouvait être si insupportable était-il devenu son sauveur ? Alors même qu'il avait fait de son mieux pour la repousser ?

Elle n'avait pas un seul filet de sécurité dans sa vie. Chaque jour, elle marchait sur une corde raide, essayant de tout faire fonctionner, d'assurer la sécurité financière des siens. C'était agréable de savoir que quelqu'un, quelque part, pouvait en faire autant pour elle. Elle n'aurait jamais cru que ce serait Marcus, et elle n'avait aucune idée de la façon dont il considérait ce rôle.

Ce n'était pas comme si elle n'avait pas de solution. Elle reprendrait les travaux de son appartement, d'une manière ou d'une autre. Et son logement serait conforme à ses rêves. Mais pour arriver au bout de son projet, elle devrait revivre une partie de son passé douloureux.

— C'est Joanna qui a senti la fumée. Elle était venue dîner chez moi. Je lui ai confié Lila, pour qu'elle soit loin de tout danger.

Ashley sentit des larmes lui piquer les yeux. Loin de *tout danger*. C'était son appartement, la source du danger.

— Tu aurais pu être blessé. Lila aussi. Marcus, je suis tellement désolée ! Dieu merci, tu étais là, et tu as réagi rapidement. Merci. Je te suis à jamais redevable.

Il l'étreignit de nouveau, lui rappelant qu'elle était en sécurité.

— Le capitaine des pompiers ne devrait pas tarder. Je doute que tu puisses entrer pour l'instant. Ils ont coupé l'électricité. Ils semblent certains que le feu est d'origine électrique.

Un homme en uniforme sortit de chez elle.

— Je vous reconnaîtrais n'importe où, mademoiselle George. Capitaine Williams, enchanté. Ma femme est une grande fan.

— Oh ! c'est gentil.

Ce n'était pas exactement ce qu'elle avait imaginé entendre en premier lieu de la part de cet homme. Des dizaines de questions se bousculaient dans sa tête, mais elle ne pouvait se résoudre à en poser aucune. Elle resta là, immobile, attendant la suite.

— Je devrai vous demander un autographe mais, pour l'instant, parlons de ce qui s'est passé.

*Nous pourrions ne pas en parler, faire comme si ça n'était pas arrivé.*

— L'origine du feu provient d'une prise électrique dans la cuisine. À mon avis, cela vient d'un câblage défectueux.

Le capitaine Williams lui montra une photo sur son téléphone. Elle vit Marcus scouter l'image, évaluant la situation de son œil vigilant.

Après un rapide regard, Ashley ferma les yeux. Sa cuisinière haut de gamme à huit brûleurs ressemblait maintenant aux restes d'un feu de camp. La magnifique crédence de verre arborait un trou noir béant.

— L'électricien travaillait dans la cuisine l'autre jour, dit-elle, le ventre noué.

— Eh bien, nous devrons parler à votre entrepreneur à ce sujet. C'est pourquoi nous avons coupé l'électricité chez vous. Nous ne voulons pas prendre le risque qu'un autre incendie se déclenche. Je reviendrai demain matin pour commencer l'inspection de votre appartement. Cela ne devrait pas prendre plus de quelques jours. Ensuite, vous pourrez faire venir une équipe de nettoyage. En attendant, je ne peux pas vous autoriser à occuper votre logement. Vous pouvez prendre quelques affaires, mais uniquement en présence d'un pompier. Avez-vous quelqu'un chez qui séjourner ?

Grace était sa plus proche amie, mais elle vivait avec sa sœur et plusieurs chats dans un minuscule appartement.

— J'irai à l'hôtel.

Marcus s'éclaircit la voix, mais ne dit rien. Elle n'était pas choquée qu'il ne lui ait pas proposé de l'héberger, mais elle aurait aimé qu'il le fasse. Au moins, cela aurait été plus pratique pour elle. Mais, après tout, peut-être était-ce mieux qu'ils restent à distance l'un de l'autre. Elle n'avait pas besoin que d'autres sentiments contradictoires s'ajoutent à ceux qu'elle éprouvait maintenant.

— Autre chose, mademoiselle George, ajouta le capitaine Williams. Vous devez savoir que votre extincteur automatique à eau n'a pas fonctionné, et nous pensons qu'il était en panne. Si les ouvriers de votre entrepreneur ont fait court-circuiter le système, je n'ai pas d'autre choix que de faire un rapport. Il y aura une enquête, et l'entreprise pourrait perdre sa licence. C'est une grave violation des règles de sécurité.

— Je ne comprends pas. L'entrepreneur avait une liste d'attente. Ses autres chantiers sont splendides.

Le capitaine Williams haussa les épaules.

— Cela arrive de temps en temps, même avec les meilleures entreprises. Il suffit qu'un ouvrier prenne quelques raccourcis avec les règles de sécurité pour que tout le monde en pâtisse.

Marcus avait eu raison dès le début, alors. Même si son entrepreneur était « très demandé », c'était une équipe d'incompétents qui avait été chargée de son projet de rénovation. Elle avait mis des œillères, parce que tout ce qu'elle voulait, c'était que son appartement soit terminé. Elle avait voulu avoir une chose bien à elle, à n'importe quel prix.

— J'imagine que je dois trouver un nouvel entrepreneur.

Elle n'arrivait pas à croire qu'elle venait de prononcer

ces mots. Elle qui avait cru que ce serait Marcus qui ferait capoter ses travaux ! En fin de compte, si son projet était suspendu, c'était parce que l'entreprise qu'elle avait engagée — et toujours défendue — avait fait un travail catastrophique.

Le capitaine Williams hocha la tête.

— Vous pourrez rentrer chez vous dans une semaine environ. Vous avez beaucoup de chance que M. Chambers ait agi si rapidement. Cela aurait pu être bien pire pour votre appartement, et pour tout l'immeuble. Tout bien considéré, c'est même un mal pour bien. Vous auriez vécu avec une bombe à retardement. Ces circuits électriques défectueux auraient pu provoquer un court-circuit à tout moment — pendant que vous dormiez, et que vos voisins dormaient.

Ashley se sentit accablée. « Cela aurait pu être bien pire. » Elle savait à quoi ressemblait le pire. Elle l'avait vécu. Elle était soulagée que personne n'ait été blessé, mais sa culpabilité était écrasante. Elle prit une grande inspiration tandis que les larmes perlaient au coin de ses yeux. Elle devait rester forte… Au moins jusqu'à ce qu'elle puisse s'effondrer sur un lit d'hôtel.

Marcus l'entraîna à l'écart.

— Vas-y, dit-elle. Tu peux me dire maintenant à quel point j'ai été inconsciente. Je sais que c'est le cas.

Elle attendit le sermon, ou au moins cet air arrogant sur son visage, celui qui lui signifierait qu'une fois de plus il avait raison. Et qu'elle avait eu tort. Tragiquement tort.

— Je n'ai pas besoin de le dire. Tout est très clair.

Alors elle attendit la partie où il déclarerait que ce n'était pas grave qu'elle ait commis une erreur, mais il garda le silence. Elle ne pouvait guère lui en vouloir. Sa famille et lui avaient été mis en danger.

— Je suis désolée, Marcus. Je ne sais pas quoi dire d'autre.

— Tu peux dire que tu séjourneras chez moi. Si tu le souhaites.

— Tu es sérieux ?

— Oui. Tu peux dormir chez moi. Ce sera bien plus pratique pour toi, toutes tes affaires sont ici. C'est la solution la plus raisonnable.

*Tu ne m'invites que parce que c'est raisonnable.*

— Je croyais que tu n'aimais pas accueillir des femmes en présence de Lila.

— Lila est en parfaite sécurité chez ma sœur. Elle peut rester là-bas quelques jours. En tout cas, je ne prendrai pas le risque de la ramener ici tant que l'immeuble n'a pas été totalement inspecté. Je pourrai aller la voir avant ou après le travail.

C'était à cause d'elle et de ses choix hasardeux que Marcus était obligé d'éloigner l'être qui lui était le plus cher au monde, pour sa sécurité.

— Alors ? Tu acceptes mon invitation ? Je suis trop fatigué pour te persuader, donc la décision t'appartient.

Pouvait-elle se réfugier chez l'homme qu'elle avait régulièrement maudit à peine quelques semaines plus tôt ? *Devait*-elle le faire ? Finiraient-ils par se disputer pendant le petit déjeuner ? Ou passerait-elle la nuit à fixer le plafond, en se demandant ce que Marcus portait pour dormir ?

— Oui, merci. J'apprécie ton geste.

Elle se tourna vers la porte de son appartement.

— Je ne pense pas avoir le courage d'entrer chez moi pour l'instant, dit-elle d'une voix tremblante.

Elle redoutait de voir la réalité des dégâts.

— Si tu allais t'installer dans ma chambre d'amis ? Je suis sûr que je peux te trouver une tenue pour dormir.

— Un vieux sac à pommes de terre qui traîne ?

— Quelque chose comme ça.

Ils se dirigèrent vers l'appartement de Marcus. C'était la première fois qu'il la laissait franchir le seuil, et elle ne prenait pas cette invitation à la légère. Il avait été clair : les femmes autres que la nourrice ou l'employée de maison n'entraient pas chez lui. Mais, cette fois, Lila, la personne qu'il protégeait comme la prunelle de ses yeux, n'était pas présente. Elle avait été emmenée ailleurs, pour sa sécurité.

Les meubles de Marcus étaient sobres et masculins — un canapé gris anthracite, des fauteuils de cuir chocolat et une table basse en bois, qui se détachaient contre des murs bleu marine, ornés de photos en noir et blanc et de cartes géographiques anciennes. Dans le coin, un grand panier débordait de jouets colorés, une oasis joyeuse dans cette pièce sophistiquée et sérieuse. Ashley suivit Marcus jusqu'à la chambre d'amis.

— J'imagine que ça fera l'affaire, dit-il.

La pièce était un temple de sérénité et de raffinement, aux tons de blanc, de crème et de marron clair.

— C'est parfait. Merci.

Elle prit une grande inspiration. Il y avait tant à faire — traiter avec l'expert des assurances, les pompiers, l'équipe de nettoyage. Et puis il y avait son entrepreneur. Sans conteste, elle devrait congédier les ouvriers dès demain. Mais, pour finir les travaux, elle revenait à la case départ. Elle avait une autre année de célébrité à son actif depuis qu'elle avait contacté l'entrepreneur qu'elle avait sélectionné en premier. Peut-être pourrait-elle le persuader de la faire remonter en haut de la liste d'attente.

— Je dois te trouver une tenue pour dormir, dit Marcus, l'air un peu mal à l'aise. Je reviens.

— Merci.

Ashley s'assit au bord du lit, exténuée, et tenta de faire le tri dans ses sentiments. Ce feu était un cauchemar, mais il lui avait permis d'accéder au sanctuaire de Marcus, un endroit dont elle avait cru qu'il lui serait fermé pour toujours. Difficile de ne pas être fascinée par cette incursion dans sa vie, de ne pas y voir une lueur d'espoir. Marcus Chambers et elle étaient peut-être mal assortis, mais quelque chose chez lui lui donnait envie d'insister.

Il revint avec un pyjama bleu pastel parfaitement repassé.

— Je… ne sais pas ce que tu portes en temps normal pour dormir, mais j'espère que cela te conviendra.

Elle sourit. Cette tenue contrastait avec le Marcus désinhibé et passionné qui avait failli lui faire l'amour. Leur nuit de passion avortée suscitait encore bien des regrets en elle. Si seulement ils avaient vraiment fait l'amour ! Si elle avait pu être témoin du moment où il s'atomisait, elle aurait eu une autre pièce du puzzle sexy et compliqué qui se tenait devant elle.

— C'est ce que tu portes en temps normal ? demanda-t-elle, haussant un sourcil.

— Juste le bas. Je ne supporte pas de porter un haut quand je dors.

Une vague de chaleur et de frustration menaça de la submerger. Elle fut assaillie par des images de Marcus à demi nu, qui seraient difficiles à chasser, surtout en sachant qu'elle serait dans la chambre voisine de la sienne. Toute la nuit.

— Pourquoi s'embêter avec un pyjama, en effet.

— Je vais te laisser un peu d'intimité. Je suis sûr que tu as envie de téléphoner à ta famille.

Sa famille. Mon Dieu, elle n'y avait même pas pensé ! La nouvelle allait anéantir sa mère. Et son père devait éviter les émotions fortes à tout prix. Pourquoi la réalité devait-elle empiéter sur ses pensées sensuelles ?

— Je leur téléphonerai demain.

— Tu en es sûre ? Je ne sais pas ce que j'aurais fait sans mes proches après le départ d'Elle. Ils m'ont beaucoup aidé. Je pense vraiment que tu te sentiras mieux si tu leur parles maintenant.

Et voilà. Une autre pièce du puzzle donnée volontairement. Marcus n'avait pas peur d'admettre qu'il avait eu besoin d'aide et de soutien pendant son divorce. Il était humain après tout.

— Oui, tu as raison. Je leur téléphonerai demain matin à la première heure. Mais, ce soir, je les laisse se reposer.

# - 11 -

Marcus aurait pu souhaiter une bonne nuit à Ashley, mais il n'en avait rien fait. Il était plus tiraillé que jamais concernant ses sentiments à l'égard de la jeune femme. La montée d'adrénaline due à l'incendie, le fait que Lila lui manquait, l'image d'Ashley en pyjama, tout cela l'avait empêché de trouver le sommeil.

Certes, Ashley avait créé la situation qui avait mis Lila, Joanna et tous les résidents de l'immeuble en danger hier soir. Il lui avait pourtant répété des dizaines de fois que son entrepreneur était imprudent et irresponsable, mais elle avait fait la sourde oreille. Cela dit… si elle avait eu la moindre idée des conséquences possibles de sa négligence, elle aurait aussitôt renvoyé les ouvriers, Marcus en était certain.

Comme il avait pu le découvrir lors de leur dîner, elle n'était ni égocentrique ni stupide. Insouciante et audacieuse ? Oui. Effrontément négligente ? Non. Cela faisait-il d'elle une victime ? Sans doute. Voilà pourquoi il n'avait pas pu la laisser aller à l'hôtel hier soir. Et tant pis si cela l'obligeait à être physiquement proche d'une femme dont il était, bien malgré lui, en train de tomber amoureux.

Puisqu'il n'arriverait pas à fermer l'œil, il sortit du lit et alla se doucher. Se rendre au bureau de bonne heure était la meilleure manière de composer avec les sentiments qu'Ashley faisait naître en lui. Quand il lui avait donné son pyjama hier soir, il avait réprimé toutes sortes d'envies — la prendre dans ses bras, l'embrasser, admettre qu'il avait paniqué la dernière fois, et lui demander une seconde chance. Une chance de lui faire l'amour, ne serait-ce que pour exprimer physiquement ce qu'il ressentait pour elle. Il n'était peut-être pas capable d'exprimer ses sentiments avec des mots, mais il était certain de pouvoir les traduire par des actes.

Hier soir, Ashley s'était retrouvée dans une situation difficile. Pourtant, elle s'était montrée forte. Il ignorait comment elle avait fait pour ne pas s'effondrer. Il y avait eu quelques moments de faiblesse, quelques larmes, mais rien de plus. Avait-elle fait bonne figure devant lui ? Ou avait-il réussi à la réconforter ?

Il entendit des bruits de vaisselle. Mieux valait s'habituer tout de suite à croiser sa nouvelle colocataire. Il se rendit dans la cuisine d'un pas nonchalant et fut stupéfié par l'image qui l'accueillit : Ashley, sur la pointe des pieds, ne portant que le haut de son pyjama, en train de fouiller dans les placards.

Il toussota pour attirer son attention, mais aussi pour réprimer l'envie de la prendre dans ses bras. Il avait encore quatre-vingt-dix minutes devant lui avant que sa sœur ne se demande où il était passé. Ashley et lui pourraient accomplir bien des choses dans ce laps de temps.

— Bonjour, dit-il.

Elle se retourna. Ses cheveux étaient décoiffés, et elle ne portait pas une once de maquillage. Elle était toujours aussi belle, mais d'une manière totalement différente.

— Ah, tu es réveillé. Il y a du café ?

— Navré, je n'ai que du thé.

Elle fronça les sourcils et son menton se plissa. Étonnamment, il trouva cela charmant.

— Tu plaisantes ? Comment vais-je être opérationnelle sans ma dose de caféine ?

Passant devant elle, il ouvrit le placard où se trouvaient ses boîtes de sachets de thé. Il posa l'une des boîtes sur le plan de travail et remplit la bouilloire d'eau.

— Il y a beaucoup de caféine dans le thé anglais, tu sais.

— Attends une minute, dit-elle, pointant un doigt vers lui tandis qu'il mettait l'eau à chauffer. Je sais que tu bois du café. Je t'ai vu monter chez toi avec une tasse à emporter.

— J'en bois, oui, mais je n'en fais pas. Je n'ai jamais appris à en faire.

Il sortit une tasse pour elle tandis qu'elle s'appuyait contre le plan de travail et croisait ses pieds nus. Ses jambes étaient magnifiques.

— Alors, quel est ton programme aujourd'hui ? lança-t-il, consultant sa montre pour se distraire.

Elle croisa aussi les bras, ce qui fit remonter sa chemise et révéla un morceau de son slip mauve pâle.

— J'ai un million de choses à faire. J'ai déjà eu la compagnie d'assurances au téléphone, ils m'envoient un expert cet après-midi. Le capitaine des pompiers a envoyé un de ses hommes chez moi, je peux aller chercher mes affaires quand je veux. Il va sans dire que je n'irai pas au bureau aujourd'hui. Ce qui me convient, car j'ai bien besoin d'une pause.

— Tu veux que je t'accompagne pour aller récupérer quelques affaires ? Je sais que tu n'étais pas d'humeur hier soir, mais tu ne peux pas rester en pyjama toute la journée.

*Sinon, je pourrais être forcé de prendre un jour de congé, moi aussi.*

— Non, ça ira. Le capitaine Williams sera là dans une heure. Je vais l'attendre et y aller avec lui.

*Génial, je vais la laisser avec un pompier séduisant et bien bâti.*

— Bon. J'imagine que je vais aller au bureau, alors. Martha passera ce matin pour faire le ménage et préparer le repas.

\* \* \*

Ashley regardait son téléphone, tenaillée par l'angoisse. Elle n'aimait pas annoncer de mauvaises nouvelles à sa mère. En fait, elle estimait ne devoir rapporter que des bonnes nouvelles à sa famille, du genre de celles-ci : « Ils ont renouvelé mon émission pour une autre saison », Je vais vous envoyer plus d'argent ».

Elle n'avait parlé de sa rupture avec James que lorsqu'elle avait rendu visite à ses parents pour Thanksgiving et elle s'était effondrée dès qu'elle avait vu sa mère. Puisque certains sites web relayaient déjà le fait qu'un feu s'était déclaré chez elle, Ashley n'avait pas le choix. Elle composa le numéro de ses parents.

Sa mère répondit à la troisième sonnerie.

— Bonjour, ma chérie.

— Bonjour, maman.

— Il est presque 9 h 30. Ce n'est pas ton style de m'appeler quand tu es au bureau.

Ashley ferma les yeux. L'accent chaleureux et traînant de sa mère l'émut aux larmes, mais elle devait les ravaler. Elle devait être forte, tout comme elle l'avait été avec Marcus hier soir. Elle n'allait pas inquiéter sa mère inutilement.

— Je ne suis pas au bureau, je prends un jour de congé.

— Pourquoi ? Tu ne manques jamais le travail.

Et elle qui avait craint que ses larmes ne la trahissent ! Sa mère avait deviné que quelque chose n'allait pas, juste parce que son bourreau de travail de fille n'était pas au bureau.

— Il y a eu un souci avec mon appartement, mais il ne faut pas que tu t'inquiètes.

Elle ne put se résoudre à prononcer le mot « feu ».

— Ça ne concerne pas ton voisin, dis-moi ? Je croyais que vous sortiez ensemble tous les deux.

*Mince*. Elle ignorait que sa mère était au courant.

— Tu as vu cela dans les journaux ?

— L'un de tes frères m'a envoyé un lien Internet. Je me suis dit que tu m'en parlerais quand tu serais prête.

— Nous ne sortons pas vraiment ensemble. C'est compliqué.

*Plus que compliqué.*

— Nous étions en mesure de nous aider mutuellement sur le plan professionnel. Et nous essayons d'être amis, mais nous nous disputons beaucoup. Il n'aime pas mon entrepreneur. Je ne sais pas vraiment ce qui se passe entre nous, pour être honnête.

— Tu radotes, chérie. Et tu ne m'as toujours pas dit ce qui s'est passé avec ton appartement.

Ashley prit une profonde inspiration.

— Il y a eu le feu.

— Oh non ! Tu vas bien ? Tu n'as pas été blessée, au moins ?

— Je vais bien, je t'assure. En fait, c'est mon voisin, Marcus, qui a découvert l'incendie. Il l'a éteint tout seul. Avant même l'arrivée des pompiers.

— Dis-moi que tu n'étais pas chez toi !

— Non, j'étais au travail.

Sa mère poussa un soupir de soulagement.

— Je n'ai jamais été aussi heureuse que tu aies ce travail insensé. Tu vas bien ? Si tu rentrais pour quelques jours ? Je te préparerais de bons petits plats. Tu pourrais dormir tout ton soûl, et nous aurions nos moments entre filles.

Ashley sourit. Grâce à sa mère, elle se sentait déjà bien mieux.

— J'adorerais, mais je dois rester en ville pour traiter avec le capitaine des pompiers, la compagnie d'assurances, et pour trouver un nouvel entrepreneur.

— Très bien, chérie. Je sais que tu es occupée. Mais je veux que tu saches que nous serons toujours là pour toi. J'imagine que tu dois trouver la situation effrayante, étant donné tout ce qui s'est passé quand tu étais petite, mais il faut reconnaître que, parfois, les coups durs sont un mal pour un bien.

— Quel bien est sorti de l'incendie qui avait ravagé notre maison ? Il n'y a eu que du mauvais.

— Non, beaucoup de bonnes choses sont arrivées. Cela a poussé ton père à cesser de fumer. S'il avait continué dix ou vingt ans, nous l'aurions sans doute perdu il y a des années ; et puis, entre ton père et moi, ça n'allait pas fort à l'époque. Le travail à la ferme était difficile, et cela nous avait éloignés.

— C'est vrai ? demanda Ashley, s'appuyant contre la tête de lit. Tu ne me l'avais jamais dit.

— Tu avais dix ans. Et c'étaient des problèmes de couple. Certaines choses doivent rester entre un mari et sa femme. Quoi qu'il en soit, l'incendie nous a rapprochés. Nous avons compris à quel point nous avions besoin l'un de l'autre. Les problèmes financiers survenus ensuite ont été bien plus faciles à gérer.

— Pour moi, cette époque semblait très difficile.

— Elle l'était. Mais ton père m'a permis de tenir le coup. L'amour fait des miracles, chérie. Il rend les épreuves plus supportables. Tu devrais le savoir mieux que quiconque. Après tout, ton travail est de réunir les âmes sœurs.

— Mais je n'arrive pas à trouver ma propre âme sœur. Ce serait trop facile, n'est-ce pas ? Que la femme qui cherche l'amour tous les jours le trouve pour elle-même !

— Parle-moi de la situation entre Marcus et toi.

Sa mère était loin de se douter que cela pourrait prendre des heures.

— Il n'y a pas de « situation ». Je l'aimais beaucoup au départ mais, ensuite, je me suis dit qu'il ne m'appréciait pas.

— Et maintenant ?

— Maintenant, je ne sais vraiment pas quoi penser. Il a une vie très compliquée. Je ne suis pas sûre d'être prête pour ça. Il a connu des épreuves, il a vécu un divorce vraiment difficile, et il essaie d'élever sa fille seul. Je commence à comprendre pourquoi il peut paraître si austère. Il se referme sur lui.

— Tout comme toi.

Ashley n'était pas sûre d'avoir bien entendu.

— Quoi ? Non, pas du tout. Tu me connais, je suis très ouverte.

— Quand il s'agit des autres, peut-être. Mais tu occultes les choses quand tu n'aimes pas ce que tu vois. Depuis que tu es toute petite. Si quelque chose de mal se produisait, tu apprenais à l'ignorer. Tu étais toujours plus douée pour aider les autres que pour t'aider toi-même.

Ashley se rappela ce que Marcus lui avait dit dans la limousine, quand il avait lu dans les lignes de sa main. Elle ne croyait pas vraiment à la chiromancie, mais Marcus avait à peu près dit la même chose à son sujet. *Oh ! mon Dieu. Maman a raison. Marcus a raison.* Elle avait refusé de voir le mauvais comportement de son entrepreneur. Elle avait évité de penser au sinistre qui s'était produit dans son appartement, essayant de faire bonne figure devant Marcus. Elle n'avait pas voulu comprendre les raisons pour lesquelles James était parti. Pourquoi n'était-elle pas prête pour un véritable engagement ? Pour avoir des enfants ?

— Maman, je peux te poser une question ?

— Bien sûr.

— Penses-tu que je sois trop dispersée pour être une bonne mère ou une bonne épouse ?

Sa mère eut un petit rire.

— Je viens de te dire que tu es plus douée pour aider les autres que pour t'aider toi-même, non ? C'est la première qualité requise pour être une épouse et une mère. Être « dispersé » n'a rien à voir avec ça. Et tu n'es pas dispersée. Tu es pleine de vie. Tu n'as pas peur d'essayer de nouvelles choses, même si cela te demande des efforts.

— Je n'ai pas peur d'essayer de nouvelles choses si je pense être douée pour les faire.

— Ou si ça te permet d'aider quelqu'un d'autre.

Ashley n'avait pas vu les choses ainsi, mais ce n'était pas loin de la vérité. Elle avait commencé son émission sans être totalement sûre de réussir, mais elle s'était dit qu'elle devait prendre ce risque, pour pouvoir aider sa famille.

— Alors, Ashley, il te plaît ?

— Qui ? Marcus ?

— Bien sûr, qui d'autre ?

Ashley demandait à ses clients de ne pas réfléchir quand elle leur posait des questions de ce style. Il était temps que son cœur prenne la parole.

— Oui. Il peut être très mystérieux, mais j'ai l'impression de découvrir quelque chose de nouveau chaque fois que nous passons du temps ensemble. Je me tourne sans cesse vers lui, malgré les disputes, parce que j'ai très envie de mieux le connaître. J'imagine que je suis mordue.

— Et tu lui plais ?

— À dire vrai, je n'en suis pas sûre. Mais il m'a proposé de m'héberger, alors c'est qu'il ne me déteste pas.

— À mon avis, tu dois trouver un chemin jusqu'à son cœur. Et tu sais ce que ça veut dire.

Ashley eut un grand sourire.

— Tu crois ?

— Absolument. Il te faut cuisiner pour lui. C'est le moyen le plus sûr de savoir ce qu'il ressent.

# - 12 -

Ashley avait décidé de suivre les conseils de sa mère et de cuisiner pour Marcus. Elle lui préparerait un dîner maison, un plat populaire de la Caroline du Sud. Du gruau de maïs aux crevettes — le genre de repas que sa mère faisait autrefois, quand il y avait de l'argent pour faire les courses. Pour le dessert, elle ferait le gâteau à la noix de coco à six rangs de sa grand-mère. Ashley connaissait chaque étape par cœur.

Mais, d'abord, elle devait trouver des vêtements. Sa tenue de la veille sentait la fumée, pourtant elle n'avait passé que vingt minutes dans le couloir. Elle espérait que Marcus ne verrait pas d'inconvénient à ce qu'elle emprunte une de ses chemises. Et puis, elle avait envie de voir la chambre de l'homme qui hantait ses pensées.

Quand elle entra dans la pièce, elle fut accueillie par un décor masculin splendide, à l'image du reste de l'appartement. Une tête de lit en cuir marron dominait le lit. Les draps, surmontés d'une couverture en laine grise, étaient encore défaits. Logique, songea-t-elle. L'employée de maison n'allait pas tarder à arriver.

Sans pouvoir s'en empêcher, elle alla vers le bord du lit et s'y assit avec précaution. Sa main passa sur les draps, sans doute en coton égyptien. Elle savait qu'elle n'aurait pas dû être là, mais il y avait quelque chose de réconfortant dans le fait de se tenir là où Marcus avait dormi quelques heures plus tôt. Quelque chose d'excitant, aussi. Son corps nu avait touché ces draps de luxe. Lorsque Marcus l'avait éconduite, l'autre soir, elle s'était forcée à laver ses draps pour chasser son parfum et son souvenir de sa chambre.

Sur une élégante commode près du lit trônaient une lampe de chevet, un réveil et une photo de Marcus et de Lila. Sur le cliché, la petite fille n'avait que quelques mois. Tous deux étaient nez contre nez, souriants, et les petites mains potelées de Lila étaient posées sur le visage de son père. Leur amour mutuel était si évident qu'Ashley en fut émue. Ils avaient vécu tant d'épreuves ! Certains jours, Marcus devait avoir l'impression que c'était Lila et lui contre le reste du monde. Après ces mois passés seul avec sa fille, pourrait-il faire de la place à une femme dans leur vie ? Confierait-il à une inconnue son cœur, mais aussi celui de son adorable bébé ?

Ashley s'aventura dans le dressing de Marcus, un modèle d'organisation. Son hôte s'évanouirait sans doute s'il voyait un jour le sien, archi-plein de robes et de chaussures. Elle toucha les chemises, en admira quelques-unes, et en trouva une bleu roi qui ne semblait pas horriblement chère. Même si elle l'était sans doute. Après l'avoir nouée de manière créative, pour avoir moins l'air de nager dedans, elle sortit de la chambre.

Des bruits lui parvinrent depuis la cuisine. Ashley supposa que c'était l'employée de maison. Elle alla la saluer.

— Bonjour, je suis Ashley, dit-elle en lui tendant la main. Vous devez être Martha.

L'autre femme écarquilla ses yeux d'un bleu vif.

— Vous êtes la Marieuse ! Je ne manque pas une seule de vos émissions.

Martha posa son chiffon et porta la main à son visage.

— Il y a eu un incendie chez vous ! J'ai vu des pompiers dans le couloir à l'instant. Je suis navrée.

— Merci, répondit Ashley. Par chance, je n'ai pas tout perdu. J'allais chez moi, justement. Je dois récupérer quelques affaires et essayer d'arranger la situation.

— Vous n'allez pas reprendre le même entrepreneur, dites ? Les ouvriers étaient horribles.

Ashley soupira. Pourquoi avait-elle été aussi stupide ?

— Je le sais maintenant. Je suis vraiment désolée s'ils vous ont dérangée.

— C'est juste que je n'aime pas voir M. Chambers si perturbé. Il travaille très dur, et c'est un employeur formidable. Il m'a offert deux semaines de congés payés quand mon mari s'est fait opérer du dos. Il nous a même fait porter des repas chez nous.

Maintenant qu'elle connaissait Marcus, Ashley n'était pas le moins du monde surprise.

— C'était très généreux de sa part.

— C'est un homme bien. Et sa fille est un ange. Bien sûr, il la protège un peu trop, mais c'est normal pour un père. Et puis, sa fille n'a pas de mère.

Ashley ignorait si elle devait se réjouir que les informations de Martha confirment que ses sentiments pour Marcus étaient justifiés, ou si elle ne devait pas plutôt se désoler de ne pas pouvoir égaler sa bonté. Marcus était généreux, à l'évidence. Il le cachait bien, voilà tout.

— Eh bien, vous n'aurez pas à préparer le dîner ce soir, déclara Ashley. Je m'en charge. Je veux remercier Marcus pour tout ce qu'il a fait pour moi.

Le visage de Martha s'éclaira.

— Comme c'est gentil ! Je suis sûre qu'il sera ravi.

Chez elle, Ashley prit des vêtements, des produits de toilette et plusieurs paires de chaussures, en faisant aussi vite que possible car l'odeur de fumée imprégnait tout l'appartement. Elle n'alla même pas dans la cuisine. Les photos lui suffisaient. Elle discuta avec le capitaine Williams et l'expert des assurances dans le couloir, puis retourna chez Marcus et jeta ses vêtements dans la machine à laver. Elle laissa un message au nouvel entrepreneur qu'elle espérait engager, puis alla faire des courses, réussissant à ne pas trop se faire repérer en dehors d'une rapide photo et d'un autographe.

De retour chez Marcus, elle enfila un jean et un débardeur et se mit aussitôt au travail, en commençant par le gâteau. Les souvenirs l'envahirent dès que la douce odeur de génoise emplit la cuisine. La moiteur de l'été en Caroline du Sud, les magnolias et le chèvrefeuille, l'air frais de l'hiver… Tout semblait si loin. Trop loin. Une part d'elle avait envie d'être là-bas, de redevenir simplement Ashley George, loin des paparazzis et des affiches publicitaires. C'était bon de ne plus avoir les problèmes financiers qu'elle avait connus autrefois mais, à présent, elle avait d'autres problèmes. Elle avait de l'argent et un bel appartement, pourtant elle avait un sentiment de vide. Car elle n'avait personne avec qui partager la vie qu'elle avait construite. N'était-elle pas en train de se saboter en s'accrochant à Marcus, alors que tant d'éléments montraient qu'ils étaient mal assortis ? Leurs personnalités et leurs situations étaient trop différentes. Si elle devait se conseiller elle-même en matière d'amour, elle se dirait qu'il valait mieux tourner la page ; le problème, c'était qu'elle avait essayé, et la seule chose qu'elle avait apprise, c'était qu'elle n'arrivait pas à oublier Marcus.

Après avoir découpé les tranches de génoise avec précaution, elle procéda au montage du gâteau, puis appliqua la touche finale : de la noix de coco râpée sur la crème fouettée. Puis elle recula et admira son œuvre. Le gruau cuisait sur le feu, et elle attendrait le retour de Marcus pour faire revenir les crevettes au dernier moment.

Lorsqu'il arriva et la rejoignit dans la cuisine, elle se sentit gênée. Allait-il penser que tout ceci était stupide ? Inutile ? Et pourquoi fallait-il qu'il soit si époustouflant après une journée de travail ? Elle, en général, avait l'air d'être passée sous un train.

— Qu'est-ce que c'est que tout ça ? demanda-t-il en desserrant sa cravate.

— J'ai donné sa soirée à Martha. Je te prépare à dîner.

— Et il y a du gâteau ?

Il vola un peu de glaçage et se lécha le doigt.

— Hé ! C'est pour plus tard.

Il la fixa de ses yeux émeraude. Chaque fois qu'il le faisait, elle semblait souffrir d'amnésie, oubliant toutes les mauvaises choses qui s'étaient produites entre eux.

— J'ai le temps de me changer ? demanda-t-il en désignant sa tenue. Apparemment, je suis un peu trop bien habillé. Et puis, je suis impatient d'enlever ce costume.

À ces mots, elle l'imagina nu. Cette image allait l'obséder un moment.

— Bien sûr.


*Elle me prépare à dîner.* Voir Ashley dans sa cuisine avait été une délicieuse surprise, après une journée chargée au bureau. Mieux valait ne pas penser que ce serait une scène habituelle, si Ashley et lui étaient en couple. Elle serait prise par son travail. Lui aussi. Mais, tout de même, c'était un joli rêve.

Marcus enfila rapidement un jean et un T-shirt du club d'aviron de Cambridge. *Voilà qui est mieux.* Porter un costume était l'une des choses les moins agréables de ses journées de travail.

— Ça sent divinement bon ! s'exclama-t-il en revenant dans la cuisine.

— C'est presque prêt. Je n'ai plus qu'à faire dorer les crevettes.

— Une bouteille de vin blanc, cela ira pour accompagner le dîner ?

Elle s'essuya le front du revers de la main.

— Oui, c'est parfait.

Il alla chercher une bouteille et remplit deux verres qu'il posa sur la table à manger.

— Prête ? demanda-t-il.

— Je te rejoins.

La table, ornée de sets de table et de serviettes en tissu, était parfaitement dressée et, fort heureusement, Ashley avait eu le bon sens de les placer l'un en face de l'autre, et non l'un à côté de l'autre. Elle avait aussi choisi un éclairage tamisé. Le côté romantique de la scène était évident. Voulait-elle se montrer gentille ? Ou lui offrait-elle une opportunité qu'il avait très envie de saisir ? Il voulait vraiment avoir l'occasion de se racheter, ou au moins de savoir s'ils pourraient ou non entamer une relation sérieuse.

— Pas de chandelles ? demanda-t-il.

Elle posa son assiette devant lui et s'assit.

— Étant donné ce qui s'est passé hier, j'ai pensé qu'il valait mieux éviter le feu.

— Sage décision, dit-il avec un petit rire.

Il leva son verre de vin.

— Je porte un toast pour me réjouir que personne n'ait été blessé.

Elle fit tinter son verre contre le sien.

— Dieu merci.

Il goûta le plat qu'elle avait préparé. Des crevettes sautées succulentes, mélangées à du bacon et des échalotes, posées sur une substance crémeuse qui ressemblait beaucoup à du porridge.

— C'est délicieux. Quelle est cette mixture au fond de l'assiette ?

— Du gruau de maïs. Tu n'en as jamais mangé ?

— Non. C'est très bon.

— Il s'agit de maïs grillé et moulu. Si on y ajoute assez de beurre et de fromage, c'est un délice. Je ne mangeais quasiment que cela quand j'étais enfant. Comme dirait ma mère, c'est très bon marché.

Il l'étudia, réfléchissant à ses paroles.

— C'était la reine des bonnes affaires ?

— Oui, mais par nécessité. Nous n'avons jamais eu beaucoup d'argent, et la situation a empiré après l'incendie.

— Un incendie ? s'étonna-t-il.

Elle arbora la même expression qu'hier. Vulnérable mais déterminée.

— Oui. Nous avons perdu notre maison quand j'avais dix ans.

Tandis qu'elle lui narrait toute l'histoire, il sentit son cœur se serrer. Sa famille avait tout perdu et, après cela, ils avaient connu des années de vaches maigres. Le sinistre d'hier soir avait dû être pour Ashley un rappel terrible de cette période difficile. Tendant le bras, il lui prit la main. Le geste était audacieux et intime, mais c'était plus fort que lui.

— Je suis navré, Ashley. Je n'ose imaginer ce qui se passait dans ta tête hier soir.

— Le feu d'hier est encore flou dans mon esprit mais, oui, cela a fait remonter beaucoup de mauvais souvenirs à la surface. Je préfère ne pas y penser, sinon je serai triste. Personne ne veut dîner avec une personne triste.

— Tu peux être triste si tu le veux. Tu devrais t'autoriser à exprimer tes émotions.

— Je gérerai bien mieux mes émotions quand j'aurai rencontré mon nouvel entrepreneur lundi.

— Déjà prête à replonger ?

— Je dois aller de l'avant, dit-elle en haussant les épaules. J'ai appelé celui que je n'ai pas pu avoir au départ. Il se trouve que leur nouveau responsable administratif est un fan de mon émission. Ils m'ont fait de la place dans leur planning. Je leur ai fait un virement de dix mille dollars cet après-midi. C'est déjà une bonne chose, j'imagine.

— S'ils font du bon travail, alors oui, c'est une bonne chose.

Soudain, il comprit. La raison pour laquelle elle avait été si butée concernant ses travaux.

— Pas étonnant que tu sois si attachée à ton appartement. C'est parce que tu as perdu ta maison quand tu étais enfant.

Elle joua avec sa fourchette.

— En grande partie, oui. Quand on grandit dans la pauvreté et qu'on change de logement souvent, on attache beaucoup d'importance à l'idée d'un foyer.

Elle s'interrompit, se plongeant dans ses pensées, puis leva les yeux vers lui.

— Cet appartement aussi signifie beaucoup, parce que c'est la seule partie tangible de mon succès. Tout le reste est virtuel. Toi, tu fabriques du gin. Tu peux tenir une bouteille dans ta main. La plupart du temps, ce que je fais ne me semble même pas réel.

Il avait cru qu'elle était obsédée par les biens matériels lorsqu'elle avait persisté à poursuivre ses travaux malgré ses plaintes. En réalité elle n'avait fait que s'accrocher à son foyer, la seule chose qu'elle possédait.

— J'étais loin de me douter de tout cela. Tu aurais dû m'en parler. Je savais que tu venais de Caroline du Sud, mais j'imaginais une famille riche et une grande maison coloniale.

Elle gloussa.

— Tu regardes trop de films. Scarlett O'Hara est un personnage fictif. Et puis, elle vivait en Géorgie.

— Et tes parents ? Leur vie s'est-elle améliorée ?

— Oui. Grâce à mon travail, je peux enfin les soutenir financièrement. Mon père a fait un AVC il y a cinq ans, et ma mère s'occupe de lui à plein temps, alors ils ont besoin de cet argent.

— Pas de frères et sœurs pour t'aider ?

— J'ai deux frères aînés, et ils aident comme ils peuvent, mais ils font tous deux construire leur maison et ont leur famille à nourrir. Il se trouve que j'ai eu assez de chance pour décrocher un travail extrêmement bien payé.

Il avait mal jugé Ashley, songea Marcus. Sur bien des plans.

— Tu es une industrie, Ashley George. J'en suis témoin. Ne dévalorise pas l'attrait que tu exerces.

Une seule pensée occupait désormais son esprit, et c'était que l'attrait que la jeune femme exerçait sur lui était immense. Il avait tant envie de l'embrasser !

Une jolie teinte pêche colora les joues d'Ashley.

— C'est très gentil à toi. Je ne comprends pas l'idée d'être une industrie ou d'exercer un attrait, mais j'accepte le compliment.

— Ce qui m'épate, c'est que tu réussisses à accomplir tant de choses. Comment fais-tu tout ça ? Tu passes beaucoup de temps à prendre soin de tout le monde.

Sa gorge se noua soudain, et il eut du mal à poursuivre.

— Je me demande qui prend soin de toi.

— Je pourrais te poser la même question, dit-elle.

— Je suppose, oui.

Elle but une gorgée de vin.

— Maintenant que je t'ai raconté toute mon histoire, j'aimerais que tu m'en dises un peu plus sur toi. Laisse-moi deviner. Tu as grandi dans un château.

Il eut un petit rire.

— Toi aussi, tu regardes trop de films. C'était plutôt une maison de ville de style victorien, à Londres. Mais, oui, j'ai eu une enfance aisée. Je ne me souviens pas d'avoir vécu d'épreuves majeures jusqu'à ce que, eh bien, tu sais. Jusqu'à ce que la mère de Lila nous abandonne.

À sa grande surprise, évoquer ce sujet ne provoqua pas la douleur habituelle dans sa poitrine. C'était libérateur de pouvoir s'ouvrir de cela sans se sentir abattu.

— Pas étonnant que ça t'ait tant marqué. Ton premier grand traumatisme s'est avéré être un tremblement de terre.

Il ne put s'empêcher de remarquer à quel point c'était apaisant de parler à Ashley, de voir quelqu'un qui connaissait sa triste histoire l'écouter *vraiment*. Quelqu'un qui n'avait pas de motifs cachés.

— En effet, confirma-t-il.

Elle posa sa serviette sur la table.

— Je devrais débarrasser, sinon nous n'arriverons jamais au dessert.

Elle ramassa les plats tandis que Marcus chargeait les assiettes et les couverts dans le lave-vaisselle. Il n'avait pas fait cette tâche depuis longtemps, mais cela en valait la peine puisqu'il eut l'occasion de voir Ashley se pencher pour ranger une casserole dans le placard. Il finit les mains dans l'eau chaude et savonneuse, nettoyant le récipient du gruau pendant qu'Ashley filait à la salle de bains. Il songea à l'instant où il avait pris sa main, à table. À toutes les idées fausses qu'il s'était faites à son sujet. À son envie irrésistible de l'embrasser.

— Tu as fini ? demanda-t-elle quand elle revint dans la cuisine.

Il rinça la dernière casserole et la posa dans l'égouttoir.

— C'était la dernière. Et c'est une bonne chose. Mes mains commençaient à se friper.

— Voyons voir, fit-elle avec un air faussement inquiet.

Elle prit sa main et la retourna contre la sienne.

— Oh ! ça ne m'a pas l'air si terrible. Je crois que tu devrais survivre.

Elle continua d'observer sa main et suivit de son index sa ligne de tête.

— C'est la ligne de cœur ?

Il sourit, car une bouffée de son parfum envoûtant taquinait ses sens.

— C'est la ligne de tête. La mienne dit que je réfléchis vite. Cela signifie aussi que je tire des conclusions hâtives. Ce n'est pas une bonne chose.

— Hum. Je pense avoir eu affaire à cet aspect de ta personnalité.

Elle déplaça son doigt sur sa paume.

— Et celle-ci ?

— La ligne de vie. Elle dit que je dois apprendre à me détendre.

322

— Soit tu inventes, soit c'est une science incroyablement précise.

Elle passa le doigt sur la dernière ligne.

— C'est la ligne de cœur, dit-il.

Il s'appuya contre le plan de travail, attirant Ashley vers lui sans chercher à être subtil. Le fait qu'elle le touche lui donnait l'impression d'être pleinement vivant.

— Et que dit ta ligne de cœur ?

Qu'il avait connu une trahison profonde et personnelle. Mais il n'avait pas envie d'en parler. Non pas parce qu'il n'était pas remis, mais parce qu'il ne voulait pas s'attarder sur le sujet avec Ashley. Tous deux avaient leurs cicatrices.

— Si tu me disais ce que tu en penses ? suggéra-t-il.

Elle leva les yeux vers lui et se mordilla la lèvre, sans se douter qu'elle était en train d'affoler son pauvre cœur. Ses yeux si chaleureux se posèrent sur son visage, en observant chaque détail.

— Je dirais que tu as un bon cœur. Un cœur généreux.

Il l'attira plus près, avançant vers le précipice dont il s'était approché plusieurs fois. S'il s'engageait dans une relation avec Ashley, il aurait bien du mal à la quitter. Et elle ne serait pas la seule à souffrir. Lui aussi serait marqué à vie.

— Ma ligne de cœur dit que je serais un idiot si je n'embrasse pas la femme splendide qui se tient devant moi.

Elle sourit et leva les yeux au ciel.

— C'est la plus vieille ruse du monde, Chambers.

Il plongea la main dans sa chevelure soyeuse, anticipant le baiser qu'il allait planter sur ses douces lèvres roses.

— Peut-être, mais elle est efficace.

# - 13 -

Le baiser de Marcus lui donna l'impression d'avoir
décroché le gros lot. Ce dîner était apparemment la
meilleure idée du monde, à en juger par la façon dont il
l'embrassait. Elle se pressa contre lui si fort qu'il se cogna
la tête contre un placard.

— Oh ! mon Dieu, Marcus. Ça va ?

Ses paupières étaient lourdes et sensuelles, comme s'il
venait de se réveiller. Il la fit pivoter, la plaquant contre
l'îlot de la cuisine.

— Oui, ça va. J'ai dû mériter ça à un certain stade de
notre relation.

Il reprit possession de ses lèvres, sa langue jouant avec
la sienne tandis qu'il glissait la main sous son débardeur
et dégrafait son soutien-gorge. De son autre main, il la
pressa contre son corps, effaçant toute distance entre eux.

Elle explora son dos sous son T-shirt. Chacun de
ses muscles était bien défini, et semblait supplier d'être
caressé. Elle était impatiente de faire de même sur l'avant
de son torse.

Elle recula et lui enleva son T-shirt.

— Tu es si sexy en jean, c'est fou.

— Rappelle-moi d'en porter plus souvent.

Elle descendit sa fermeture Éclair, impatiente de le
déshabiller. Elle avait très envie de faire enfin l'amour
avec lui. Pourvu qu'il ne l'interrompe pas, cette fois !

— Ou de ne pas en porter, dit-il en déglutissant.

Il lui retira son haut, l'ajoutant à la pile de vêtements sur le sol. Son soutien-gorge suivit.

— Je t'en prie, dis-moi que tu as un préservatif disponible cette fois, implora-t-elle.

— Sinon quoi ?

— Sinon, pas de gâteau. Et pas de sexe.

Il la prit par la main et l'entraîna vers le couloir.

— Heureusement que j'en ai une boîte entière. J'espère avoir droit au gâteau *et* au sexe.

Elle rit tandis qu'ils entraient dans la chambre de Marcus. Contrairement à ce matin, elle n'était pas une intruse mais une invitée. Marcus voulait qu'elle soit là. Il la voulait tout court, elle le voyait dans ses yeux.

Il lui caressa les seins de ses pouces puis, doucement, lui ôta son jean. Il mettait son corps à nu, mais aussi son âme. Il fit glisser son slip sur ses hanches, en soutenant son regard. Pour lui faire comprendre qu'il était sérieux. Pour une fois, elle était contente qu'il le soit.

Il écarta les draps et l'entraîna sur le lit, mais elle avait encore une chose à faire avant d'aller plus loin.

S'agenouillant entre ses cuisses, elle fit glisser son caleçon le long de ses jambes, dévoilant son sexe déjà dur.

— Je ne t'ai pas encore touché, Marcus.

— Je sais.

— Je n'en ai pas eu l'occasion ce soir-là.

— Je ne veux plus y penser. C'est trop douloureux.

Doucement, elle caressa sa jambe, de son genou jusqu'à sa hanche. Il se cambra sous cet assaut sensuel.

— Veux-tu que je te caresse ?

Il s'appuya sur les coudes.

— Oui. S'il te plaît.

Elle baissa la tête, soufflant de l'air chaud sur son sexe dressé.

— Et maintenant ?

— Tu me tortures, Ashley. Fais-le, simplement. Je t'en supplie.

Elle ne cherchait pas du tout à se faire prier, ce n'était pas son but. Mais elle voulait lui offrir des sensations inoubliables, et elle savait que l'anticipation rendrait la récompense bien plus agréable. Avec douceur, elle enroula les doigts autour de sa verge.

Il gémit.

— Oui, comme ça.

Elle caressa son sexe, passant la paume sur son gland, revenant vers la base, resserrant son étreinte au passage. Elle observa chaque réaction, notant les choses qui lui donnaient envie de regarder, celles qui lui faisaient fermer les yeux, et celles qui lui faisaient entrouvrir les lèvres de plaisir. Elle adorait avoir ce pouvoir sur lui. Elle aimait le satisfaire, et elle aimait aussi l'idée qu'à cet instant elle pouvait lui donner tout ce qu'il voulait.

Il se redressa et l'étendit sur le dos, s'appuyant de tout son poids sur elle, calant sa cuisse entre ses jambes. La pression était si forte que la tête lui tourna.

— Je ne peux plus attendre. Il faut que je sois en toi.

Il écarta les cheveux qui lui recouvraient le visage et l'embrassa.

— Fais-moi l'amour, dit-elle.

C'était incroyable comme tout était simple entre eux sur le plan sexuel. Du moins, cette fois.

Il s'assit pour prendre un préservatif dans la commode et le déroula sur lui. Puis il grimpa sur elle comme si elle était sa proie. Tremblante d'excitation, Ashley écarta les genoux pour l'accueillir. Fini de se cacher. De dresser des barrières.

Enfin, il entra en elle, et elle attendit le moment où tout deviendrait trouble et où le monde disparaîtrait. Mais avec Marcus, c'était différent. Aucune brume, aucun flou. Au contraire, les sensations l'attiraient dans l'instant, exigeant sa pleine présence.

— Regarde-moi, Ashley.

Il alla loin en elle, très loin, mais sans hâte.

— Dis-moi ce dont tu as besoin, murmura-t-il.

Elle se décala un peu, de façon que le pénis de Marcus effleure son clitoris. Elle remonta les genoux, savourant chaque centimètre de son corps tandis qu'il allait et venait en elle. Elle émit un doux gémissement.

— C'est parfait. Continue.

Il s'appuya contre elle, augmentant la pression, l'embrassant avec passion. Elle explora son dos puissant et serra ses fesses fermes. Chaque coup de reins l'amenait plus près de l'orgasme. Sa respiration devint saccadée. Tout comme celle de Marcus.

— Je suis si près, dit-elle en haletant, ondulant avec lui.

— Moi aussi. Tu es incroyable, Ashley.

En souriant, elle blottit son visage contre son cou et ferma les yeux tandis que les spasmes se faisaient plus rapprochés, plus violents. Elle s'accrocha à lui de toutes ses forces, puis poussa un cri. Il jouit peu après elle, dans un grondement rauque qui monta du fond de sa gorge.

Enfin, il roula sur le côté, l'entraînant avec lui. Il déposa une série de baisers sur son front. Elle se sentait si chérie. Jamais elle n'aurait cru que Marcus se montrerait si tendre.

— C'était fabuleux, dit-il. Je suis désolé de t'avoir fait attendre, mais j'espère que ça en valait la peine.

Elle soupira, respirant son odeur, sa présence. Elle avait rêvé de ce moment avec Marcus mais, à sa grande surprise, son imagination fertile avait été loin du compte.

— Cela en valait la peine, Marcus, plus que les mots ne peuvent le dire.

Ashley se réveilla avant Marcus. Il était si beau qu'elle aurait pu le regarder dormir des heures durant. Mais elle avait très soif. Alors elle sortit du lit sans bruit et gagna la cuisine à pas feutrés. Son téléphone était posé sur l'îlot. Elle le prit, par automatisme, mais regretta de l'avoir fait dès qu'elle vit le message de Grace.

Maryann en a après toi, j'en suis sûre. Peux-tu convaincre Marcus de se montrer quelque part avec toi ? Pour qu'on puisse rabattre le caquet de cette mégère ? Fais-moi savoir où, que je puisse faire fuiter ça. J'espère que tu vas bien. Tu m'as manqué hier au bureau.

Sous le message, il y avait un lien vers le maudit site web de Maryann. Le titre de l'article était :

« *LA MARIEUSE DE MANHATTAN ET SON LE BOY-FRIEND ANGLAIS SONT UN FAUX COUPLE.* »

Elle entendit Marcus dans le couloir. Il la rejoignit près de l'îlot central, la prenant par les épaules et l'embrassant dans le cou.

— Bonjour.

Son baiser était si délicieux qu'il lui fit presque oublier Maryann.

— Je ne sais pas si c'est un bon jour, mais ton baiser le rend meilleur, c'est certain.

Il mit la bouilloire à chauffer.

— La nuit dernière était stupéfiante mais, si tu veux que j'essaie encore, j'ai besoin d'un thé et d'un petit déjeuner, dit-il. Je devrais peut-être faire quelques pompes, aussi.

Il lui fit un clin d'œil, s'appuyant contre l'îlot.

— Notre amie Maryann a décidé d'attaquer, l'informa-t-elle. Elle a écrit un article prétendant que nous sommes un faux couple. Elle dit que le fait que tu aies défoncé ma porte quand il y a eu le feu en est une preuve. Si tu étais mon vrai petit ami, tu aurais eu une clé. Ou du moins, elle affirme que c'est évident pour quiconque a un demi-cerveau.

— Quelle vieille vache ! s'exclama-t-il, le front plissé.

Il revint vers elle, glissant sa main chaude sous son débardeur.

— Marcus, tu ne peux pas traiter les gens de « vaches ». C'est très malpoli.

— Désolé. Ce n'est pas un terme si méchant en Angleterre.

Il parcourut l'article en diagonale et secoua la tête.

— Elle essaie de me voler mon acte héroïque. Tout le monde n'est pas capable de défoncer une porte, tu sais.

— Je n'en reviens toujours pas que tu l'aies fait. Rappelle-moi de demander à mon entrepreneur d'installer une porte plus solide.

— Très drôle.

La bouilloire siffla. Marcus éteignit le feu et prépara deux tasses de thé.

— Et ce n'est pas parce que nous sommes en couple que nous devons échanger nos clés, fit-il valoir. Ou que nous devons coucher ensemble.

— Personne ne croira ça. N'importe quelle femme voudrait coucher avec toi.

— Vraiment ? Vas-tu me montrer à quel point tu es saine d'esprit en me séduisant ce matin ?

— Juste après que nous aurons décidé quoi faire à propos de cet article.

— C'est très simple. La soirée d'inauguration à la distillerie a lieu ce soir. Viens avec moi. Nous savons déjà comment jouer le couple parfait devant les journalistes. Je suis sûr que nous serons encore plus convaincants maintenant. Après tout, nous avons de la pratique, dit-il, haussant les sourcils d'un air suggestif.

— Ce n'est pas une mauvaise idée, répondit-elle en riant, mais étant donné les récents événements, je n'avais pas vraiment prévu de sortir ce soir. Je n'ai rien à me mettre, car toutes mes robes empestent la fumée.

— Rien qu'une petite virée shopping ne puisse régler.

Il posa sa tasse devant elle.

— Ce sera formidable, affirma-t-il. Nous montrerons à tous à quel point nous sommes un couple.

Ashley n'aimait pas mettre des étiquettes sur les relations, mais la question méritait d'être posée.

— Est-ce ainsi que tu nous vois ? Tu penses que nous sommes un couple ?

Il riva son regard au sien, ce qui ne fit qu'accroître sa nervosité.

— Ne penses-tu pas que les choses n'arrivent jamais sans raison ?

— Un peu, mais c'est aussi mon travail de donner un coup de pouce au destin. Je serais donc hypocrite si je prétendais que le destin contrôle tout.

— Il me semble que cet incendie dans ton appartement était exactement ce dont nous avions besoin, toi et moi.

Elle songea aux paroles de sa mère. Les choses désagréables étaient parfois un mal pour un bien, avait-elle dit. Si le feu ne s'était pas déclaré, elle serait de l'autre côté du couloir, seule, et vivrait avec une bombe à retardement. Cet incendie était en effet la meilleure chose qui ait pu lui arriver, *leur* arriver.

— Ça nous a permis d'être ensemble, c'est vrai.

— Si nous voulions faire fonctionner notre relation, nous aurions besoin de passer du temps ensemble. Tous les deux. Comme un couple normal.

*Un couple normal.* Pourraient-ils en être un ? Marcus semblait le sous-entendre, mais Ashley le soupçonnait encore de prendre de grandes précautions avec son cœur, pour protéger Lila. Ce qu'elle ne pouvait pas lui reprocher.

— J'aimerais que cela fonctionne entre nous, dit-elle.

*Parce que je suis en train de tomber amoureuse de toi.*

Elle ne pouvait prononcer ces mots, pas alors que la situation était si nouvelle. Pas quand elle était certaine que Marcus était loin d'éprouver les mêmes sentiments à son égard. Son cœur battait de manière si erratique qu'elle se mit à trembler. Peut-être celui-ci savait-il exactement ce qu'il risquait avec Marcus. Après tout, Ashley s'était promis de se protéger, après James. Pourtant, elle était ici, avec Marcus, toute prête à risquer un autre chagrin d'amour, sans filet de sécurité.

330

Et même si jusqu'ici tout se passait bien avec Marcus, son plus grand obstacle se trouvait encore devant elle. Était-elle prête à endosser le rôle de mère ? Avec son travail prenant et sa vie trépidante, pourrait-elle être ce dont Marcus avait besoin ? Si elle acceptait ce rôle, elle ne pourrait pas revenir en arrière. Marcus avait été abandonné une fois déjà. Elle devrait être sûre à cent pour cent qu'elle était la femme qu'il lui fallait. Mais comment pourrait-elle le savoir, si Marcus ne la laissait pas entrer complètement dans sa vie ? S'il ne la laissait pas passer du temps avec Lila ?

— Bien. J'aimerais que cela fonctionne entre nous, moi aussi, dit-il.

Il afficha un grand sourire, et Ashley sentit son cœur danser. Ce n'était pas le moment de s'attarder sur tout ce qui pourrait aller de travers dans leur relation.

— Il faut deux côtés pour bâtir un pont, dit-elle.

Il la prit dans ses bras, et l'embrassa de nouveau.

— J'espère que ça ne t'ennuie pas si notre thé refroidit, dit-il. J'aimerais travailler sur notre pont avant d'aller au bureau.

Le temps était venu pour elle de rabattre le caquet à Maryann.

Cela signifiait qu'elle devait se préparer pour son vrai rendez-vous avec Marcus : la soirée d'inauguration de la distillerie.

Depuis qu'il était rentré du travail vendredi soir, ils n'avaient guère vu grand-chose hormis les quatre murs de la chambre de Marcus, même s'ils étaient allés acheter une robe dans l'après-midi. Passer des heures au lit ensemble était une tentation trop forte pour s'inquiéter du monde extérieur, ou même des nécessités de base comme se nourrir. Toutefois, Marcus avait suggéré de manger du gâteau à la noix de coco chaque fois que c'était possible.

Pour l'instant, leur relation était merveilleuse, même si elle était provisoire. Lila reviendrait lundi matin, et il était prévu depuis le départ qu'Ashley retournerait chez elle ce jour-là. Jour où son nouvel entrepreneur viendrait remettre son projet de rénovation sur les rails. Quant à l'avenir, Ashley n'allait pas s'aventurer à se projeter plus loin.

Elle entra dans la douche de Marcus.

— Puis-je regarder ? demanda-t-il, passant la tête dans la salle de bains tout en enfilant son pantalon.

— Pas si tu veux être à l'heure à la soirée la plus importante qui soit pour ton entreprise.

Elle se mit sous le jet d'eau et se shampouina les cheveux.

— À présent, qui joue les rabat-joie ?

— Je suis seulement réaliste, Marcus, rétorqua-t-elle avant qu'il ne disparaisse.

Après s'être maquillée, elle se dirigea vers le dressing de Marcus. La tenue qu'ils avaient achetée cet après-midi y était accrochée. Elle ouvrit la housse argentée et en sortit la robe de satin noir. Elle n'était pas sûre d'avoir le courage de la porter. Marcus était resté bouche bée quand elle était sortie de la cabine d'essayage.

— Nous la prenons, avait-il dit à la vendeuse en lui tendant sa carte bancaire.

— Tu ne m'as même pas demandé si elle me plaisait, avait objecté Ashley.

— Je l'adore. Et c'est moi qui paie.

— J'ai de l'argent, et même beaucoup.

— Trop tard. La vendeuse a déjà passé ma carte.

Alors, elle l'avait embrassé. Marcus avait remporté ce round, mais elle n'y voyait aucun inconvénient.

À présent, elle enfilait la robe pour la seconde fois. Des frissons la parcoururent quand le tissu soyeux caressa sa peau. Elle aperçut son reflet dans le miroir et rougit en songeant à la réaction de Marcus quand il la verrait. Cette robe laissait peu de place à l'imagination, même si elle était d'un goût parfait. La coupe à la forme évasée épousait ses courbes — ses hanches, ses fesses, ses seins — et dansait à chacun de ses mouvements. Ashley ignorait ce qu'elle ferait si Marcus l'étreignait pendant qu'elle portait cette robe. Elle avait déjà l'impression d'être nue. S'il posait les mains sur elle, elle serait au comble de l'excitation.

Elle enfila une paire d'escarpins et releva ses cheveux. Marcus avait dit avoir aimé sa coiffure à la réception organisée pour *La Marieuse de Manhattan*. Avait-il vraiment prêté attention à ce détail ? C'était bon de se dire que oui, même si cette soirée s'était si mal terminée.

Elle marcha à pas feutrés dans le couloir, appréhendant le moment où Marcus la verrait. Il était dans la cuisine, le dos tourné. Ses épaules furent la première chose qu'elle remarqua. Si puissantes et tentantes, surtout depuis qu'elle en avait gravé chaque contour dans sa mémoire. Elle approcha, le souffle court.

Lorsqu'il se retourna, elle oublia toutes ses appréhensions. Son costume noir élégant, sa mâchoire forte... Marcus était si fascinant ! S'il attendait d'elle qu'elle soit une cavalière courtoise, polie et calme, ce soir, elle n'était pas sûre de lui donner satisfaction. À un moment ou à un autre, on la surprendrait sûrement à le dévorer des yeux et à se mordiller la lèvre.

Il lui offrit un sourire plein de promesses.

— Tu es absolument fabuleuse, dit-il de sa voix désarmante.

Malgré elle, Ashley lâcha sa pochette. Son rouge à lèvres roula sur le sol. Elle se pencha pour le ramasser, en même temps que Marcus. Tous deux accroupis, ils échangèrent un long regard. Puis, de manière très peu subtile, les yeux de Marcus se posèrent sur son décolleté. Elle le laissa faire, sans chercher à se cacher. Elle regrettait maintenant qu'ils aient un engagement ce soir.

*Regarde-moi. Regarde autant que tu veux. Et ensuite, embrasse-moi, bon sang ! Embrasse-moi, déshabille-moi brutalement, et fais-moi culpabiliser de t'avoir fait dépenser autant d'argent pour cette robe.*

Elle ne pouvait pas prononcer les mots qu'elle avait sur le bout de la langue, car Marcus avait une mission à accomplir. Plus tard, peut-être.

— Merci, murmura-t-elle. Je dois dire que, dans ce costume, tu es d'une beauté presque indécente.

— Je suis flatté. Maintenant, j'ai l'impression que je pourrai conquérir le monde du gin.

— Bien. C'est exactement l'état d'esprit qu'il faut avoir.

Il sourit et se releva. Toujours gentleman, il l'aida à faire de même.

— Nous devrions nous mettre en route. Il ne faudrait

pas que tu sois en retard, lui rappela-t-elle en se dirigeant vers la porte.

— Cette robe devrait être interdite à la vente, commenta-t-il en lui emboîtant le pas.

Elle se retourna vers lui.

— Techniquement, elle t'appartient, Chambers. Je suis totalement innocente.

— Ça vaudrait chaque minute passée en prison.

Ils se rendirent dans le parking souterrain, où une limousine les attendait. La distillerie, située dans le New Jersey, était à une demi-heure de route. Le trajet passa vite, en grande partie parce que Ashley était parfaitement heureuse de tenir la main de Marcus et de passer ce temps avec lui, dans un silence qu'elle trouva presque réconfortant. Marcus, cependant, semblait de plus en plus anxieux. Il pianotait contre la vitre, en regardant le paysage défiler.

— Nerveux ? s'enquit-elle.

— Oui. Je suis ravi pour l'entreprise. Mais je veux que mon père soit fier de moi. Je dois réussir cette interview, car il a attendu toute sa vie que Chambers Gin ait un article dans ce magazine.

— Oh ! je comprends. Tu t'en sortiras très bien.

— Nous verrons. J'ai tendance à me renfermer un peu dans ce genre de situations. Je n'aime pas me vendre. Je préférerais laisser le gin parler pour moi.

Ils arrivèrent devant la distillerie, un grand bâtiment industriel. C'était un endroit peu indiqué pour cette robe sexy. Mais c'était la soirée de Marcus, et Ashley voulait le rendre heureux. Or, la robe semblait parfaitement remplir cet objectif. Lorsqu'ils descendirent de la limousine, quelques paparazzis les accueillirent. Grace, une fois de plus, avait bien fait son travail. Même le photographe du site web de Maryann était présent.

— Bonsoir à tous, dit Marcus en prenant Ashley par la main tandis que les photographes se pressaient devant eux. Ne restez pas ici trop longtemps. Le meilleur se passe à l'intérieur. N'hésitez pas à vous joindre à nous pour goûter un verre de Chambers n° 9.

À ces mots, il se tourna vers elle et l'embrassa, ses lèvres chaudes s'attardant un instant et laissant dans leur sillage des picotements de plaisir. Ashley eut le sentiment qu'il y avait plus derrière ce baiser que l'attirance physique, ou la volonté d'assurer le spectacle pour les photographes. Marcus se montrait extrêmement protecteur, comme s'il tenait vraiment à elle.

À la seconde où ils entrèrent, Ashley reconnut Joanna, la sœur de Marcus. La jeune femme, grande et élancée, avait la même présence que son frère, et était d'une beauté tout aussi frappante.

— Jo, je te présente Ashley, dit Marcus.

Sa sœur lui donna une tape sur le bras.

— Je le sais, voyons !

Joanna lui donna l'accolade.

— Je suis ravie de vous rencontrer. Marcus m'a beaucoup parlé de vous.

Elle lança un regard amusé à son frère.

— Tu as raison, elle est encore plus belle en vrai.

Ashley ne savait que répondre. Elle se contenta de risquer un regard furtif vers Marcus.

— Venez, Ashley, dit Joanna en la prenant par la main. Je vous emmène dans la salle de dégustation principale, pour que nous puissions nous mêler aux journalistes. Marcus est attendu par Oscar Pruitt.

— Il m'attend ? s'exclama Marcus, l'air agacé. Bon sang, Jo ! Pourquoi personne ne m'a rien dit ?

— Cesse de bougonner. Tu étais déjà en route quand il est arrivé. Je l'ai conduit à la salle de dégustation il y a quelques minutes. Il a été clair, il veut une visite privée des lieux, juste lui et toi. Mais rassure-toi, je m'occuperai des autres invités jusqu'à ce que tu aies fini.

Marcus expira bruyamment. Il serra sa main très fort et l'embrassa sur le front. Il était anxieux, à l'évidence.

— Amuse-toi, chérie, dit-il. Je te vois tout à l'heure.

Elle l'agrippa par le bras. Il semblait aussi inquiet que possible.

— Oscar Pruitt va être époustouflé. Tu as le meilleur gin du pays, et tu sais tout ce qu'il y a à savoir sur sa fabrication. À présent, va faire la fierté de ton père.

Il sourit, secouant la tête.

— D'où venez-vous, Ashley George ?

— De l'appartement en face du tien, tu te souviens ?

— Ah, c'est vrai.

La grande salle de dégustation était déjà pleine d'invités. Une douzaine de tables hautes cernées de tabourets de cuir étaient disposées tout autour de la pièce. Au fond de la salle, un bar en bois sombre était tenu par deux barmen. Derrière eux, le mur était bordé d'étagères remplies de bouteilles de gin, dont le Chambers n° 9 et le gin original. La pièce était dotée d'un grand mur de verre, qui donnait sur la salle de distillation. Ashley vit les énormes réservoirs métalliques, ainsi que deux alambics de cuivre que Marcus avait payés une petite fortune lors d'une vente aux enchères, lui dit Joanna. Des sacs de vingt-cinq kilos contenant les neuf aromates nécessaires à la fabrication du n° 9 étaient amoncelés dans la salle — écorces d'orange séchées, coriandre, et, bien sûr, baies de genévrier, l'ingrédient essentiel.

— Merci d'être venue, dit Joanna. Marcus et moi vous sommes très reconnaissants. Je suis heureuse qu'il ait cessé d'être si buté à votre sujet.

— Je vous demande pardon ?

Joanna secoua la tête la tête.

— Il a eu un coup de cœur pour vous dès qu'il a emménagé dans cet immeuble. Je me réjouis qu'il ait repris ses esprits.

Marcus avait un faible pour elle depuis le début ? Ils avaient eu tant d'accrochages, pourtant !

— Une partie du problème venait de notre premier

rendez-vous, expliqua Ashley. Je lui ai raconté cette histoire stupide sur mon ex-petit ami, qui avait rompu avec moi parce que je n'étais pas prête à avoir des enfants. Après cela, Marcus a cessé de m'apprécier pendant un moment. Je me suis dit que cela avait un rapport avec Lila. Et je comprends. Je n'étais pas prête à aborder le sujet lors de notre premier rendez-vous.

— Il peut être un peu extrême pour tout ce qui concerne Lila. Vous auriez dû voir tous les tests qu'il a fait passer à la nourrice avant de l'engager ! Je suis sûre qu'il aurait été plus facile pour elle d'obtenir un travail dans les Services secrets. Le fait qu'il protège Lila à ce point semble être un obstacle, mais vous m'avez l'air d'être une femme intelligente. Vous pourrez certainement trouver une solution. Enfin, si vous le souhaitez.

Ashley hocha la tête, méditant les paroles de Joanna.

— Alors, c'est le cas ? demanda cette dernière. Vous voulez tenter votre chance ?

Malgré ses doutes sur sa capacité à tenir un rôle si monumental, il n'y avait qu'une réponse :

— Oui.

— Bien.

Joanna la serra dans ses bras.

— À présent, mettons-nous au travail.

Ashley accompagna Joanna de table en table. Elles discutèrent avec les journalistes, plaisantèrent avec les distributeurs en spiritueux et savourèrent un cocktail. Des serveurs circulaient dans la salle avec des plateaux d'amuse-bouche. Joanna demandait à deux employés de constituer des petits groupes pour la visite de la distillerie quand on l'informa que Marcus et M. Pruitt avaient terminé la leur. Tout semblait se dérouler parfaitement, mais Joanna ne cessait de consulter sa montre.

— Marcus aurait déjà dû être revenu. Cela fait un moment qu'ils ont terminé leur visite. Ce sera un désastre si cette interview se passe mal. Peut-être devrais-je aller les voir.

L'un des guides vint chuchoter à l'oreille de Joanna.

— Mince ! J'arrive dans une minute.

Elle se tourna vers elle.

— Ashley, ça vous ennuierait d'aller voir dans l'autre salle de dégustation si tout se passe bien entre Marcus et M. Pruitt ? Et s'ils ont besoin de quoi que ce soit ?

— Oh ! bien sûr.

— Maintenant que j'y songe, ce serait parfait. M. Pruitt m'a posé des questions sur vous tout à l'heure. Peut-être pourriez-vous discuter un peu avec lui ?

Ashley ne voyait guère de quoi ils pourraient discuter, mais elle savait très bien comment donner le change dans une conversation. Elle regarda par-dessus son épaule.

— Là-bas ? Au bout du couloir ?

— Oui, c'est ça.


Marcus avait souvent entendu dire qu'Oscar Pruitt était un interlocuteur intimidant. Vieux jeu, snob à l'excès, d'un goût très difficile, qui ne manquait jamais une occasion de montrer à quel point il était supérieur aux autres. Marcus avait supposé que sa réputation était exagérée, et que l'homme serait un peu plus charmant en vrai. Il se trompait.

Oscar avait posé des centaines de questions inquisitrices durant la visite, pinaillant sur chaque détail, essayant par tous les moyens de le déstabiliser. Un vrai baptême du feu, même si Marcus avait fait de son mieux pour paraître imperturbable.

— Si nous passions à la dégustation ? proposa Marcus, passant derrière le bar de la salle privée.

*S'il vous plaît, dites oui. J'ai sacrément besoin d'un verre.*

Il posa quatre ballons devant eux. Le col resserré des

verres permettait aux arômes de se rassembler tandis que la tige empêchait la chaleur de la main du goûteur d'affecter la température et la saveur de gin.

— Je pense que le goût vous impressionnera, dit Marcus.

Il n'aimait pas avoir à vanter son gin, mais il n'avait pas le choix. Son père avait émis quelques doutes sur le n° 9, et sur la notion même de « gin américain ». M. Pruitt étant aussi conservateur que possible, il partageait les mêmes idées.

— Pour votre père, c'est une interprétation moderne d'un vieux classique. Il semble penser que c'est une idée brillante.

Marcus eut un grand sourire. L'approbation de son père comptait énormément pour lui, et le rendait extrêmement heureux. Il avait fait un acte de foi en abandonnant son métier lucratif et en investissant ses propres fonds dans l'entreprise familiale, mais son père avait fait davantage. Il avait laissé son fils jouer avec une marque qui n'avait pas changé depuis 1902.

— Naturellement, j'ai dit à votre père que j'en jugerais par moi-même. Mais j'apprécie son parti pris. Moi aussi, j'ai toujours soutenu mes enfants.

Oscar retira des lunettes de lecture de la poche poitrine de sa veste et les chaussa pendant que Marcus ouvrait une première bouteille.

Une dégustation des deux gins à la suite était la meilleure façon de prouver à Oscar que le n° 9 représentait un pas dans la modernité, tout en respectant l'histoire de la distillerie familiale. Il remplit deux verres d'une once de gin original et deux autres de n° 9. Il ajouta une once d'eau à chacun, pour diluer l'alcool et libérer les arômes.

— Comme je vous l'ai dit durant la visite, pour le n° 9, nous sommes passés de sept aromates à neuf. Les nouveaux ajouts sont le carvi et la fleur de sureau.

Oscar plissa les yeux. Son scepticisme était évident. Enfin, le critique leva son verre et goûta le breuvage.

— Cette saveur est intéressante, en effet. Surprenante.

Oscar ne l'avait pas recraché, c'était déjà ça.

Il goûta ensuite une gorgée du gin original, puis hocha la tête.

— Je dois vous dire, Chambers, qu'en goûtant les deux à la suite je comprends ce que vous recherchiez. Ce n'est pas mon genre d'utiliser ce terme, mais j'irais jusqu'à dire que c'est *impressionnant*.

Marcus poussa un soupir de soulagement. Son père aurait enfin la reconnaissance qu'il avait attendue tout ce temps.

— Si nous finissions cette interview ? suggéra-t-il.


Ashley parcourut le long couloir menant à la salle de dégustation privée. Le son de ses talons sur le sol de béton ciré résonnait dans l'espace, rompant un silence presque sinistre. À l'extrémité du couloir, un petit panneau indiquait la direction de la salle. La porte était ouverte, mais ce qu'elle entendit la fit s'arrêter juste avant d'en franchir le seuil.

— Je vous prie de ne pas parler d'elle de cette façon, monsieur Pruitt.

Si les paroles étaient courtoises, la voix de Marcus était cassante et étonnamment forte.

— C'est une question légitime. Vous quittez votre patrie et votre héritage pour New York et une culture américaine jetable ?

— Ce n'est pas ce que vous avez demandé. Vous avez demandé pourquoi j'ai choisi d'être associé à une femme comme Mlle George, à la fois sur le plan personnel et professionnel.

Ashley sentit son cœur battre plus fort, et son visage devenir livide.

— C'est une vedette de téléréalité, continua M. Pruitt. Il est dommage que vous ayez abîmé votre propre image afin d'avoir du succès. Franchement, je suis choqué qu'une famille aussi estimée que la vôtre s'abaisse à de tels procédés.

Ashley serra les lèvres. Était-ce vraiment ce que les gens pensaient ? Ou cet homme était-il simplement un mufle pompeux ? Elle parierait sur la deuxième hypothèse, mais cela ne la consolait guère. Marcus s'était réjoui de faire cette interview, et maintenant tout allait de travers. À cause d'elle. Elle s'appuya contre le mur et tendit l'oreille.

— Je n'arrive pas à croire que vous fassiez preuve d'un tel snobisme, assena Marcus, d'autant que vous vivez aux États-Unis la moitié du temps. Vous ne connaissez même pas Ashley. C'est une des personnes les plus travailleuses que j'aie jamais rencontrées ; elle fait peut-être de la télévision, mais elle ne joue pas la comédie. Elle aime rendre les gens heureux en formant des couples, et elle est épatante dans son domaine. S'il y a la moindre honte dans tout cela, c'est vous qui la créez.

Ashley sentit son cœur s'emplir d'une douce chaleur. Marcus admirait son travail. Mieux, il avait pris sa défense.

M. Pruitt rit, mais c'était un rire débordant de désapprobation et de supériorité.

— Apparemment, cette femme a trop de pouvoir sur vous pour que vous puissiez réfléchir par vous-même.

— Ça suffit ! s'écria Marcus.

Elle en eut le souffle coupé.

— Sortez maintenant, ou je vous mets à la porte moi-même.

— Vous me renvoyez de ma propre interview ? Votre père nous harcèle depuis des années pour que nous consacrions un article à Chambers Gin, et c'est ainsi que vous agissez quand le moment est enfin venu ? Je doute que votre père soit ravi quand il l'apprendra.

*Non, non, non.* Elle ferma les yeux, et souhaita que Marcus prenne une grande inspiration et se calme.

— Mon père s'attendrait à ce que je prenne la défense d'une femme. Si vous n'êtes pas en mesure de le comprendre, inutile de faire cette interview.

— Soit. Mlle George vous a vraiment embobiné.

Ashley ignorait ce qu'elle devait faire mais, si elle hésitait encore dix secondes, tout serait perdu, et elle serait face à l'homme qui venait de proférer des horreurs sur son compte. Bien qu'une part d'elle eût envie de tourner les talons, elle résolut d'entrer dans cette pièce, pour sauver Marcus.

M. Pruitt parut indéniablement surpris quand elle entra d'un pas nonchalant dans la salle de dégustation, en ondulant des hanches.

— Oh ! bonsoir. Vous devez être monsieur Pruitt.

Elle se pencha un peu, laissant la robe faire son effet.

Elle lui prit la main et la serra fermement. Même si le comportement de cet homme la dégoûtait, son air émerveillé lui procura une certaine satisfaction.

— Je suis Ashley George. Je suis tellement heureuse de vous rencontrer, monsieur ! J'ai entendu tant de compliments à votre sujet.

Elle exagéra son accent du Sud, au point d'avoir mal aux joues. Elle leva les yeux vers Marcus, sans se départir de son sourire.

— Ashley, dit-il. Tu étais dans le couloir ?

L'inquiétude sur son visage était touchante.

— Oui, mais pas depuis longtemps. J'ai entendu M. Pruitt dire que je t'ai vraiment « embobiné ».

Marcus cligna des yeux. M. Pruitt s'éclaircit la voix. Elle chercha une manière de se sortir de l'impasse dans laquelle elle venait de s'acculer. Elle ne voulait pas laisser le journaliste s'en tirer aussi facilement, mais elle voulait aussi sauver l'interview.

— Et je me suis dit que c'était une façon charmante de voir les choses, ajouta-t-elle.

Elle se plaça à côté d'Oscar Pruitt.

— Marcus et moi sommes très épris l'un de l'autre. Pas de doute là-dessus.

Elle donna une tape sur le bar.

— À présent, parlons gin. En ce qui me concerne, j'ai bien besoin d'un verre.

# - 15 -

Quand Oscar Pruitt sortit de la salle de dégustation, Marcus était certain que le critique était ébloui. Il était bien placé pour savoir qu'on ne pouvait pas résister à l'ouragan Ashley. Elle provoquait les événements et, tout ce qu'on pouvait faire, c'était s'accrocher. Au bout du compte, elle avait totalement conquis Oscar. Une minute plus tôt, le critique crachait son venin, et la suivante, il déclarait qu'Ashley était la femme la plus charmante qu'il ait jamais rencontrée. Il s'était exclamé que le Chambers n° 9 était « simplement sublime » et s'était réprimandé pour ne pas être un spectateur plus assidu de *La Marieuse de Manhattan*. Avant de repartir, il était même allé jusqu'à assurer que sa critique dans *Spiritueux International* serait l'une des plus élogieuses qu'il ait jamais rédigées. Ashley avait sauvé Chambers Gin du désastre.

Mieux, elle l'avait sauvé de lui-même, en l'empêchant de décevoir son père. La voir à l'œuvre avait constitué le plus puissant des aphrodisiaques. Si l'on ajoutait à cela sa robe éblouissante et le fait qu'il était soulagé d'en avoir fini avec cette interview, il n'avait à présent plus qu'une envie : avoir Ashley, nue, dans son lit.

— Je dois te reconduire chez moi, maintenant, décréta-t-il en empoignant sa veste.

— Mais ta fête…, commença-t-elle avant qu'il ne l'interrompe en posant un doigt contre ses lèvres.

Ce simple contact affola son pouls.

— Jo peut s'en charger. Quant à moi, je dois m'occuper de toi.

Il éteignit la lumière de la salle de dégustation d'un geste décidé.

— Sortons d'ici.

Quand il eut convaincu Joanna de prendre les rênes pour le reste de la soirée, ils se hâtèrent de grimper dans la limousine. Marcus desserra sa cravate dès qu'ils furent sur la route.

— Tu as été extraordinaire, Ashley. Absolument extraordinaire. J'ignore si je peux trouver les mots pour rendre hommage à ta prestation de ce soir.

Il lui prit la main et promena son regard sur son visage. Elle était si belle, à l'extérieur comme à l'intérieur. Et elle ne cessait de le surprendre.

— Je ne pouvais pas rester dans le couloir et te laisser gâcher ton interview à cause de moi. Il fallait que je fasse quelque chose.

Il lui caressa les doigts de son pouce.

— Mais tu as entendu les horreurs qu'il a dites sur toi. Comment as-tu fait pour ne pas exploser de rage ?

— Les gens ont dit bien pire sur mon compte.

— Mais les gens t'aiment. Ils t'adorent.

— Crois-moi, tout le monde n'aime pas la Marieuse de Manhattan.

— Ce n'est pas la Marieuse de Manhattan qui m'a sauvé de moi-même. C'est toi. C'est toi qui es entrée dans la pièce, et qui as affronté Oscar sans fléchir.

Les mots étaient juste là, sur le bout de sa langue. Mais cela irait-il trop vite pour elle ? Étant donné ce qu'elle avait vécu avec son ex-petit ami, il était peut-être trop tôt pour lui dire qu'il était amoureux d'elle, très amoureux même. Tout en elle le charmait.

— Je ne pouvais pas t'abandonner, dit-elle.

Il secoua la tête.

— Je ne peux t'imaginer abandonner quelqu'un.

Il caressa sa joue et lui donna un doux baiser.

— Tu es sûr que tu ne dis pas ça à cause de la robe ?

Il rit.

— Ta robe est irrésistible, c'est vrai, mais je suis certain que ce n'est pas elle qui me fait parler ainsi.

Il l'attira contre lui. Elle l'enlaça et darda sur lui ses yeux noisette si sincères. Elle lui faisait perdre tout repère quand elle le regardait de cette façon. Il grava dans sa mémoire chaque étincelle dans ses yeux, chaque battement de cils. Peut-être était-ce la façon qu'avait trouvée son esprit de lui faire oublier le désir qui bourdonnait dans son corps.

*Elle est si incroyable. Et je suis fichu.* Sa respiration devenait difficile. C'était comme s'il n'y avait pas assez d'oxygène dans l'habitacle. Contrôler son désir alors qu'Ashley était si près était une tâche titanesque, mais pas question de commencer quelque chose d'indécent à l'arrière d'une voiture. Il voulait emmener Ashley chez lui, lui retirer cette robe si sexy et lui faire l'amour toute la nuit.

La circulation à cette heure tardive étant peu dense, ils arrivèrent rapidement à destination. Ils se précipitèrent vers l'ascenseur et, lorsque les portes se fermèrent, Ashley le plaqua contre la paroi de la cabine.

— La façon dont tu frottais le tissu de ma robe contre ma peau m'a mise au supplice. Étais-tu obligé de faire ça pendant tout le trajet ?

Elle l'embrassa, attrapant sa lèvre inférieure entre ses dents, lui arrachant un grondement rauque.

Il lui rendit son baiser, le souffle court. Il remonta sa robe, impatient de caresser ses jambes.

— On dirait que je suis dans le pétrin, conclut-il.

De son autre main, il explora ses côtes, en attendant le moment où il pourrait caresser ses seins nus.

La sonnette de l'ascenseur signala leur arrivée au onzième et dernier étage. Même si le moment tant attendu approchait à grands pas, Marcus trouvait encore que cela n'allait pas assez vite. Son pantalon le serrait tant qu'il n'était pas sûr de pouvoir encore respirer. Il saisit la main d'Ashley et se dirigea vers la porte de son appartement à longues enjambées. Il se pencha vers la serrure, et tenta d'y insérer sa clé. Ashley se mit sur la pointe des pieds, le menton presque sur son épaule. Sa respiration, si près de son oreille, attisa son excitation. Enfin, il parvint à ouvrir la porte.

Sans perdre une seconde, il prit Ashley dans ses bras et l'embrassa. Il la fit virevolter, comme sur une piste de danse. Ils traversèrent les pièces en tourbillonnant et il commença à se dévêtir au passage — cravate, veste, chemise furent rapidement sur le sol. Quand ils parvinrent dans la chambre, Marcus avait remonté la robe d'Ashley jusqu'à sa taille. Tout en elle le rendait fou de désir. Un feu le consumait, et son sexe en érection pulsait de manière ardente et insistante. Il fallait qu'il la possède, corps et âme, maintenant.

Lorsqu'elle leva les bras, il lui ôta sa robe. C'était comme s'il révélait sa récompense, un prix qu'il voulait garder pour lui seul. Même dans la pénombre de la chambre, sa peau était aussi lumineuse que jamais. Il admira sa beauté, toute en volupté féminine. Il l'allongea sur le lit et plaça ses poignets au-dessus de sa tête.

— Tout va bien ? s'enquit-il, lui volant un baiser.

— À merveille.

Il prit son sein en coupe, sa peau de pêche épousant ses doigts. Ses tétons engorgés et sensibles étaient d'une nuance rose diablement attirante. Chaque fois que ses doigts s'en approchaient, il sentait la peau d'Ashley se réchauffer.

Soudain, il se releva.

— Ne bouge pas, ordonna-t-il. Laisse tes mains où elles sont.

— Tout ce que tu veux.

Il fit glisser son pantalon et son boxer le long de ses jambes, tout en soutenant son regard.

— Tu es magnifique quand tu es nu. Tu le sais, dis-moi ?

— Je peux dire la même chose de toi, chérie.

Il n'avait jamais désiré une femme autant qu'il désirait Ashley. Il pourrait passer sa vie à la contempler, à l'explorer, à révéler ses mystères.

— Tu peux garder tes escarpins ?

Il lui souleva la jambe, tenant sa cheville et faisant dériver son autre main le long de sa cuisse.

— Tu sais qu'ils compriment mes orteils ?

— Ah ? fit-il, fronçant les sourcils.

*Mince. Une prochaine fois, alors.*

— Dans ce cas, nous ne pouvons pas te laisser souffrir.

Il retira avec douceur les deux chaussures, puis s'allongea à côté d'elle.

— Je veux te toucher, dit-elle, tendant le cou comme si elle voulait approcher ses lèvres des siennes. Je peux bouger les mains, maintenant ?

Il caressa son ventre. Son corps avait très envie d'avoir les mains d'Ashley partout sur lui. Mais son esprit voulait garder le contrôle un peu plus longtemps.

— Pas encore.


Ashley avait la gorge nouée. Elle adorait quand Marcus était directif, et même un peu autoritaire. C'était sans doute pourquoi elle n'avait jamais vraiment fait de croix sur lui, même quand ils s'étaient disputés.

Il passa la main sous son slip de satin noir, sans la quitter des yeux. À chaque seconde, à chaque onde de désir dans son corps, il prenait un peu plus de place dans son cœur. Il aurait pu obtenir tout ce qu'il voulait d'elle à cet instant. Absolument tout.

À présent qu'elle était totalement nue, à la fois sur le plan physique et mental, il se plaça au-dessus d'elle, calant ses genoux entre ses jambes, posant ses mains de chaque côté de sa taille. Il déposa une pluie de baisers sur son ventre, de ses lèvres chaudes qui laissèrent dans leur sillage des cercles brûlants. Quand il arriva à ses seins, il aspira ses tétons, passant la langue sur les pointes fermes. Puis il honora le dessous de ses seins, puis le creux de sa poitrine.

Il descendit vers son ventre, ses baisers se faisant plus enfiévrés, plus humides. Elle inspira brusquement quand il lui écarta les cuisses. Et lorsqu'il posa la bouche sur son sexe, Ashley sentit le monde autour d'elle se désintégrer. Il prit possession de son intimité, explorant ses recoins les plus délicats de sa langue et de ses lèvres, avec la patience d'un homme qui savait exactement ce qu'il faisait.

Elle se cambra tandis que sa langue dessinait des cercles autour de son clitoris. Son envie de le caresser était de plus en plus forte. N'y tenant plus, elle plongea les mains dans ses cheveux. L'intensité de son plaisir montait si vite qu'elle ne pensait pas pouvoir tenir très longtemps.

— Marcus. J'ai besoin de toi. En moi. Fais-moi l'amour.

Il continua son assaut sensuel quelques instants, puis posa les lèvres sur son ventre. Elle prit une grande inspiration, en souhaitant que la pression du plaisir se dissipe. Car elle voulait que la dernière partie de leurs ébats dure le plus longtemps possible.

Il sortit un préservatif du tiroir de son chevet.

— Laisse-moi faire, dit-elle en avançant au bord du lit.

— Avec joie.

Il se tint debout devant elle, tout en muscles et en virilité. Et émit un râle quand elle referma la main autour de son sexe.

Elle le caressa, guettant sa réaction quand elle resserra son étreinte. Puis elle allégea la pression, ce qui sembla lui faire encore plus d'effet. Ses doigts explorèrent son sexe, lentement, doucement. Elle avait l'impression qu'il devenait plus ferme à chaque caresse. Songeant qu'il ne pourrait pas résister très longtemps, elle déroula le préservatif sur lui.

Il prit son visage entre ses mains et lui donna un baiser fougueux. C'était comme s'il buvait son être même, et elle lui rendit son baiser, savourant chaque sensation exquise qui la traversait. Enfin, elle s'allongea sur le dos et l'attira entre ses genoux.

— J'ai envie de toi, Marcus. Fais-moi l'amour.

— Et j'ai besoin de toi, Ashley. Plus que tu ne l'imagines.

Debout contre elle, il lui souleva les hanches et entra avec précaution en elle.

Elle se cambra davantage, et leurs corps furent pleinement unis. Enroulant les jambes autour de ses hanches, elle tenta de comprendre pourquoi les sensations étaient si extraordinaires. Marcus était enfoncé si profondément en elle qu'elle avait le vertige. Il accéléra la cadence, donnant des coups de reins plus courts mais plus puissants, tout en maintenant leurs corps aussi proches que possible.

Il la conduisit de nouveau au bord de l'orgasme, comme quelques minutes plus tôt. Respirant par saccades, les lèvres entrouvertes et les yeux clos, lui-même semblait pris dans une transe extatique. Elle voulait sentir ces lèvres sur les siennes. Elle voulait tenir son visage entre ses mains quand il exploserait de plaisir.

— Embrasse-moi, dit-elle en haletant, s'accrochant aux draps.

Il se pencha, l'enlaça, puis roula sur le lit de sorte qu'ils se retrouvent sur le côté, face à face. Leurs lèvres se touchèrent, leurs langues se mêlèrent. Elle ne pourrait plus tenir très longtemps.

Le plaisir s'abattit sur elle comme une déferlante. Marcus ne tarda pas à connaître la même libération. Il la serra contre lui, calmant les spasmes de ses hanches de ses mains. Leurs respirations ralentirent, se synchronisèrent. Elle caressa son visage, sentit sa barbe contre sa paume, son sourire contre ses lèvres. Il n'y avait aucun autre endroit sur terre où elle ait envie d'être. *Je l'aime.*

Si seulement elle pouvait être sûre de ne pas le décevoir !

# - 16 -

Marcus était réveillé depuis un moment et admirait Ashley, endormie dans son lit. Il avait beaucoup de chance de l'avoir trouvée, songea-t-il une fois de plus.

Elle s'étira et se cambra, puis roula la tête sur l'oreiller. Un rayon de soleil filtra entre les rideaux. Il était presque 9 h 30. À quand remontait la dernière fois où il avait dormi si tard un dimanche ? En tout cas, ça ne lui était pas arrivé depuis la naissance de Lila.

Ashley et lui avaient eu besoin de récupérer. Ils avaient pleinement profité de leur nuit de passion, en ne dormant que quelques courts instants avant que l'un d'eux ne trouve l'autre sous les draps, que les mains ne dérivent, que les baisers ne s'échangent et que le splendide cycle du désir ne recommence. Mais, bientôt, cette parenthèse parfaite prendrait fin. Ashley allait retrouver son appartement dès le lendemain. Leur couple expérimental avait été un succès, une révélation même, mais ce n'était pas la pleine réalité, uniquement une réalité partielle.

— Bonjour, dit-elle d'une voix ensommeillée en l'enla-çant et en appuyant la tête contre sa poitrine.

— Bonjour.

Il embrassa le sommet de sa tête. Penser à ce qui pourrait se produire entre eux l'emplissait d'espoir — un espoir prudent, mais un espoir tout de même. Cela faisait si longtemps qu'il n'avait pas éprouvé d'espoir concernant son avenir, l'avenir de Chambers Gin, ou celui de Lila.

Il ne permettrait pas que sa fille souffre, mais certaines blessures étaient inévitables. Un jour, elle comprendrait que sa mère biologique avait choisi de ne pas être là, ni pour les moments heureux comme ses premiers pas, ni pour les grandes étapes comme son premier jour d'école ou, Dieu lui vienne en aide, son premier petit ami. S'il y avait une justice en ce bas monde, Lila grandirait avec deux parents aimants, pour adoucir la brutalité de la vérité.

Il avait compté sur sa fille pour lui rappeler que le monde demeurait merveilleux. À présent, il avait aussi Ashley pour le lui rappeler. Une part de lui s'était réveillée, qu'il avait cru disparue quand Elle était partie. Il avait baissé sa garde et l'amour avait de nouveau déferlé sur lui. Tout le contraire de ce qu'il avait craint.

Mais il lui restait deux pièces de ce magnifique puzzle à placer, et cela l'effrayait plus que tout. Il avait beau essayer, il ne pouvait chasser cette pensée de son esprit : Ashley était peut-être parfaite pour lui, mais elle pourrait ne pas l'être pour Lila — et vice versa. Ashley doutait de sa capacité à être mère. Si Lila et elle ne s'entendaient pas, Marcus n'aurait d'autre choix que de mettre un terme à sa relation avec Ashley. Et il serait de nouveau replongé dans l'enfer auquel il avait cru ne jamais survivre la première fois.

Et puis, il y avait l'appartement d'Ashley. Demain, elle missionnerait un nouvel entrepreneur. En d'autres termes, elle reprendrait le cours d'une vie dans laquelle il n'y avait pas de place pour lui ou pour Lila. Marcus faisait tout son possible pour rester calme, pour adopter un rythme qui mette Ashley à l'aise, mais cela lui coûtait beaucoup. Il voulait courir vers leur happy end, et non attendre et espérer que tout se mette en place. Par conséquent, il sentait que le temps était enfin venu de prononcer les mots qu'il ne pouvait plus retenir davantage.

— Qu'as-tu envie de faire aujourd'hui ? demanda-t-elle, appuyant le menton contre son torse.

Elle joua avec les poils de son torse puis lui sourit.

Son sourire lui coupa le souffle. Et lui rappela qu'Ashley était l'élue de son cœur, l'unique. Il prit sa main, en regrettant de ne pas avoir une énorme bague de fiançailles à glisser à son doigt.

— Avant de faire le moindre projet, je dois te dire une chose que j'aurais dû te dire il y a des jours.

— D'accord…

Au ton de sa voix, il sut qu'elle redoutait la suite, mais il devait continuer, même si son cœur semblait sur le point de bondir hors de sa poitrine.

— Je t'aime.

Un grand sourire éclaira le visage d'Ashley, et une vague de soulagement déferla en lui.

— Je commençais à me demander si j'allais devoir le dire en premier, commenta-t-elle.

— Alors, tu veux dire que… ?

— Oui. Je t'aime aussi, Marcus. Je t'aime tant que j'ai l'impression que des petits cœurs de dessin animé sortent de mes yeux chaque fois que je te regarde.

Il éclata d'un rire joyeux. Elle avait une telle façon de présenter les choses !

— Quand je te regarde, Ashley, le monde me semble meilleur. Parfait, même.

Elle rougit.

— C'est si gentil. Tu vas me faire pleurer.

— Ne pleure pas. Je préférerais te rendre heureuse.

Elle déposa un doux baiser sur ses lèvres.

— Tu me rends heureuse. Et j'ai une confession à te faire, moi aussi. Je pense que je suis tombée amoureuse dès que je t'ai rencontré.

Dire qu'ils étaient sur la même longueur d'onde depuis le début !

— Moi, je suis sûr d'être amoureux depuis le premier regard. C'est pour cela que j'ai été si désagréable avec toi. J'en suis désolé, mais c'était frustrant de te voir et d'avoir le sentiment que ça ne fonctionnerait pas entre nous.

*Cela fonctionnerait-il ? Pour de bon ? Pour toujours ?*

— Je n'étais pas toujours sous mon meilleur jour non plus. Selon moi, nous devrions tous les deux oublier ce chapitre et repartir de zéro, dit-elle en souriant.

Elle avait toujours été pleine de vie et, grâce à elle, il découvrait un monde de possibilités. Un avenir.

— Je suis entièrement d'accord. C'est pourquoi je vais téléphoner à Joanna ce matin, pour lui demander d'amener Lila plus tôt. Je veux que nous passions la journée ensemble. Tous les trois.

— C'est vrai ?

Il y avait une note de prudence dans sa voix, qu'il avait déjà entendue.

— Parle-moi, Ashley. Dis-moi ce que tu penses.

Elle s'appuya sur un coude.

— Je suis heureuse que tu me fasses enfin suffisamment confiance pour me présenter ta fille, mais je mentirais si je prétendais que ça ne me rend pas nerveuse. Je ne suis pas naïve au point de penser que le plus grand obstacle entre nous sera facilement surmonté.

Son ventre se noua, mais il tenta de ne pas y prêter attention. Ashley n'était pas Elle. Il le savait. Cependant... Ashley et Lila n'avaient jamais passé de temps ensemble. Cela lui avait semblé plus prudent, pour protéger Lila, mais il n'aurait jamais cru tomber amoureux à ce point. À présent, il regrettait d'avoir agi comme il l'avait fait, mais il ne pouvait pas revenir en arrière. Il devait donner un coup de pouce au destin et espérer que les choses fonctionneraient. Ce ne serait pas la faute d'Ashley si cela échouait. Elle n'avait jamais demandé à devenir la maman de Lila.

— Je ne veux pas que tu t'inquiètes. Nous allons simplement passer un dimanche ensemble, tous les trois.

Elle hocha lentement la tête, mais il voyait bien qu'elle réfléchissait. Elle se demandait sans doute où tout cela mènerait, et c'était d'habitude le moment où elle se mettait à paniquer. C'était précisément la raison pour laquelle il ne pouvait pas aborder maintenant des sujets comme le mariage, ou l'annulation de ses travaux.

— Et ensuite ? demanda-t-elle. J'ai le sentiment que c'est un test, Marcus. Et si Lila et moi n'avons pas d'atomes crochus ? Que se passera-t-il ? Tu me diras au revoir, et je devrai vivre à deux pas de l'homme que j'aime mais que je ne peux pas avoir ?

— À présent, tu comprends ce qu'a été ma situation depuis le début.

— J'ai toujours compris ta situation. Mais j'ai besoin que tu voies les choses autrement, sinon tu auras toujours le sentiment que je suis l'outsider qui essaie de trouver sa place. Toute hésitation de ma part ne sera pas forcément par crainte de la maternité ou des responsabilités, même si j'avoue volontiers que cela me fait un peu peur. Mais je peux dépasser ces craintes. Ce qui m'effraie surtout, c'est de te blesser comme Elle t'a blessé. Cela me tuerait de te décevoir de la sorte. Et nous aurions tous les deux le cœur brisé.

Il ferma les yeux et passa la main sur son front. Avancer était la seule façon d'être fixé. Ashley et lui ne pouvaient pas se terrer dans son appartement éternellement. Le monde continuait de tourner. Les gens allaient de l'avant. Ils devaient en faire autant. C'était la seule façon d'obtenir ce qu'il voulait vraiment. Une vie avec Ashley.

— J'apprécie que tu m'aimes assez pour ne pas vouloir me briser le cœur. Mais je ne pourrai pas cesser d'être amoureux de toi, Ashley. Nous ne pouvons pas défaire ce qui a été fait. Le seul chemin possible pour nous, c'est d'aller de l'avant.

Elle hocha la tête.

— D'accord. Appelle Joanna. Et dis-lui de ramener Lila chez toi.

\*
\*\*

Ashley était au comble de la nervosité quand des coups résonnèrent contre la porte, annonçant l'arrivée de Lila et de Joanna.

— Elles sont là, dit Marcus.

Vêtu de sa tenue de week-end habituelle, jean et T-shirt, il courut leur ouvrir.

— Pa, pa, pa, dit Lila de sa voix enfantine, s'échappant presque des bras de Joanna pour se lancer dans ceux de son père.

— Voilà mon trésor, dit Marcus en l'étreignant.

Ashley ne pensait pas avoir jamais vu un amour aussi pur entre un parent et un enfant ; Marcus frotta son nez contre celui de sa fille, comme sur la photo sur sa table de chevet. Tous deux rirent. Les rires de Lila étaient stridents, tandis que ceux de Marcus, plus graves, montaient de sa poitrine, sans doute tout près de son cœur. Ashley sentit son regard s'embuer. C'était comme si elle côtoyait la perfection. Serait-elle à la hauteur du rôle qui l'attendait peut-être ? Était-elle digne de passer ne serait-ce qu'une seconde avec Marcus et Lila ? Marcus avait toujours voulu offrir à sa fille une vie parfaite, et il y était parvenu. Lila avait un papa qui ferait tout pour la protéger et la rendre heureuse.

Ashley croisa le regard de Joanna, qui semblait tout aussi émue qu'elle. Elle se rappela leur conversation à la distillerie, et la question si simple que Joanna lui avait posée. « Voulez-vous tenter votre chance ? » La réponse était toujours un oui sans équivoque.

— Je file, et je vous laisse à votre journée tous les trois, dit Joanna.

Elle embrassa Lila sur la joue.

— Je te vois bientôt, mon trésor.

Elle ébouriffa les cheveux de Marcus.

— Ne te comporte pas en mufle.

— Qu'est-ce que tu veux dire ?

— Tu sais bien. Amusez-vous aujourd'hui. Ensemble.

Elle leur adressa un clin d'œil, puis s'éclipsa.

Ashley vit Marcus se tourner vers elle.

— C'est Ashley, dit-il à Lila. Je veux que vous passiez du temps ensemble toutes les deux. Beaucoup de temps.

Lila n'avait que faire de ces présentations. Elle repéra son panier de jouets dans le salon, et battit des pieds pour descendre. Marcus fut rapidement dépassé, s'accrochant à Lila alors qu'elle voulait manifestement aller jouer.

— Ce n'est rien, dit Ashley. On ne peut pas la forcer.

Marcus conduisit Lila vers les jouets et la posa au sol. La petite fille se releva en s'appuyant contre le panier, et se mit à sortir les jouets un par un.

— Elle adore tout sortir, dit Marcus, s'asseyant par terre et s'adossant au mur.

L'approche méthodique de Lila était touchante. Ashley s'assit près du panier et sortit une grenouille en peluche.

— Qui est-ce ? demanda-t-elle à la petite fille.

Lila la regarda, l'air très sérieux, s'accrochant au panier pour garder l'équilibre. Elle lui reprit l'animal des mains et l'ajouta à la pile de jouets déjà sur le sol.

— Alors, comment fonctionne ce jeu ? demanda Ashley en sortant une balle spongieuse et en la présentant à Lila.

L'air moins intéressée, Lila prit simplement le jouet et le posa avec les autres.

— Nous sortons chaque jouet jusqu'au dernier, ensuite nous jouons. Pas avant, dit Marcus. Ce sont les règles de Lila. Je me contente de suivre les ordres.

— Tu as bien formé papa. Malin.

Ashley refit une tentative, avec un lapin en peluche que Lila semblait beaucoup apprécier.

— Oh ! regarde, Lila. Ashley a trouvé Monsieur Lapin.

Lila posa Monsieur Lapin sur le sol, mais à l'écart des autres jouets, puis reprit sa tâche, plongeant le bras au fond du panier.

Marcus tint Lila par le dos de son T-shirt.

— J'ai toujours peur qu'elle ne tombe dans le panier

la tête la première. Cela devient un peu dangereux quand on arrive au fond.

Lila s'agita tandis que Marcus la tenait, et lâcha le panier. Elle se laissa tomber sur le sol.

— Et si nous faisions comme ça, tout simplement ? suggéra Ashley.

Elle saisit le panier et renversa les jouets restants par terre.

Lila ouvrit de grands yeux. Et la regarda sans bouger. Ashley, tendue, se prépara à une crise de larmes. Mais le visage de la petite fille s'illumina. Elle rit aux éclats, si fort que ses épaules se secouèrent. Elle avança à quatre pattes vers la pile de jouets, prit un cube et le lui donna. Ne sachant pas vraiment ce qu'elle devait en faire, Ashley le remit dans le panier. Lila rit de nouveau, et empoigna un autre jouet.

Marcus secoua la tête et sourit.

— Tu es douée pour inventer de nouveaux jeux.

— Je ne fais que suivre ses instructions, dit Ashley, jetant des jouets dans le panier.

Une fois qu'il fut rempli, elle renversa les jouets par terre. De nouveau, Lila éclata de rire.

Marcus se joignit à elles, et ils jouèrent au nouveau jeu pendant une bonne heure, jusqu'à ce que Lila se lasse enfin et se mette à ramper dans tout l'appartement. Ashley et Marcus la suivirent pendant qu'elle explorait son environnement. Elle se levait en se tenant au canapé ou à la table basse, avançant en crabe. À un moment, elle lâcha le canapé, tendit la main vers la table basse et parcourut la petite distance.

— Elle va bientôt marcher, dit Ashley. Très bientôt.

— Je sais. Tout va si vite.

Marcus s'assit sur le canapé et tapota la place à côté de lui.

— Assieds-toi. Tu devrais doser tes efforts.

— Je commence à comprendre le concept, dit Ashley en s'exécutant.

Il lui passa un bras autour des épaules et l'embrassa sur le front. Lila le remarqua et se tourna vers eux, plantant les mains sur les genoux de Marcus.

— Tu veux venir avec nous ? demanda Marcus.

Il souleva Lila et la posa sur ses genoux, face à lui.

La petite fille appuya la tête contre la poitrine de son père, tout en regardant « l'intruse ». Ses grands yeux bruns l'observaient, l'évaluaient, mais sans jugement. Ils collectaient simplement les informations.

Ashley prit la main de Lila. Si douce, si petite. Si innocente. Comment sa mère avait-elle pu abandonner ces toutes petites mains ? Comment avait-elle pu s'éloigner de ce doux visage ? Peut-être cela ne faisait-il que souligner dans quels tourments Elle s'était trouvée.

Mais comment Ashley pourrait-elle remplir le vide qu'Elle avait laissé ? Passerait-elle ses journées à avoir le sentiment qu'elle ne serait jamais à la hauteur ?

— Je comprends pourquoi tu es si protecteur avec elle, murmura-t-elle à l'oreille de Marcus. Et pourquoi tu ne voulais pas que j'approche d'elle à moins de trente mètres.

— Je t'en prie, dis-moi que tu n'as plus cette impression. Plus que tout, je veux que tu passes du temps avec elle. J'espère que tu tomberas amoureuse d'elle comme tu es tombée amoureuse de moi.

Ashley sourit et se blottit contre lui. Comment pourrait-elle ne pas aimer Lila ? Après quelques heures passées avec elle, Lila s'était déjà fait une place dans son cœur. Juste à côté de celle qu'occupait son père.

## - 17 -

Lorsque le lundi matin finit par arriver, Ashley prit conscience qu'elle ne s'était jamais sentie aussi triste. Elle avait l'impression que son cœur pesait une tonne. C'était aujourd'hui qu'elle allait récupérer son appartement, que le vrai nettoyage allait commencer, et que son nouvel entrepreneur relancerait les travaux qui avaient fini par les réunir, Marcus et elle. À présent, elle craignait que ces travaux ne les séparent.

Cette journée aurait dû être le signe que les choses s'amélioraient, mais Ashley savait très bien que la reprise des travaux était une mauvaise nouvelle. Sa place était auprès de Marcus et de Lila. Cependant, elle avait versé des arrhes de dix mille dollars à son nouvel entrepreneur. C'était une somme énorme, et elle ne pouvait y renoncer alors que tout était encore si nouveau avec Marcus. Étant donné tout ce qu'elle avait vécu, et le fait que ses parents dépendaient d'elle, cet argent était important. Très important.

La veille, elle avait attendu toute la journée que Marcus lui donne son opinion sur la reprise des travaux, en vain. Il n'avait jamais peur de dire ce qu'il pensait. Alors, que conclure de son silence ? Ils avaient passé une merveilleuse journée, et elle n'avait eu aucune envie de la gâcher. Mais, à présent, elle regrettait de ne pas lui avoir demandé son avis.

Portant Lila dans ses bras, Marcus entra dans la cuisine et soupira.

— La nourrice vient de téléphoner, elle est à l'hôpital

car sa mère a une crise de la vésicule biliaire. Elle devra peut-être se faire opérer.

Ashley porta sa main à sa bouche.

— C'est terrible. Elle va s'en sortir ?

— Les médecins pensent que oui, mais inutile de dire que je n'ai pas de plan de secours pour Lila aujourd'hui. Joanna et moi avons tous les deux une journée chargée.

— Je ne bouge pas aujourd'hui, car je dois voir l'entrepreneur. Je m'occuperai d'elle.

Elle tendit les bras à la petite fille, qui alla vers elle. Une grande victoire.

— Tu es sûre ? C'est une grande responsabilité, et tu as déjà beaucoup à faire.

— Ça va aller. Je la prendrai avec moi quand je devrai aller dans mon appartement, sinon nous resterons ici. Je me débrouillerai.

Elle n'arrivait pas à croire qu'elle était en train de vendre à Marcus l'idée qu'elle pourrait s'occuper de sa fille.

— Tu n'avais pas dit que tu voulais que Lila et moi passions autant de temps que possible ensemble ? Nous nous en sortirons très bien. Va travailler.

— Alors, tu lances la reprise de tes travaux aujourd'hui ? C'est un grand pas.

Ashley regarda l'horloge. Il était 8 h 30, donc Marcus allait partir d'une minute à l'autre. Pourquoi abordait-il le sujet maintenant, alors qu'il aurait pu émettre une protestation hier ?

— Oui, c'est un grand pas. Veux-tu me donner ton point de vue là-dessus ?

Il l'observa.

— Je ne veux pas essayer de te convaincre de quoi que ce soit. Ça a été ma plus grande faute avec Elle. Je ne vais pas répéter cette erreur.

— Et si je te donne l'autorisation de le faire ? J'aimerais avoir ton avis.

*S'il te plaît. S'il te plaît, dis-moi ce que tu penses.*

— Je ne veux pas que mon avis te perturbe ou t'inquiète. Tu prendras la bonne décision pour toi, et j'apprendrai à vivre avec. Je veux simplement que tu te souviennes d'une chose.

— Laquelle ?

Il lui prit la main.

— Je t'aime.

Cela ressemblait à un code pour « Renvoie ton entrepreneur ».

— Je t'aime aussi, mais j'aimerais vraiment que tu me dises ce que tu souhaites. Veux-tu que je renvoie mon entrepreneur ? Que je mette le projet en suspens ?

Il soupira.

— Je suis sérieux. C'est peut-être difficile pour moi, mais tu dois prendre cette décision seule, dit-il, déposant un baiser sur sa joue. Je dois partir, sinon je vais être en retard.

Elle prit une grande inspiration. *Dix mille dollars...*

— D'accord. Je t'appelle dans la journée.

Quarante minutes plus tard, les pompiers l'autorisaient à récupérer son appartement. Une équipe de nettoyage se mit aussitôt au travail, aérant les pièces et remettant les lieux en état pour que les travaux puissent reprendre. C'était le cours normal des choses, indépendamment de sa relation avec Marcus, mais Ashley avait toujours le sentiment de faire quelque chose de mal. Même s'il y avait dix mille dollars dans la balance, la culpabilité la rongeait.

Elle donna à Lila un yaourt et des biscuits secs. Puis elles vidèrent le panier de jouets et le remplirent durant près d'une heure. C'étaient ces moments qui l'avaient inquiétée, car elle avait craint que Lila ne soit pas à l'aise avec elle, mais tout se passait très bien. Si bien, même, qu'Ashley sut qu'elle ne pouvait plus se servir de cette excuse. Elle s'en sortirait très bien, si elle décidait d'endosser les responsabilités de mère.

À 14 heures, il fut bientôt temps de rencontrer son entrepreneur. Ashley prit conscience que l'heure de la sieste de Lila était sans doute dépassée. La petite fille semblait fatiguée, aussi Ashley la mit-elle au lit. Elle prit le babyphone et traversa le couloir pour aller à son rendez-vous.

Phil, de chez Koch Construction, l'attendait dans le couloir.

— Mademoiselle George, ravi de vous rencontrer. Si nous commencions par faire le tour de l'appartement, pour que vous puissiez m'expliquer ce qui était prévu et n'a pas encore été fait ?

Ashley le fit entrer et lui présenta l'appartement, en déambulant parmi les membres de l'équipe de nettoyage encore en pleine activité. La cuisine était à refaire entièrement, c'était une évidence. Dans le reste de l'appartement, les sols pourraient être conservés, mais tous les murs devraient être recouverts de plâtre. Sinon, l'odeur de brûlé ne partirait jamais, pas même avec une nouvelle couche de peinture. Phil lui expliqua que, si d'autres entrepreneurs osaient lui dire le contraire, ils n'étaient pas sérieux.

Ils inspectèrent la chambre d'amis et la salle de bains, et finirent par la chambre d'Ashley. Dans le babyphone, Ashley entendit soudain Lila pleurer. Ce rendez-vous avec l'entrepreneur était important, mais le fait que Lila pleure l'était plus encore.

— Phil, je dois aller chercher le bébé.

C'était plus facile d'appeler Lila « le bébé », pour ne pas avoir à expliquer sa relation ténue avec Marcus. Elle devait l'admettre, elle aimait l'idée qu'on puisse prendre Lila pour sa fille.

Phil haussa les épaules.

— On ne devrait pas trop dorloter les bébés. D'habitude, ils pleurent jusqu'à ce qu'ils se rendorment.

« Ils pleurent jusqu'à ce qu'ils se rendorment. » Cela semblait être l'enfer sur terre. Après une minute, Ashley était prête à rendre les armes. Certes, elle était faible. Mais, au moins, elle en avait conscience.

— Que voulez-vous ? Je suis trop sensible. Je reviens tout de suite.

Elle fila chez Marcus, et aperçut Monsieur Lapin dans le salon. Elle le saisit, puis se hâta de rejoindre la chambre de Lila et de sortir la petite fille de son lit.

— Ça va ? s'enquit-elle.

Lila se blottit contre son cœur, et Ashley la câlina. Comment faire autrement ? Lila acceptait son affection sans réserve, et lui en donnait tout autant. C'était une expérience merveilleuse.

Lorsque Lila bougea, Ashley sentit que son bras était humide.

— Oh ! non ! J'ai oublié de changer ta couche avant ta sieste.

*Quelle idiote !*

Fouillant dans les tiroirs, elle prit une paire de leggings propres et le haut le plus mignon qu'elle puisse trouver.

— Il faudra que je t'emmène faire les boutiques. Ton père ne s'y connaît pas vraiment en mode féminine.

Elle donna Monsieur Lapin à Lila pour que la petite fille puisse jouer avec lui pendant qu'elle la changeait et l'habillait. Elle eut un peu de mal, mais elle finit par y arriver.

Lila calée sur sa hanche, Ashley retourna voir Phil pour aborder la question de la chambre principale. Dès qu'elle entra et vit le mur, adjacent à celui de la chambre de Marcus, Ashley sut exactement ce qu'il convenait de faire. Elle n'aurait pas à renoncer à ses dix mille dollars, ni à Marcus et à Lila. Tout ce qu'elle avait à faire, c'était de demander à Phil d'abattre un mur.


Le téléphone sonna. C'était Ashley.

— Tout va bien ? s'enquit aussitôt Marcus, inquiet.

— En fait, tout va à merveille. Mais je viens de rencontrer mon entrepreneur, et je me demandais si tu pouvais rentrer tôt, afin que je te montre quelque chose dans mon appartement.

Quelque chose dans son appartement ? Allait-elle lui annoncer qu'elle allait reprendre le chemin qu'elle avait choisi des mois plus tôt ?

— C'est important ?

— Oui, et je pense que tu seras content. Viens dès que tu peux. Je veux dire, chez moi.

Durant le trajet en taxi, Marcus sentit sa tête pulser. Il avait une migraine, mais il craignait aussi qu'Ashley ne lui brise le cœur. Pourrait-il vraiment avoir un avenir avec elle ? Ou s'était-il bercé de faux espoirs ? Il voulait croire qu'ils avaient dépassé leurs différends, mais Ashley et lui avaient connu beaucoup de hauts et de bas. Il n'était pas déraisonnable de penser que d'autres bas arriveraient. En fait, c'était même logique.

Il frappa à la porte d'Ashley, qui ne tarda pas à lui ouvrir. Elle portait Lila sur sa hanche. Cette vision lui confirma ce qu'il avait espéré. Ashley était faite pour être mère. Il embrassa les deux personnes les plus chères à son cœur, et s'intima une fois de plus de prendre une grande inspiration, et de laisser les choses venir. Si Ashley devait finir de rénover son appartement, ils pourraient toujours le vendre quand il la demanderait en mariage. Si elle acceptait de l'épouser. Le plus important était qu'il ne répète pas ses erreurs passées. Et qu'il ne la pousse pas à faire ce qu'elle ne voulait pas faire.

— Viens, dit-elle. Ce que je veux te montrer se trouve dans la chambre.

*Tu veux dire, l'endroit où tu dormiras sans moi ?*

— Je croyais que ta chambre était terminée ?

Il s'arrêta à la porte, ne pouvant faire un pas de plus.

— Si tu dois me faire de la peine, Ashley, fais-le maintenant. Vas-tu me jeter ton avenir à la figure ? Cet avenir que tu te construis, dans lequel Lila et moi ne sommes qu'à la périphérie ? Ce n'est pas juste envers nous, et franchement je doute que ce soit juste pour toi aussi, car la vérité, c'est que nous sommes faits pour être ensemble. Je n'ai jamais été si certain de quoi que ce soit de toute ma vie.

Elle le dévisagea, l'air stupéfait.

— Alors maintenant tu me donnes ton opinion ? Enfin ?

Lila, toujours dans les bras d'Ashley, jouait avec ses boucles blondes.

— Oui. J'ai tenté de garder mon opinion pour moi et de te laisser prendre ta décision sans t'influencer, mais c'est au-dessus de mes forces. Je pourrais te donner des centaines de raisons de ne pas avoir cette discussion, de ne pas t'entendre me dire quelle idée fabuleuse tu as eue pour la rénovation de ton appartement.

— Alors laisse-moi te donner une raison de le faire.

Elle s'adressa à Lila.

— Papa devrait cesser d'être si grincheux et venir avec nous dans la chambre, tu ne crois pas ?

— Pa, dit Lila, et Marcus se sentit fondre.

C'était un supplice de voir à quel point Ashley et Lila étaient adorables ensemble. Puisqu'il était déjà accablé, quelle que soit la nouvelle qu'Ashley lui annoncerait, cela ne pourrait pas le tuer.

— D'accord. Soit.

— Donc, voilà ce que j'ai dit à l'entrepreneur.

Ashley gagna l'angle le plus éloigné de sa chambre et donna une tape sur le mur.

— Nous commencerons ici, et nous abattrons tout le mur.

— Ashley, bredouilla-t-il, ma chambre est de l'autre côté. Où vais-je dormir pendant cette phase des travaux ? Et pourquoi voudrais-tu casser ce mur, d'ailleurs ?

— Cela réunira nos deux appartements. Nous utiliserons ma chambre et la moitié de la tienne pour avoir une chambre principale plus grande. Et nous pourrons agrandir la chambre de Lila. Elle aura bientôt besoin de plus d'espace.

Son esprit se figea, puis se remit en route.

— Es-tu en train de dire ce que je crois que tu dis ?

— Oui. J'étais ici avec l'entrepreneur pendant que Lila faisait sa sieste. Quand je l'ai entendue pleurer dans le babyphone, c'était comme si mon cœur se déchirait. Je ne pouvais pas la laisser seule. Les travaux qui m'avaient autrefois semblé prioritaires étaient soudain bien moins importants que de m'occuper de Lila.

— Ce sentiment m'est très familier. C'est à la fois déchirant et merveilleux.

— Alors je suis allée la chercher, et j'ai changé sa couche. Je pense que c'était là mon erreur. Je ne l'avais pas changée avant de la coucher.

— Tu apprendras. Tous les nouveaux parents en passent par là.

— Je fais mes armes.

Elle sourit, et avança jusqu'à lui.

— Tu sais, je n'aime pas faire des choses pour lesquelles je ne suis pas sûre d'être douée. Mais j'ai compris que personne n'est un parent parfait. J'ai fait une erreur, mais Lila allait bien. Et elle semble parfaitement heureuse.

— Je la regarde, et je peux te dire qu'elle est plus qu'heureuse.

Marcus prit dans ses bras les deux femmes sans lesquelles il ne pouvait pas passer une journée. Ashley n'était pas partie. Elle n'avait pas cherché un moyen de ralentir les choses, même si c'était sa tendance naturelle. Au contraire, elle avait avancé et trouvé un nouveau projet, un projet parfait. Un avenir parfait.

# - 18 -

Trois semaines plus tard, le mur séparant leurs deux appartements était abattu. Ashley n'arrivait toujours pas à croire que Marcus ait donné son accord si vite. Et qu'il ait accepté de vivre dans un chantier. Quand elle lui avait posé la question, il avait répondu que c'était l'amour qui l'avait motivé.

— Notre chambre va être immense, commenta-t-il.

Marcus secoua la tête, franchissant la limite entre leurs deux chambres, une limite à présent imaginaire. Il sourit, mais elle savait ce qu'il pensait en réalité : qu'elle lui avait vendu une de ses idées extravagantes. Cela ne la dérangeait pas. Et cela ne l'empêchait pas de le trouver très sexy dans son jean et son T-shirt.

— Une bonne partie de l'espace servira à agrandir la chambre de Lila, lui rappela-t-elle. Heureusement que nous avons des chambres d'amis dans lesquelles dormir pendant les travaux. J'espère que mes parents pourront venir nous rendre visite quand ce sera fini.

— Si la santé de ton père les en empêche, nous irons tous les trois en Caroline du Sud. Cela nous fera du bien de quitter la ville. Lila et moi n'avons pas beaucoup voyagé aux États-Unis.

Elle qui avait voulu impressionner ses parents avec son appartement, elle allait pouvoir faire mieux : leur présenter l'homme extraordinaire, gentil et généreux dont elle était tombée amoureuse, et la plus adorable petite fille du monde.

— Nous pourrons respirer l'air frais de la campagne. Manger du gruau de maïs aux crevettes.

— Et du gâteau à la noix de coco ? demanda-t-il.

— Bien sûr.

— Parfait.

Il passa un bras autour de ses épaules et déposa un baiser sur le sommet de sa tête.

— Après cela, ce sera ton tour de faire le voyage jusqu'en Angleterre pour rencontrer mes parents. Nous passerons quelques jours à Londres. Et dans notre résidence d'été à la campagne. Tu verras, c'est charmant.

— Je n'en doute pas.

Elle ne pouvait rien imaginer de mieux que la grande aventure qui les attendait. Marcus était sincèrement enthousiasmé par leur avenir, et Ashley s'en réjouissait. Il semblait se remettre enfin de ses années difficiles. Le Marcus casse-pieds avait disparu, même s'il avait parfois du mal à partager la télécommande, surtout quand *La Marieuse de Manhattan* était au programme. Marcus tenait à regarder l'émission chaque semaine.

— Peut-être que d'ici là nous serons fiancés, lança-t-il, le sourcil arqué.

Elle fit la moue. C'était leur seul point de friction. Du moins, c'était un point de friction pour elle. Tout allait très vite, et elle avait tout accepté. Pourtant, cela ne semblait pas suffire à Marcus. Ils ne pouvaient pas tout faire en même temps, non ?

— Marcus, tu projettes d'agrandir la distillerie.

— Parce que nous devons augmenter la production, maintenant que nous avons décroché ce contrat avec les Hôtels Hilltop. Cela représente des milliers de caisses de Chambers n° 9, pour des centaines de bars.

Elle soupira. Elle était heureuse, sans conteste.

Simplement, elle n'aimait pas avoir le sentiment d'être dans un train lancé à toute allure.

— La chaîne vient de me donner le feu vert pour *Premier rendez-vous dans les airs*.

Il secoua la tête.

— Cela prouve à quel point la chaîne t'apprécie. Je t'adore, mais c'est vraiment une idée d'émission stupide. Deux célibataires qui ont leur premier rendez-vous dans un avion ? Je ne vois rien de pire.

Autrefois, une telle remarque aurait provoqué une dispute, mais même Ashley trouvait son projet un peu ridicule. Fort heureusement, la chaîne était ravie.

— Crois-moi, je le sais.

— Tu devrais mettre Joanna dans cet avion, plaisanta-t-il.

— Oui, tout à fait.

Maintenant qu'elle y songeait… Peut-être pourrait-elle enrôler Grace aussi. En tant que nouvelle directrice de la publicité de la chaîne, celle-ci n'avait plus le temps de chercher l'âme sœur.

— Ce que je veux dire, reprit-elle, c'est que nos vies sont insensées en ce moment. Je ne me vois pas préparer un mariage en plus de tout le reste. Rien que d'y penser, cela m'angoisse.

Il l'attira contre lui et replaça une mèche de cheveux derrière son oreille.

— Je ne veux pas que tu t'angoisses. Mais je ne veux pas non plus attendre pour commencer notre vie ensemble.

— Flash info : nous avons déjà commencé notre vie ensemble, dit-elle, désignant le trou béant qui remplaçait le mur entre leurs chambres.

— Oui, mais j'aimerais officialiser les choses. Lila ne va pas tarder à se réveiller. Nous pourrons continuer à en discuter pendant notre promenade.

— Ou nous pourrions simplement profiter de la balade, rétorqua-t-elle, mais il avait déjà quitté la pièce.

Après presque un mois de vie commune, ils avaient

leurs habitudes, parmi lesquelles leurs promenades du week-end dans Central Park. Lila adorait les images et les bruits de la ville, et cette sortie constituait un moment de couple agréable pour Marcus et elle.

C'était une belle journée de mai, presque estivale. Ashley portait un débardeur et un jean, tandis que Lila était vêtue d'une adorable robe mauve qu'Ashley lui avait achetée. Le soleil brillait, et la température avoisinait les vingt-cinq degrés. Quand ils arrivèrent sur la 59e Rue, Ashley prit le chemin de leur appartement, mais Marcus se dirigea vers un passage piéton.

— Où vas-tu ? demanda-t-elle.

— J'aimerais marcher encore sur la Cinquième Avenue. C'est une si belle journée.

Haussant les épaules, elle le suivit. Jusqu'à récemment, Marcus n'avait pas beaucoup profité des charmes de New York. Un peu plus tard, cependant, elle sut ce qu'il mijotait.

Comme elle l'avait deviné, Marcus s'arrêta devant chez Tiffany & Co.

— Oh. Regarde où nous sommes arrivés.

— Tu avais tout prévu ! Ce n'est pas très fair-play d'amadouer une femme avec des diamants.

Il sortit Lila de sa poussette.

— Qu'en dis-tu, trésor ? Tu crois que nous devrions entrer et trouver une jolie bague pour Ashley ? Ça me semble être une merveilleuse idée.

Il sourit, le soleil se reflétant sur ses lunettes de soleil.

— Elle est très maligne, dit-il. Je crois que nous devrions lui faire passer un test de QI. Si cela se trouve, elle battra tous les records.

— Très drôle.

Ashley s'avança vers lui et baissa ses lunettes, pour tenter de savoir s'il était vraiment sérieux.

Il retira ses lunettes et les accrocha à son T-shirt.

— Écoute-moi, Ash. Abattons ce dernier mur entre nous. Tu nous as déjà fait une place dans ta vie, et nous t'en avons fait une dans la nôtre. Nous sommes une famille, à présent. Alors, pourquoi ne pas officialiser les choses ? Ce n'est qu'une bague, après tout.

— Tu te rends bien compte que ta dernière phrase est aussi un argument pour ne pas se marier ?

— Oui. Mais, Ashley, nous nous aimons. Nous devrions nous marier.

— Cela signifie une grande fête hors de prix, qui sera très compliquée à organiser.

— Tout à fait. Avec des fleurs, un orchestre, un gâteau, et la plus belle mariée du monde.

Ashley regarda Lila, qui observait leur échange.

— Et la plus belle petite fille, aussi ?

— Nous devrons l'empêcher de mettre les pétales de roses dans sa bouche.

— Nous pourrions lui donner son panier de jouets, suggéra-t-elle. Elle n'aura aucun problème à le vider.

— Bonne idée, dit-il en souriant. Comme ça, quand tu marcheras jusqu'à l'autel, tu devras enjamber des grenouilles en peluche et Monsieur Lapin.

— Tu veux vraiment acheter une bague avec Lila ? Tu sais qu'elle ne se plaira pas chez Tiffany. Et puis, nous sommes tous les deux en jean, ce n'est pas une tenue très appropriée.

Il lui prit la main.

— Ashley, ce débat pourrait se poursuivre jusqu'au soir, mais aucun de nous ne sera satisfait. Tu me fais la liste de toutes les raisons pour lesquelles nous ne devrions pas acheter cette bague aujourd'hui, mais j'aimerais te donner une raison pour te convaincre du contraire.

Elle se doutait de ce qu'il allait dire, mais elle avait envie de l'entendre.

— D'accord. Je t'écoute.

— Je t'aime, tu m'aimes, et nous sommes faits l'un pour l'autre.

Elle ignora l'envie de rétorquer que cela faisait trois

raisons. En fait, c'étaient *eux*, les trois raisons : Marcus, Lila et elle. À cette pensée, des larmes roulèrent sur ses joues.

— Voilà que je pleure, à cause de toi ! s'exclama-t-elle.

— Alors, ta réponse est oui ?

Elle plongea le regard dans ses yeux émeraude si captivants. Quand bien même elle le voudrait, elle ne pourrait pas lui dire non.

— Ma réponse est oui.

— Tu as entendu ça, Lila ?

Il serra sa future épouse contre lui et la fit tournoyer avec Lila. Tous les trois rirent aux éclats.

— Enfin, je remporte un débat ! s'exclama-t-il.

# Retrouvez en décembre, dans votre collection

*Passions*

## Une mère pour Amelia, de Sara Orwig - N°690

SÉRIE TROIS MILLIARDAIRES À CONQUÉRIR TOME 2/3

Le jour où Erin, la sœur de son meilleur ami, arrive chez lui pour s'occup[er] d'Amelia – sa nièce de huit mois dont il a la garde depuis la disparition brutale d[e] son frère –, Cade est aux anges. Entre la gestion de son ranch et son nouveau rô[le] de père, il avait grandement besoin d'aide et il a bien fait de l'embaucher comm[e] nourrice ! Ce qu'il n'avait pas prévu, en revanche, c'est d'être troublé à ce poi[nt] par le charme et la beauté d'Erin, qui fait naître en lui des sentiments qu'il s'est ju[ré] de ne plus jamais éprouver suite à sa dernière rupture...

## Héritiers et ennemis, de Karen Templeton

À la lecture du testament de son père, Deanna sent une rage sourde monter en ell[e.] Ainsi, elle hérite du ranch familial à part égale avec... Josh Talbot ! Josh, l'homm[e] dont elle était follement amoureuse adolescente... et qui ne l'a jamais remarqué[e.] Josh, à cause duquel elle a quitté la région pour ne plus souffrir. Alors aujourd'h[ui] qu'elle a refait sa vie à Washington et qu'elle attend un enfant, il est absolume[nt] hors de question qu'elle le revoie. Et encore moins qu'elle partage la demeu[re] familiale avec lui...

## Irrésistibles sentiments, de Janice Maynard - N°691

S'en remettre à James Kavanagh pour faire des travaux chez elle est bien la p[ire] idée qu'elle ait jamais eue ! Lila enrage. Bien sûr, une terrible angoisse l'a gagn[ée] quand elle a appris que, suite au décès tragique de sa sœur, elle devenait la tutr[ice] de Sybbie, sa nièce de six mois, et elle a agi dans l'urgence pour faire aménag[er] une chambre d'enfant. Mais pourquoi diable s'être tournée vers James, son e[x-] fiancé, qui l'a quittée trois semaines plus tôt sans la moindre explication ? Est-e[lle] devenue folle ? D'autant qu'elle ne comprend plus rien à la situation, car James [ne] cesse désormais de multiplier les gestes tendres envers elle, comme s'il regrett[ait] leur séparation...

## Le prix de la vérité, de Sarah M. Anderson

Casey Beaumont est enceinte ? Zeb ne décolère pas. S'il a passé u[ne] nuit avec sa sublime employée – qui n'est autre que la fille de son pi[re] ennemi –, c'était uniquement pour se débarrasser d'elle plus facilement p[our] la suite. Pas pour lui faire un enfant ! Pourtant, face aux prunelles noise[tte] de Casey, ses envies de revanche semblent soudain perdre tout intérêt...

## es jumeaux de Luke Gregson, de Christy Jeffries - N°692

SÉRIE COUP DE FOUDRE À SUGAR FALLS TOME 4/6

armen est totalement perdue. Luke Gregson – qui lui plaît terriblement depuis leur remière rencontre – ne cesse de souffler le chaud et le froid avec elle. Pour elle ui recherchait de la stabilité en venant s'installer à Sugar Falls, après la grave gression dont elle a été victime, la situation devient invivable. D'autant qu'elle est prise d'affection pour Aiden et Caiden, les jumeaux de Luke, au point de les onsidérer désormais comme ses propres fils... Aussi n'a-t-elle pas le choix : elle evra confronter Luke pour comprendre son attitude... quitte à le perdre à tout mais.

## encontre sous le gui, de Maureen Child

omment Joy Curran ose-t-elle lui dire qu'il est temps pour lui d'oublier sa femme son fils, disparus dans des conditions tragiques cinq ans plus tôt ? Sam ne peut lérer un tel affront alors qu'il a eu la gentillesse d'accueillir Joy et sa petite Holly ez lui pour leur éviter de dormir dehors. Mais ce qu'il supporte encore moins, est de se sentir attiré par Joy, alors qu'il n'a pas le droit de trahir la mémoire e sa défunte épouse, qu'il a tant aimée... Une seule solution s'offre alors à lui : emander à Joy de partir, et vite.

## n dilemme à surmonter, de Dani Wade  - N°693

*le l'a trahi autrefois, elle le trahit de nouveau aujourd'hui.*

ottie entre les bras puissants de Zachary Gatlin, Sadie est dévorée par la lpabilité. Alors qu'elle aurait dû se cantonner à sa mission – rassembler les euves qui empêcheront Zach d'hériter une immense fortune –, voilà qu'elle se trouve dans une situation inéluctable. Non seulement elle a bafoué tous ses incipes en usant de son pouvoir de séduction pour manipuler un homme, mais e est également tombée amoureuse de lui au premier regard...

## a fausse fiancée, de Allison Leigh

in de rayer Caleb de sa mémoire une bonne fois pour toutes, Kelly prend une cision radicale : elle passera une nuit avec lui et assouvira ce fantasme d'adolesnte qui la poursuit toujours à vingt-neuf ans. Pourtant, lorsque ledit fantasme se nsforme en grossesse surprise, elle est totalement désemparée. Si Caleb apprend nouvelle, il restera avec elle par devoir, et non par amour. Une situation intenable 'elle veut à tout prix éviter. La seule solution, désormais, est donc de prétendre 'elle est déjà fiancée à un autre...

## Un enfant de son rival, de Jules Bennett - N°694

Elle, enceinte ? Eve sent une panique irrépressible la gagner. Cet enfant, c'est cel
de Graham Newport – l'homme le plus parfait que la terre ait jamais porté –, ave
qui elle a partagé une nuit inoubliable. Mais doit-elle pour autant lui annoncer l
nouvelle alors qu'il appartient au clan ennemi que sa famille veut éliminer ? N
devrait-elle pas taire ce secret pour protéger le fruit de cet amour défendu ? Ev
est bien résolue à offrir le meilleur à son enfant. Même si cela signifie qu'il lui fa
renoncer à Graham pour toujours...

## Rencontre à la chapelle, de Joanna Sims

Comment Brock McCallister ose-t-il la repousser alors qu'elle vient de lu
avouer son amour ? Casey est furieuse. Pire, elle est folle de rage contr
cet homme irrésistible qu'elle pensait amoureux d'elle. Comment expliqu
les rendez-vous romantiques qu'il lui donnait chaque jour et sa crise d
jalousie lorsque l'un de ses garçons d'écurie a osé lui parler ? Peu import
désormais. Casey sait qu'il ne lui reste plus qu'une chose à faire : part
sans se retourner et l'oublier à jamais...

·*·★ 10 ANS *Passions* ★·*·

Pour fêter les 10 ans de Passions

découvrez tout au long de l'année 2017

la sélection des 12 meilleurs romans Passions

que vous avez choisis !

En décembre, ne manquez pas
le douzième titre de la sélection :

**La promesse de Noël**
de Yvonne Lindsay

**HARLEQUIN**
www.harlequin.fr

Retrouvez en décembre,
dans votre collection

*Passions*

## La promesse de Noël, de Yvonne Lindsay

Quand elle découvre qu'elle attend un enfant de Conno
Knight, Holly est effondrée : même si elle est amoureus
de son patron depuis des années, elle n'aurait jamais d
se laisser aller entre ses bras lors de la fête de Noël. C
elle sait bien que cet avocat renommé ne verra jamais rie
d'autre en elle qu'une précieuse assistante, et que la nu
de passion qu'ils ont partagée ne signifie rien à ses yeux.

# OFFRE DE BIENVENUE

Vous êtes fan de la collection Passions ?
Pour prolonger le plaisir, recevez gratuitement

### ◆ 1 livre Passions gratuit ◆
### et 2 cadeaux surprise !

e fois votre colis de bienvenue reçu, si vous souhaitez continuer à recevoir nos
mans Passions, cela se fera automatiquement. Vous recevrez alors chaque mois 3
umes doubles inédits de cette collection au tarif unitaire de 7,50€ (Frais de port
nce : 1,99€ - Frais de port Belgique : 3,99€).

**➡ ET AUSSI DES AVANTAGES EXCLUSIFS :**

**➡ LES BONNES RAISONS
DE S'ABONNER :**

Aucun engagement de durée
ni de minimum d'achat.
◆
Aucune adhésion à un club.
◆
os romans en avant-première.
◆
La livraison à domicile.

Des cadeaux tout au long de l'année.
◆
Des réductions sur vos romans par
le biais de nombreuses promotions.
◆
Des romans exclusivement réédités
notamment des sagas à succès.
◆
L'abonnement systématique et gratuit
à notre magazine d'actu ROMANCE.
◆
Des points fidélité échangeables
contre des livres ou des cadeaux.

**IOIGNEZ-NOUS VITE EN COMPLÉTANT ET EN NOUS RENVOYANT LE BULLETIN !** ✂ ······

N° d'abonnée (si vous en avez un)  ⎹_⎸_⎹_⎸_⎹_⎸_⎹_⎸_⎹_⎸     RZ7F09
                                                            RZ7FB1

Mme ☐ Mlle ☐ Nom : ......................................  Prénom : ............................

Adresse : ....................................................................................................

CP : ⎹_⎸_⎹_⎸_⎹_⎸   Ville : .............................................................................

Pays : ...........................  Téléphone : ⎹_⎸_⎹_⎸_⎹_⎸_⎹_⎸_⎹_⎸

E-mail : .......................................................................................................

Date de naissance : ⎹_⎸_⎸ ⎹_⎸_⎸ ⎹_⎸_⎸_⎸

☐ Oui, je souhaite être tenue informée par e-mail de l'actualité d'Harlequin.
☐ Oui, je souhaite bénéficier par e-mail des offres promotionnelles des partenaires d'Harlequin.

**Renvoyez cette page à : Service Lectrices Harlequin – CS 20008 – 59718 Lille Cedex 9 - France**

Composé et édité par HarperCollins France.

Achevé d'imprimer en octobre 2017.

Barcelone

Dépôt légal : novembre 2017.

Pour limiter l'empreinte environnementale de ses livres, HarperCollins France s'engage à n'utiliser que du papier fabriqué à partir de bois provenant de forêts gérées durablement et de manière responsable.

*Imprimé en Espagne.*